MånPocket

En miljövänlig bok!
Papperet i denna bok är tillverkat
av helt mekanisk trämassa – utan
tillsats av klor och kemisk massa
eller andra miljöfarliga ämnen.

Karin Fossum

SE DIG INTE OM

Översättning Helena & Ulf Örnkloo

MånPocket

Omslag av Helena Modéer
Omslagsfoto © Anne McDonald/nonstock
Norska originalets titel:
Se deg ikke tilbake!
© J.W. Cappelen Forlag a/s 1996
Översättning av Helena och Ulf Örnkloo

www.manpocket.com

Denna MånPocket är utgiven enligt överenskommelse
med Bokförlaget Forum AB, Stockholm

Tryckt i Danmark hos
Nørhaven a/s 2000

ISBN 91-7643-586-5

Trots att enstaka namn har ändrats kommer det landskap där denna historia utspelas att kunna kännas igen av dem som bor där. Det är därför mycket angeläget för mig att försäkra att ingen av personerna i boken har någon som helst motsvarighet i verkligheten.

Valstad, februari 1996
Karin Fossum

Till Bente Konstance

Ragnhild öppnade dörren försiktigt och kikade ut. Ute på vägen var allt lugnt, och en vind som hade lekt sig in mellan husen under natten hade slutligen mojnat. Hon vände sig om och drog dockvagnen över tröskeln.

– Vi har ju inte ens ätit, klagade Marthe.

Hon knuffade på vagnen för att hjälpa till.

– Jag måste hem. Vi ska ut och handla, svarade Ragnhild.

– Ska jag komma till dig efteråt?

– Det kan du väl. När vi har varit i affären.

Hon var nere på gruset, och nu började hon skjuta vagnen uppför backen till porten. Det var tungt, därför vände hon sig om och drog den i stället.

– Hej då, Ragnhild.

Dörren slog igen. En skarp smäll från trä och metall. Ragnhild fick kämpa lite med porten, men hon tordes inte slarva. Marthes hund kunde rymma. Den följde henne uppmärksamt med ögonen underifrån trädgårdsbordet. Då hon var säker på att porten var ordentligt stängd, började hon gå bortåt vägen mot garagen. Hon kunde ha tagit genvägen mellan husen men kom på att det blev för svårt med vagnen. En av grannarna stängde just garagedörren. Han log mot henne och knäppte rocken, lite klumpigt, med en hand. En stor svart Volvo stod och brummade tryggt.

– Jaså Ragnhild, du är tidigt uppe? Hade inte Marthe stigit upp, kanske?

– Jag har sovit där i natt, förklarade hon. På madrass på golvet.

– På det sättet.

Han låste garaget och tittade på klockan, den var 8.06. Kort därefter svängde bilen ut på vägen och försvann.

Ragnhild sköt vagnen med båda händerna. Hon hade kommit till nerförsbacken som var mycket brant, och hon måste hålla emot för att inte tappa taget. Dockan, som hette Elise efter henne själv eftersom hon hette Ragnhild Elise, gled upp mot huvudändan av vagnen. Det såg inte bra ut, så hon släppte taget med den ena handen och drog dockan neråt, puffade lite på täcket och fortsatte. På fötterna hade hon gympaskor, den ena var röd med grönt snöre, den andra var grön med rött snöre, och så skulle det vara. Hon hade också en röd träningsoverall med lejonet Simba på bröstet och en grön vindjacka utanpå. Håret var otroligt tunt och ljust och inte särskilt långt, ändå hade hon satt upp det med en gummisnodd mitt på huvudet. I snodden hängde färggranna plastfrukter, och i mitten spretade hårtofsen som en liten vanskött palm. Hon var sex och ett halvt, men liten för sin ålder. Först när hon öppnade munnen märkte man att hon snart skulle börja skolan.

Hon mötte ingen i backen, men då hon närmade sig korsningen hörde hon en brummande bil. Därför stannade hon, tryckte sig intill vägkanten och väntade medan den smutsiga skåpbilen gungade över ett farthinder. Den bromsade ner ytterligare då det rödklädda barnet kom till synes. Ragnhild ville över vägen. På den andra sidan fanns det trottoar, och hennes mamma hade sagt att hon alltid skulle gå på trottoaren. Hon väntade på att bilen skulle passera, men den stannade i stället. Chauffören vevade ner sidorutan.

– Gå du, så väntar jag, ropade han.

Hon tvekade lite, så gick hon över. Måste vända sig om igen för att dra upp vagnen på trottoaren. Bilen gled fram en bit, så stannade den igen. Fönstret på andra sidan öppnades. Hans ögon är konstiga, tänkte hon, jättestora och klotrunda. De satt långt från varandra och var bleka, som tunn is. Munnen var liten med fylliga läppar, den pekade neråt, som munnen på en fisk. Han stirrade på henne.

– Ska du uppför Skiferbakken med den där vagnen?

Hon nickade. – Jag bor på Granittveien.

– Det blir väldigt tungt. Vad har du i den då?

– Elise, svarade hon och lyfte dockan.

– Fin, sa han och log brett. Hans mun såg bättre ut då.

Så kliade han sig i huvudet, håret var rufsigt, det växte i tjocka tofsar rakt upp från huvudet som bladen på en ananas. Nu blev det ännu värre.

– Jag kan skjutsa dig, sa han. Vagnen ryms där bak.

Ragnhild tänkte lite. Hon tittade uppåt Skiferbakken, som var lång och seg. Han drog åt handbromsen och tittade bakåt i bilen.

– Mamma väntar på mig, sa Ragnhild.

Något ringde bak i huvudet, med hon kom inte på vad det var.

– Du kommer fortare hem om jag skjutsar dig, fortsatte han.

Det avgjorde saken. Ragnhild var en praktisk liten flicka, hon rullade vagnen till bilens baksida och chauffören hoppade ut. Han öppnade bakdörren och lyfte vagnen med en hand, därefter lyfte han upp Ragnhild.

– Du måste sitta bak och hålla i vagnen. Annars glider den bara fram och tillbaka.

Han gick fram igen, satte sig bakom ratten och lossade handbromsen.

– Går du uppför den här backen varje dag? Han kikade på henne i spegeln.

– Bara när jag har varit hos Marthe. Jag har sovit över.

Hon tog fram en blommig toalettväska som låg under docktäcket och öppnade den. Konstaterade att sakerna var på plats, nattlinnet med bilden av Nala, tandborsten och hårborsten. Skåpbilen guppade över ännu ett farthinder. Han tittade hela tiden i backspegeln.

– Har du sett en sån tandborste förr? frågade Ragnhild och höll upp den för honom. Den hade fötter.

– Nej! sa han begeistrat. Var har du fått tag på den?

– Pappa har köpt den. Har inte du en sån?

– Jag ska önska mig en i julklapp.

Han var äntligen över det sista guppet, nu la han in tvåan. Det skrapade ordentligt. Flickan satt på golvet i bilen och höll vagnen med båda händerna. En väldigt söt liten flicka, tänkte han, röd och fin i sin träningsoverall, som ett moget litet bär. Han visslade en melodi och kände sig uppåt, där han tronade bakom ratten i den stora bilen med den lilla flickan där bak. Verkligen uppåt.

Bygden låg i botten av en dal, längst inne i en fjord, vid foten av ett fjäll. Som ett sel där vattnet stod stilla. Och alla vet ju att det bara är rinnande vatten som är friskt. Bygden var ett styvbarn i kommunen, och vägarna dit var obeskrivligt dåliga. Någon enstaka gång fann en buss det för gott att stanna vid det nedlagda mejeriet och plocka upp folk för att köra dem till staden. Att komma hem var värre.

Fjället var en grå kulle, nästan outnyttjat av dem som bodde där, men flitigt besökt av folk långväga ifrån. Det berodde på ovanliga mineraler och en icke obetydlig flora som var enastående sällsynt. Vindstilla dagar kunde man höra att det pinglade svagt uppifrån toppen, man kunde nästan tro att det spökade. I verkligheten var det får som betade där uppe. Åsarna runtomkring var blå och luftiga genom diset, som en mjuk filt som doldes av dimstråk här och där. Konrad Sejer följde riksvägen med fingertoppen i kartboken. De närmade sig en rondell. Konstapel Karlsen satt vid ratten, han tittade uppmärksamt ut över markerna och följde kollegans anvisningar.

– Nu ska du till höger på Gneisveien, därefter uppför Skiferbakken, så till vänster vid Feltspatveien. Där tar du av till höger på Granittveien. En återvändsgränd, sa Sejer tankfullt. Nummer fem ska vara det tredje huset på vänster sida.

Han var spänd. Tonfallet var ännu kortare än vanligt.

Karlsen manövrerade in bilen i bostadsområdet och över farthindren. Som på så många andra ställen hade de inflyttade samlats i en klunga, ett stycke från resten av samhället. Bortsett från anvisningarna från Sejer blev det inte mycket sagt. De närmade sig huset, försökte stålsätta sig, tänkte att det saknade barnet kanske var hemma igen. Kanske satt hon i moderns knä, förvånad och besvärad över all uppståndelsen. Klockan var ett, alltså hade flickan varit saknad i fem timmar. Två var inom en rimlig gräns, fem var definitivt för mycket. Obehaget växte oavbrutet, som en död punkt i bröstet där blodet inte ville strömma igenom. Båda två hade barn själva, Karlsen hade en flicka på åtta, Sejer hade en dotterson på fyra. Tystnaden mellan dem var full av bilder, och kanske skulle de bli verkliga. Just detta slog Sejer, när de svängde in framför huset. Nummer 5 var ett lågt vitt hus med mörkblå knutar. Ett typiskt elementhus, utan karaktär, men pyntat som en lekstuga med dekorativa fönsterluckor. Trädgården var välskött. Runt hela huset löpte en stor veranda med ett vackert staket runtom. De var nästan högst uppe på åsen och skådade ut över hela bygden, en liten bygd, som var ganska vacker med sina gårdar och åkrar. Vid brevlådan stod en tjänstebil, som hade kommit i förväg.

Sejer gick först, torkade skorna noga på dörrmattan och böjde huvudet vid ingången till vardagsrummet. Det tog dem en sekund att uppfatta situationen. Hon saknades fortfarande, paniken var ett faktum. I soffan satt modern, en kraftig kvinna i rutig klänning. Bredvid, med en hand på hennes arm, satt en kvinnlig konstapel. Han kunde nästan känna lukten

12

av skräck i rummet. Alla hennes krafter gick åt till att hålla tillbaka gråten, eller kanske ett skärande skrik av rädsla, och därför flämtade hon vid minsta ansträngning. Som det att resa sig och räcka honom handen.

– Fru Album, sa han. Det är folk ute och letar, är det så?

– Några av grannarna. De har med sig hund.

Hon sjönk ner igen.

– Vi får hjälpas åt.

Han satte sig i länstolen mittemot och lutade sig fram. Han släppte inte hennes ögon med blicken.

– Vi ska skicka ut en hundpatrull. Nu måste du berätta allt om Ragnhild för mig. Vem hon är och hur hon ser ut och vad hon har på sig.

Inget svar, bara en ihärdig nick. Partiet runt munnen var stelt och orörligt.

– Har du ringt alla tänkbara ställen?

– Det är inte så många ställen, mumlade hon. Jag har ringt till alla.

– Har ni släktingar på andra ställen i trakten?

– Ingen. Vi är inte härifrån.

– Går Ragnhild på dagis eller i förskola?

– Vi fick inte plats.

– Har hon syskon?

– Vi har bara henne.

Han försökte dra efter andan utan att det hördes.

– Först hennes kläder, sa han sedan. Var så noggrann du kan.

– Röd träningsoverall, stammade hon, med ett lejon på bröstet. Grön vindjacka med huva. En röd och en grön sko.

Hon talade stötvis, rösten bar nästan inte.

– Och Ragnhild själv? Beskriv henne för mig.

– Hundratio centimeter lång. Arton kilo. Alldeles ljust hår. Vi har precis varit på sexårskontroll.

Hon gick till väggen bakom TV:n där det hängde en del fotografier. De flesta var av Ragnhild, ett var av henne själv i folkdräkt och ett av en man i försvarets fältuniform, troligtvis den äkta mannen. Hon valde ett där flickan log och gav honom det. Hennes hår var nästan vitt, moderns var korpsvart. Men fadern var blond. Lite av håret syntes under uniformsmössan.

– Hurdan är hon?

– Tillitsfull, snyftade hon. Pratar med alla.

13

Detta erkännande fick henne att skaka.

– Det är faktiskt sådana ungar som klarar sig bäst här i världen, sa han bestämt. Vi måste ta med oss fotot.

– Jag förstår det.

– Berätta, sa han och satte sig igen, vart ungarna här i området går när de ska på utflykt?

– Till fjorden. Till Prestegårdsstranda eller till Horgen. Eller upp på toppen av Kollen. En del går till bassängen där uppe, eller så går de i skogen.

Han tittade ut genom fönstret och såg de svarta granarna.

– Har någon överhuvudtaget sett Ragnhild efter att hon gick?

– Marthes granne mötte henne vid garaget då han skulle till jobbet. Jag vet det, för jag ringde till hans fru.

– Och var bor Marthe?

– I Kristallen. Bara några minuter härifrån.

– Hon hade en dockvagn med sig?

– Ja. Rosa Brio.

– Vad heter den där grannen? Som såg henne vid garaget?

– Walther, sa hon förvånat. Walther Isaksen.

– Var kan man få tag på honom?

– Han jobbar på Dyno Industrier. På personalavdelningen.

Sejer reste sig, gick till telefonen och ringde nummerupplysningen, fick numret, slog det och väntade.

– Jag behöver tala med en anställd hos er så fort som möjligt. Namnet är Walther Isaksen.

Fru Album stirrade bekymrat på honom från soffan, Karlsen studerade utsikten genom fönstren, de blå åsarna, åkrarna och en vit kyrkspira ett stycke bort.

– Konrad Sejer från polisen, sa han kort. Jag ringer från Granittveien 5, och då förstår du kanske varför.

– Är Ragnhild fortfarande borta?

– Ja. Men jag hör att du såg henne då hon lämnade huset?

– Jag höll på att låsa garageporten.

– Såg du på klockan?

– Den var åtta noll sex, jag var lite sent ute.

– Är du helt säker på klockslaget?

– Jag har digitalur.

Sejer teg, försökte att memorera vägen de hade kört.

14

– Du lämnade henne alltså klockan åtta noll sex vid garaget och körde raka vägen till jobbet.

– Ja.

– Nerför Gneisveien och ut på riksvägen.

– Det stämmer.

– Jag skulle tro, sa Sejer, att så dags kör de flesta in mot stan, och att det kanske är lite trafik i den motsatta riktningen?

– Ja, det är riktigt. Vi har ingen genomfartstrafik här. Och inga arbetare, heller.

– Mötte du ändå några bilar på vägen? Några som körde in mot samhället?

Han tänkte efter. Sejer väntade. Det var tyst som en gravkammare i rummet.

– Ja, faktiskt, jag mötte en, nere på slätten. Alldeles före rondellen. En skåpbil, tror jag, smutsig och ful. Körde väldigt sakta.

– Vem satt i?

– En man, sa han tvekande. En ensam man.

– Jag heter Raymond, log han.

Ragnhild tittade upp, såg det leende ansiktet i spegeln, och Kollen, som låg och badade i morgonsol. – Ska vi åka en tur?

– Mamma väntar på mig.

Hon sa det i snusförnuftig ton.

– Har du varit på toppen av Kollen någon gång?

– En gång, med pappa. Vi hade med oss mat.

– Det går att köra upp med bil, förklarade han. Från baksidan alltså. Ska vi åka upp till toppen?

– Jag vill hem, sa hon, lite osäker nu.

Han växlade ner och stannade.

– Bara en liten tur? bad han.

Rösten var tunn. Ragnhild tyckte att han lät så ledsen. Och hon var inte van att säga emot vuxna. Hon reste sig och gick fram till sätet, lutade sig framåt.

– En liten tur, upprepade hon. Upp på toppen och hem igen med en gång.

Han backade in på Feltspatveien och körde ner igen.

– Vad heter du? frågade han.

– Ragnhild Elise.

Han vaggade från sida till sida och harklade sig undervisande.

– Ragnhild Elise. Du kan inte åka och handla så tidigt på morgonen. Klockan är bara kvart över åtta. Affären är stängd.

Hon svarade inte. Lyfte i stället upp Elise ur vagnen, tog henne i knät och rättade till klänningen. Därefter tog hon ut nappen ur hennes mun. Dockan började ögonblickligen skrika, en späd metallisk spädbarnsgråt.

– Vad är det där?

Han tvärbromsade och tittade i spegeln.

– Det är bara Elise. Hon gråter när jag tar ut nappen.

– Jag tycker inte om det! Sätt tillbaka den igen!

Han körde ryckigt och nervöst nu, bilen svängde hit och dit.

– Pappa är bättre på att köra än dig, sa hon.

– Jag har fått lära mig själv, sa han surt. Ingen ville lära mig.

– Varför inte det?

Han svarade inte, kastade bara med huvudet. Bilen var ute på riksvägen nu, han körde på tvåan ner till rondellen och åkte över korsningen med ett rostigt gnisslande.

– Nu kommer vi till Horgen, sa hon glatt.

Han svarade fortfarande inte. Tio minuter senare tog han till vänster, uppför bergssluttningen. På vägen passerade de ett par gårdar, röda logar och några parkerade traktorer. De mötte ingen. Vägen blev allt smalare och allt gropigare. Ragnhild började bli trött i armarna av att hålla i vagnen, hon la dockan på golvet i stället och satte en fot mellan hjulen som broms.

– Här bor jag, sa han plötsligt och stannade.

– Tillsammans med din fru?

– Nej, med min pappa. Men han ligger i sängen.

– Har han inte gått upp?

– Han ligger jämt.

Hon kikade nyfiket ut genom bilfönstret och fick syn på ett märkligt hus. Från början var det en stuga som någon hade byggt på, först en gång, och sedan en gång till. Ingen av delarna hade samma färg. Bredvid stod ett garage av korrugerad plåt. Gårdsplanen var igenvuxen. En gammal rostig harv kvävdes långsamt av brännässlor och maskrosor. Men Ragnhild var

16

inte intresserad av huset, hon hade fått syn på något annat.

– Kaniner! sa hon matt.

– Ja, sa han belåtet. Vill du se på dem?

Han hoppade ut, öppnade där bak och lyfte ner henne. Han hade ett märklig sätt att gå på, benen var nästan onaturligt korta och han var mycket hjulbent. Fötterna var små. Från den breda näsan och ner till underläppen, som putade ut lite, var avståndet kort. Under näsan hängde en stor klar droppe. Ragnhild förstod att han inte var så gammal, även om han vaggade som en gammal man. Men det var lustigt. Ett pojkansikte på en gammal kropp. Han vaggade bort till kaninburen och öppnade. Ragnhild stod som förhäxad.

– Får jag hålla en?

– Ja. Du kan få välja.

– Den lilla bruna, sa hon hänfört.

– Det är Påsan. Han är finast.

Han öppnade buren och lyfte ut den lilla kaninungen. En rultig vädurskanin med hängande öron och färg som kaffe med mycket grädde. Den sprattlade väldigt med benen men lugnade sig så snart den hamnade i Ragnhilds famn. Ett ögonblick var hon fullständigt stum. Hon kände hjärtat som bultade mot handen och kände försiktigt på det ena örat. Det var som en bit sammet mellan fingrarna. Nosen blänkte svart och fuktig som en lakritspastill. Raymond stod bredvid och såg på. Han hade en flicka helt för sig själv, och ingen hade sett dem.

– Bilden, sa Sejer, med signalement, kommer att skickas till tidningarna. Får de inte annat besked, trycker de den i natt.

Irene Album föll ihop över bordet och jämrade sig. De andra stirrade tyst på sina händer och på ryggen som skakade. Den kvinnliga konstapeln satt beredd med en nasduk. Karlsen skrapade lite med stolen och sneglade på klockan.

– Är Ragnhild rädd för hundar? ville Sejer veta.

– Varför frågar du om det? snyftade hon.

– Det har hänt att vi letar efter barn med hundpatruller, och att de gömmer sig när de hör våra schäfrar.

– Hon är inte rädd.

17

Orden upprepade sig i hans huvud. *Hon är inte rädd.*

– Du har inte lyckats få tag i din man?

– Han är i Narvik på övning, viskade hon. Ute på fjället någonstans.

– Har de inte mobiltelefoner?

– De har inte täckning där.

– De som är ute och letar nu, vilka är det?

– Pojkar från grannskapet. De som är hemma på dagtid. En av dem har telefon med sig.

– Hur länge har de varit ute?

Hon tittade upp på väggklockan. – Över två timmar.

Hon darrade inte längre på rösten, nu lät hon drogad, nästan loj, som om hon pratade halvt i sömnen. Han lutade sig fram igen och talade till henne så sakta och tydligt han kunde.

– Det du sitter och är allra mest rädd för har högst sannolikt *inte* hänt. Förstår du det? Som regel försvinner ungar på grund av bagateller. Och det är faktiskt så att ungar försvinner hela tiden, eftersom de är ungar. De har ingen känsla för tid eller ansvar, och de är så förbaskat nyfikna att de följer varenda impuls som uppstår i huvudet på dem. Det är så det är att vara barn, och det är därför de försvinner. Men som regel dyker de upp igen lika plötsligt som de försvann. Ofta har de inte ens någon särskilt bra förklaring på var de har varit eller vad de har gjort. Men som regel – han drog efter andan – är det inget fel på dem.

– Ja! sa hon och såg stint på honom. Men hon har aldrig varit borta förr!

– Hon växer och blir större, sa han enträget. Hon vågar mer.

Gud hjälpe mig, tänkte han i detsamma, jag har svar på allt. Han reste sig igen och slog ett nytt nummer. Avstod från att följa ett infall att titta på klockan en gång till, eftersom det skulle vara en påminnelse om att tiden gick och det var det sista de behövde. Han fick tala med kriminaljouren, gav dem en kort sammanfattning och bad dem kontakta Norsk Folkhjälp. Uppgav adressen till Granittveien och tecknade en rask bild av flickan i luren. Rödklädd, nästan vitt hår, rosa dockvagn. Frågade efter inkommande meddelanden, de hade inte fått några. Han satte sig igen.

– Har Ragnhild pratat om eller nämnt några personer på sista tiden, som är främmande för dig?

– Nej.

– Hade hon pengar? Kan hon ha letat efter en kiosk?

18

– Hon hade inga pengar.

– Det här är ett litet ställe, fortsatte han. Har det någon gång hänt att hon varit ute och gått och då har fått skjuts med någon av grannarna?

– Ja, det har hänt. Det ligger cirka hundra hus på den här åsen, och hon känner nästan alla. Och hon känner igen bilarna. Ibland har de gått ner till kyrkan, hon och Marthe, med sina dockvagnar, och så har de fått skjuts hem igen med någon granne.

– Har de någon särskild anledning att gå till kyrkan?

– Det ligger en liten pojke begravd där, som de kände. De plockar blommor och lägger på hans grav, och så går de upp igen. Jag tror de tycker att det är spännande.

– Du har letat vid kyrkan?

– Jag ringde efter Ragnhild klockan tio. Då Marthe sa att hon hade gått klockan åtta, kastade jag mig in i bilen. Jag lät dörren stå öppen om hon skulle komma medan jag var ute och letade. Jag körde till kyrkan och ner till Finamacken, där gick jag ut ur bilen och letade överallt. Jag var inne på bilverkstaden och bakom mejeriet, efter det körde jag till skolan för att leta på skolgården, för där har de klätterställningar och sådant. Och så kollade jag på dagis. Hon ville så gärna börja där, hon...

Ett nytt jämrande tog över. Så länge hon grät, satt de andra tysta och väntade. Hennes ögon var svullna nu, och hon skrynklade förtvivlat klänningen mellan fingrarna. Efter en stund ebbade gråten ut igen och apatin kom tillbaka. En sköld, som höll undan de hemska farhågorna.

Telefonen ringde. En plötslig illavarslande signal. Hon ryckte till i soffan och ville svara, men hon såg Sejers hand som en stoppskylt i luften. Han lyfte luren.

– Hallå? Är Irene där?

Det lät som en pojke. – Vem talar jag med?

– Thorbjørn Haugen. Vi letar efter Ragnhild.

– Du talar med polisen. Har du något att berätta?

– Vi har varit i alla husen på hela åsen. Vartenda ett. Men många av dem var ju inte hemma då, fast vi träffade en dam på Feltspatveien. En stor bil hade backat och vänt på hennes garageuppfart, hon bor i nummer ett. Ett slags skåpbil, trodde hon. Och i bilen såg hon en flicka med grön jacka och vitt hår. Med en tofs på huvudet. Ragnhild har ofta håret i en tofs högst upp.

– Fortsätt.

19

– Den vände mitt i backen och körde ner igen. Försvann vid kröken.
– Vet du vad klockan var då?
– Kvart över åtta.
– Kan du komma till Granittveien?
– Vi är där strax, vi är vid rondellen.
Han la på. Irene Album stod fortfarande upp.
– Vad var det? viskade hon. Vad sa de för något?
– Någon såg henne, sa han långsamt. Hon gick in i en bil.

Äntligen kom skriket. Det var som om ljudet trängde sig igenom den täta skogen och skapade en svag rörelse i Ragnhilds huvud.
– Jag är hungrig, sa hon plötsligt. Jag måste hem.
Raymond tittade upp. Påsan skuttade runt på köksbordet och slickade i sig majsena, som de hade strött ut. De hade glömt både tid och rum. De hade matat alla kaninerna, Raymond hade visat henne sina bilder, klippta ur veckotidningar och omsorgsfullt inklistrade i ett stort album. Ragnhild skrattade oavbrutet åt hans lustiga ansikte. Nu anade hon att klockan var mycket.
– Du kan få en smörgås.
– Jag vill hem. Vi ska ut och handla.
– Vi går till Kollen först, så kör jag hem dig sedan.
– Nu! sa hon bestämt. Jag vill hem nu.
Raymond sökte förtvivlat efter något som kunde ge honom uppskov.
– Ja, jag vet. Men först måste jag ut och köpa mjölk till pappa. Nere på Horgen. Det tar inte lång stund. Du kan vänta här, så går det fortare.
Han reste sig och såg på henne. På det ljusa ansiktet med den lilla hjärtformade munnen, som fick honom att tänka på darlingkarameller. Ögonen var klara och blå och ögonbrynen var mörka, en överraskning under den vita luggen. Så suckade han tungt, reste sig och öppnade köksdörren. Ragnhild ville egentligen gå, men hon kunde inte vägen, så hon måste vänta. Hon tassade in i det lilla vardagsrummet med kaninen i famnen och kurade ihop sig i hörnet av soffan. De hade inte sovit mycket på natten, hon och Marthe, och med det varma djuret mot halsgropen blev hon snart sömnig. Ganska snart gled ögonen igen.
Det hade gått ett tag då han äntligen kom tillbaka. Länge satt han och

såg på henne och förundrade sig över hur stilla hon sov. Inte en rörelse, inte en endaste liten suck. Han tyckte hon hade jäst lite, blivit större och varmare, som ett franskbröd i ugnen. Efter en stund blev han orolig, han visste inte var han skulle göra av händerna, så han stoppade dem i fickorna och gungade lite fram och tillbaka i stolen. Han började knåda byxtyget mellan händerna, medan han gungade och gungade, fortare och fortare. Han såg ängsligt ut genom fönstren och neråt korridoren som ledde till faderns sovrum. Händerna jobbade och jobbade. Hela tiden stirrade han på hennes hår, som var blankt som silke, nästan som kaninpäls. Så stönade han lågt och slet sig lös. Reste sig och knuffade försiktigt till henne.

– Vi kan åka nu. Ge mig Påsan.

Ett ögonblick var Ragnhild fullständigt förvirrad. Hon reste sig långsamt och stirrade på Raymond. Följde efter honom ut i köket och drog på sig vindjackan. Tassade ut ur huset, såg det lilla bruna nystanet försvinna in i buren. Dockvagnen stod fortfarande bak i bilen. Raymond såg ledsen ut, men han knuffade henne mot bakändan för att hjälpa henne in. Så satte han sig fram och vred om nyckeln. Ingenting hände.

– Den startar inte, sa han irriterat. Det förstår jag inte. Den gick ju nyss. Skitbil!

– Jag måste hem! sa Ragnhild högt, som om det skulle hjälpa. Han fortsatte vrida om nyckeln och ge gas, han fick kontakt och hörde att motorn drog runt, men det blev bara ett klagande jämmer och den ville inte tända.

– Då får vi gå.

– Det är ju jättelångt! gnällde hon.

– Nej, inte härifrån. Vi är på baksidan av Kollen nu, vi är nästan uppe, och då kan du se rätt ner på ditt hus. Jag ska dra vagnen åt dig.

Han tog på sig en jacka som låg i framsätet, hoppade ut igen och öppnade åt henne. Ragnhild bar dockan, själv drog han vagnen efter sig. Den skumpade lite på den gropiga vägen. Längre fram kunde Ragnhild se Kollen som tornade upp sig, omgärdad av svart skog. Ett dånande ögonblick tvingades de ner i diket när en bil passerade i hög fart. Dammet låg som tjock dimma efter den. Raymond hittade bra, han var inte särskilt snabb heller, och Ragnhild följde honom utan svårighet. Efter en stund blev det brantare, vägen tog slut i en vändplats och stigen, som gick lite till höger om Kollen, var mjuk och fin. Fårstigen hade vidgat den, och lorten låg tätt som hagel. Ragnhild roade sig med att trampa på dem, de var torra och fina. Efter några få minuter glittrade det vackert mellan träden.

– Ormetjern, sa Raymond.

Hon stannade bredvid honom. Tittade ut över vattnet och såg näckrosorna och en liten båt som låg vid strandkanten med botten i vädret.

– Gå inte ner till vattnet, sa Raymond. Det är farligt. Man kan inte bada här, man sjunker bara ner i sanden och försvinner. Kvicksand, la han till med en viktig min. Ragnhild rös. Följde tjärnens strandkant med ögonen, en vajande gul linje av vass, bortsett från ett enda ställe, där något som med god vilja kunde kallas en strand bröt linjen som ett mörkt hack. Det var detta de stirrade på. Raymond släppte dockvagnen och Ragnhild stack ett finger i munnen.

Thorbjørn blev stående och fumlade med mobiltelefonen. Han var omkring sexton, hade mörkt halvlångt hår med antydan till fall som hölls på plats av en brokig snusnäsduk. Ändarna spretade från knuten i tinningen som två röda fjädrar och fick honom att likna en blek indian. Han undvek Ragnhilds mors ögon, stirrade på Sejer i stället och slickade sig upprepade gånger runt munnen.

– Det du har luskat ut är viktigt, sa Sejer. Var snäll och skriv ner hennes adress här. Kommer du ihåg namnet?

– Helga Moen, i nummer ett. Grått hus med hundgård utanför.

Han nästan viskade och skrev med stora bokstäver i blocket som Sejer hade gett honom.

– Ni har varit nästan överallt? frågade Sejer.

– Vi var på Kollen först, sedan gick vi ner till Ormetjern och tittade runt lite på stigarna. Var vid bassängen på kullen, Horgen Handel och Prestegårdsstranda. Och vid kyrkan. Till slut letade vi vid ett par av gårdarna, vid Bjerkerud och vid hästsportscentret. Ragnhild var, hm, jag menar *är*, väldigt intresserad av djur.

Felsägningen fick det att hetta i kinderna på honom. Sejer klappade honom lätt på axeln.

– Sätt dig, Thorbjørn.

Han nickade mot soffan där platsen bredvid fru Album var ledig. Nu hade hon gått in i en annan fas, hon slet våldsamt med den svindlande

22

möjligheten att Ragnhild kanske aldrig skulle komma hem igen och att hon kunde bli tvungen att leva resten av sitt liv utan den lilla flickan med de stora blå ögonen. Insikten kom i små stick som hon försiktigt kände på. Kroppen var fullständigt stel, som om hon hade en eldgaffel i ryggen. Den kvinnliga konstapeln, som nästan inte hade sagt ett ord på hela tiden de hade varit där, reste sig långsamt. För första gången vågade hon sig på ett förslag.

– Fru Album, bad hon lågt. Låt mig få koka lite kaffe åt oss.

Hon nickade svagt. Reste sig och följde konstapeln ut i köket. En vattenkran sattes på och det klirrade i koppar. Sejer nickade omärkligt mot Karlsen och vinkade ut honom i hallen. De blev stående där och mumlade lågt, Thorbjørn kunde nätt och jämnt se Sejers huvud och Karlsens skospets, som var svart och blank. I halvmörkret kunde de titta på klockorna utan att bli sedda. Det gjorde de och nickade till varandra. Ragnhilds försvinnande var blodigt allvar, och den stora apparaten måste dras igång. Sejer kliade sig på armbågen genom tyget i skjortan.

– Jag orkar inte tänka tanken på att finna henne i ett dike.

Han öppnade dörren för att hämta lite luft. Och där stod hon. I röd träningsoverall, på det nedersta trappsteget, med en liten vit hand på räcket.

– Ragnhild? sa han häpet.

En lycklig halvtimme senare, då bilen rullade nerför Skiferbakken, drog han belåtet fingrarna genom håret. Karlsen tänkte att nu, då det var nyklippt och kortare än vanligt, liknade det en stålborste. En sådan som man putsar bort gammal färg med. Ansiktet med dess markerade drag såg fridfullt ut, inte slutet och allvarligt som det brukade. Mitt i backen passerade de det grå huset. De såg hundgården och ett ansikte i fönstret. Om Helga Moen hoppades på besök av polisen, skulle hon bli besviken. Ragnhild satt tryggt i moderns knä med en dubbelmacka i handen.

Ögonblicket då flickan rusade in på golvet hade mejslat sig fast hos dem båda. Modern, som hörde den tunna rösten, rusade ut från köket och kastade sig över henne, blixtsnabbt, som när ett rovdjur griper ett byte och aldrig, aldrig vill släppa det. Ragnhild satt som i en rävsax. De tunna lemmarna och den vita hårtofsen spretade mellan moderns kraftiga armar. Och där blev de stående. Det hördes inte ett ljud, inte en endaste snyftning från någon av dem. Thorbjørn höll på att krama sönder mo-

23

biltelefonen, den kvinnliga konstapeln skramlade med kopparna, Karlsen tvinnade och tvinnade mustaschen, ett lycksaligt flin bredde ut sig över hans ansikte. Det ljusnade i rummet, som om solen plötsligt lyst in genom rutan. Och så kom det slutligen, med ett snyftande skratt:

– DIN FÖRSKRÄCKLIGA UNGE!

Sejer harklade sig. – Jag har funderat på, sa han, att ta en veckas semester. Jag har lite kompledighet att ta ut.

Karlsen gungade över ett farthinder.

– Vad ska du använda den till? Hoppa fallskärm i Florida?

– Tänkte jag skulle öppna stugan.

– Vid Brevik, var det så?

– Sandøya.

De svängde ut på riksvägen och ökade farten.

– Jag måste till Legoland i år, mumlade Karlsen. Slipper inte undan längre. Flickan tjatar.

– Du får det att låta som ett straff, sa Sejer. Legoland är fint. När du reser därifrån är du garanterat nedlastad med legobitar och helt såld på stället. Res för all del. Du kommer inte att ångra dig.

– Så du har varit där?

– Jag har varit där med Matteus. Vet du att de har gjort en staty av Sitting Bull av bara legobitar? En komma fyra miljoner legobitar i speciella färgtoner. Det är helt otroligt.

Han teg, fick ögonen på kyrkan till vänster, en liten vit träkyrka ett stycke från vägen mellan gröna och gula åkerlappar, inramad av frodiga träd. En vacker liten kyrka, tänkte han, på ett sådant ställe borde han ha lagt sin fru. Även om det hade blivit längre väg. Nu var det självklart för sent. Hon hade varit död i mer än åtta år och hade sin grav i centrum av staden, alldeles vid den tungt trafikerade huvudgatan, omringad av avgaser och larm.

– Du tror att flickan var okej?

– Det verkar så. Jag har bett mamman ringa om ett tag. Hon blir väl mer pratsam så småningom. Sex timmar, sa han tankfullt, det är rätt länge. Han måtte ha varit en charmerande enstöring.

– Han hade tydligen körkort i alla fall. Då är han väl inte helt borta.

– Det vet vi väl inte? Om han har körkort?

– Nej fan, det har du rätt i, måste Karlsen medge. Han bromsade plötsligt och svängde in på bensinstationen i det som lokalbefolkningen kalla-

24

de centrum, med post och bank och frisör och så Finamacken. En skylt med ordet Medicinutförsäljning var klistrad på fönstret i Kiwibutiken, och frisören frestade med ett nytt solarium.

– Jag måste ha mig en Kvikklunch. Följer du med in?

De gick in, och Sejer köpte en tidning och choklad. Han kastade en blick ut genom fönstret ner på fjorden.

– Ursäkta, sa flickan bakom disken. Det har väl inte hänt något med Ragnhild?

Hon stirrade nervöst på Karlsens uniform.

– Känner du henne? Sejer la pengar på disken.

– Nej, inte känner, men jag vet vem hon är. Mamman var här och letade i morse.

– Ragnhild är oskadd. Hon är hemma igen.

Hon log lättat och la växelpengar i hans hand.

– Är du härifrån? frågade Sejer. Känner du de flesta här?

– Jag gör väl det. Vi är inte så många.

– Om jag frågar om du känner en man, en som möjligen är lite speciell och kör skåpbil, en gammal och ful och fläckig skåpbil, ringer det en klocka då?

– Det låter som Raymond, sa hon och nickade. Raymond Låke.

– Vad vet du om honom?

– Han jobbar på Arbetscentret. Bor i en stuga på baksidan av Kollen tillsammans med sin far. Raymond är mongoloid. Trettio år kanske, och väldigt snäll. Hans far drev förresten den här macken förr. Innan han blev pensionerad.

– Har han körkort?

– Nej, men han kör i alla fall. Det är faderns bil. Han är sängliggande, han har nog inte särskilt bra koll på vad Raymond gör. Länsman vet om det och tar honom av och till, men det hjälper inte mycket. Han är väldigt egen, kör bara på tvåans växel. Hade han tagit med sig Ragnhild?

– Ja.

– Då kunde hon inte ha varit i tryggare händer, log hon. Raymond skulle stanna på vägen och släppa över en nyckelpiga.

De log brett och gick ut igen. Karlsen satte tänderna i sin chokladbit och såg sig omkring.

– Trevligt ställe, sa han och tuggade.

Sejer, som hade köpt marsipanbröd, följde hans blick. – Den fjorden är

25

djup, över trehundra meter. Blir aldrig mer än sjutton grader varm.

– Känner du någon här?

– Inte jag, men min dotter Ingrid. Hon har varit med på hembygds-
vandringar här, sådana som de arrangerar om hösten. "Lär känna din
bygd." Hon älskar sådant.

Han tvinnade silverpapperet till en tunn remsa och la den i skjortfick-
an. – Kan mongoloida bli bra chaufförer, tror du?

– Jag vet inte, sa Karlsen. Men det är ju inget fel på dem, bortsett från
den enda kromosomen som vi andra inte har. Om jag har förstått det rätt,
så är det största problemet att de tar längre tid på sig att lära än andra.
Dessutom har de dåligt hjärta. De blir inte så gamla. Och så är det något
med händerna.

– Vad då?

– De saknar ett veck i handen eller något sådant.

Sejer såg förundrat på honom. – Ragnhild har i vilket fall som helst
låtit sig charmeras.

– Det hjälpte nog med de där kaninerna, kan jag tro.

Karlsen hittade en näsduk i fickan och torkade choklad från mungipor-
na. – Jag växte upp med en sådan, då jag var grabb. Vi kallade honom Tok-
Gunnar. När jag tänker på det nu, tror jag faktiskt att vi såg det som att han
kom från en annan värld. Han är död nu, han blev bara trettiofem.

De satte sig i bilen och körde vidare. Sejer förberedde ett litet tal i all
enkelhet som han skulle servera avdelningschefen på kontoret när de var
tillbaka på stationen. Några dagar ledigt för att resa till stugan hade plöts-
ligt blivit kolossalt viktigt. Det passade bra, femdygnsprognosen såg lo-
vande ut, och flickan som kommit hem hade gjort honom upprymd. Han
tittade ut över åkrar och ängar, noterade att de plötsligt körde mycket sak-
ta och fick syn på traktorn på vägen framför dem. En grön John Deere
med smörgula fälgar sniglade sig fram. De hade ingen möjlighet att kom-
ma förbi, varje gång de kom till en raksträcka visade den sig vara för kort.
Bonden, som hade keps och öronskydd på, satt som en stubbe, som fast-
växt på traktorsätet. Karlsen växlade ner och suckade. – Han kör bryssel-
kål. Kan du inte sticka ut en hand och knycka en påse? Så kokar vi dem i
köket i personalmatsalen?

– Nu kör vi ungefär lika fort som Raymond, mumlade Sejer. Genom
livet på tvåan. Det hade verkligen varit något.

Han la det grå huvudet på nackstödet och slöt ögonen.

Efter stillheten ute på landet framstod staden som ett smutsigt, myllrande kaos av folk och bilar. Huvudleden gick fortfarande genom centrum, kommunfullmäktige kämpade en envis kamp för tunneln som de hade klar på ritbordet, medan ständigt nya grupper reste sig upp och protesterade, med mer eller mindre tungt vägande argument emot. Ventilationssystemets förfulning av landskapet kring älven, buller och föroreningar under byggarbetet och, sist men inte minst, prislappen.

Sejer tittade ner på gatan från chefens kontor. Han hade just framfört sitt ärende, nu väntade han på svaret. Det var redan klart. Det kunde inte falla Holthemann in att säga nej, inte när det var Sejer som frågade. Men han hade ju sina principer.

– Du har kollat vaktlistan? Pratat med resten av gänget?

Sejer nickade. – Soot får två vakter tillsammans med Siven, jag räknar med att hon håller honom i örat.

– Då ser jag ingen anledning att...

Telefonen ringde. Två korta pip, som från en hungrig fågel. Sejer var inte religiös, men han bad en bön ändå, möjligen till försynen, att det inte var semestern som gick upp i rök mitt framför näsan på honom.

– Om jag har Konrad på mitt kontor?

Holthemann nickade. – Jadå, det har jag. Koppla in henne.

Han drog i sladden och räckte honom luren. Sejer tog den, tänkte att det kanske var Ingrid som ville honom någonting, han behövde ju inte ta ut bekymren i förskott. Det var fru Album.

– Är allt som det ska med Ragnhild? frågade han snabbt.

– Ja, hon mår bra. Bara bra. Men hon berättade något konstigt när vi äntligen blev ensamma. Jag tordes inte annat än att ringa, jag tyckte att det lät så märkligt, och hon brukar inte hitta på saker, i varje fall inte sådana saker, så för säkerhets skull ringer jag till dig. Så har jag i varje fall sagt ifrån till någon.

– Vad var det hon berättade?

– Den här mannen, som hon var tillsammans med, han hade alltså följt henne hem. Han hette förresten Raymond, hon kom på namnet efteråt. De gick upp från baksidan av Kollen och förbi Ormetjern, och där hade de stannat lite.

– Ja?

– Ragnhild säger att det ligger en kvinna där uppe.

Han blinkade överraskat.

– Vad säger du?

– Att det ligger en kvinna vid Ormetjern. Alldeles stilla och utan kläder.

Rösten var ängslig och förbryllad på en gång.

– Tror *du* på henne?

– Ja, det gör jag. Skulle en unge hitta på något sådant? Men jag törs inte gå upp dit ensam, och jag vill inte ta henne med mig.

– Då ska jag kolla upp det. Nämn inte det här för någon. Vi hör av oss.

Han la på och stängde på nytt stugan, som han hade öppnat i tankarna. Lukten av vågstänk och nyfångad småtorsk försvann hastigt. Han log snett mot Holthemann.

– Du. Det är något jag måste ordna först.

Karlsen var ute och patrullerade, i den enda tjänstebil de kunde undvara den här dagen och som skulle betjäna hela stadskärnan. Därför fick han med sig Skarre i stället, en ung lockig konstapel, omkring hälften så gammal som han själv. Skarre var en munter, kortväxt man, godlynt och optimistisk, och med rester av sörlandsdialekt som slog igenom när han blev ivrig. De parkerade åter vid brevlådan på Granittveien och pratade en stund med Irene Album. Ragnhild hängde som en kardborre i hennes klänning. En del förmaningar hade otvivelaktigt funnit vägen in i hennes vithåriga huvud. Modern pekade och förklarade, sa att de skulle följa en markerad stig som gick från skogsbrynet mittemot husen och uppåt till vänster förbi Kollen. Det skulle ta dem tjugo minuter, trodde hon, att gå upp.

Granstammarna var märkta med blå pilar. De såg skeptiskt på fårlorten, drog sig då och då ut i ljungen men fortsatte ihärdigt uppåt. Det blev allt brantare. Skarre flåsade lite, Sejer gick lätt och obesvärat. En gång stannade han, vände sig om och tittade ner mot bostadsområdet. Nu såg de bara taken, brunrosa och svarta i fjärran. Så fortsatte de, utan att konversera längre, dels för att andan gick åt till att lyfta på benen, dels för att de var rädda för vad de skulle finna. Skogen var så tät här inne att de gick i halvmörker. Automatiskt höll Sejer blicken på stigen, inte för att han var rädd för att snubbla, utan för att leta efter saker och ting. Om något verkligen hade skett här uppe, gällde det att upptäcka allt. De hade gått i precis sjutton minuter då skogen öppnade sig och dagsljuset trängde igenom. De såg vattnet nu. En spegelblank tjärn, inte större än en stor damm. Den

28

låg mellan granarna som ett hemligt rum. Ett ögonblick for de med ögonen över terrängen. Följde vassens gula linje med blicken och fick syn på något som kunde likna en strand lite längre bort. De fortsatte dit på gott avstånd från vattnet, bältet med vass var tämligen brett och de hade bara skor på fötterna. Det kunde knappast kallas en strand. Snarare var det en röjd plats med fyra fem stora stenar, precis nog för att hålla vassen borta, och kanske det enda stället där man kunde komma ända ner till vattnet. I gyttjan låg en kvinna. Hon låg på sidan med ryggen vänd mot dem, en mörk vindjacka dolde överkroppen, annars var hon naken. Blå och vita kläder låg i en hög vid sidan om. Sejer tvärstannade och grep automatiskt efter mobiltelefonen som hängde i bältet. Så ändrade han sig. Klev vid sidan om stigen och närmade sig försiktigt, hörde hur det skvalpade i skorna.

– Stanna där, sa han lågt.

Skarre lydde. Sejer var nu alldeles nere vid vattnet, där han satte foten på en sten ett stycke ut för att kunna se henne framifrån. Han ville inte röra något, inte ännu. Hennes ögon var lite insjunkna. De var halvöppna och fästa på en punkt ute i tjärnen. Ögonhinnan var matt och rynkig. Pupillerna var stora och inte längre helt runda. Munnen var öppen, och över den, och delvis över näsan, låg ett gulvitt skum, som om hon hade kräkts upp något. Han böjde sig ner och blåste på det, det rörde sig inte. Ansiktet var bara några centimeter från vattnet. Han la två fingrar över hennes halspulsåder. Huden hade mist all elasticitet men kändes inte så kall som han hade väntat sig.

– Borta, sa han.

På örsnibbarna och på sidan av halsen upptäckte han några rödlila fläckar. Huden på benen var knottrig men felfri. Han gick tillbaka samma väg. Skarre stod lite tafatt och väntade med händerna i fickorna. Han var livrädd för att göra fel.

– Helt naken under jackan. Inga synliga yttre skador. Arton tjugo år gammal, kanske.

Så ringde han, skickade efter ambulans, rättsmedicinare, fotograf och tekniker. Förklarade vägen för dem, den som gick upp från baksidan av Kollen och som var körbar. Han bad dem stanna ett stycke bort för att inte förstöra eventuella bilspår. Såg sig omkring efter något att sitta på och valde den flataste stenen. Skarre sjönk ner bredvid honom. De stirrade tyst på de vita benen och det ljusa håret, som var blankt och halvlångt.

Hon låg på sidan, nästan i fosterställning. Armarna ihop framför bröstet, knäna uppdragna. Vindjackan låg löst över överkroppen och räckte henne till mitt på låren. Den var ren och torr. Resten av kläderna låg i en hög bakom hennes rygg och var våta och leriga. Ett par jeans med bälte, blå- och vitrutig skjorta, behå, mörkblå collegetröja. Joggingskor från Reebok.

– Vad är det hon har över munnen? mumlade Skarre.

– Skum.

– Jamen, skum? Vart kommer det ifrån?

– Det räknar jag med att vi får veta så småningom.

Han ruskade på huvudet. – Ser ut som om hon har lagt sig för att sova. Med ryggen mot världen.

– Man klär väl inte av sig för att ta sitt liv?

Sejer svarade inte. Han såg på henne igen, på den vita kroppen vid det svarta vattnet som var omgivet av mörka granar. Scenen hade inte något våldsamt över sig, snarare såg det fridfullt ut.

Sex man kom klivande ut ur skogen. Röstsurret dog bort med ett par svaga hostningar så snart de fick syn på männen vid vattnet. Sekunden efter såg de den döda kvinnan. Sejer reste sig och vinkade.

– Håll er på sidan! ropade han.

De gjorde som han sa. Alla kände honom väl. En av dem bedömde terrängen med ett tränat öga, stampade lite i marken, som var relativt fast där han stod, och mumlade något om brist på nederbörd. Fotografen gick först. Han dröjde inte länge med blicken vid den döda utan kikade i stället mot himlen, som om han ville kolla ljuset.

– Ta bilder från bägge sidor, sa Sejer, och få med vegetationen. Jag är rädd att du måste ut i vattnet sedan, jag vill ha bilder framifrån, utan att flytta henne. När du har tagit halva filmen, tar vi bort jackan.

– Sådana här tjärnar är som regel bottenlösa, sa han skeptiskt.

– Du kan väl simma?

Det blev en paus.

– Det ligger en eka där borta. Vi kan använda den.

– En flatbottnad? Den ser rutten ut.

– Det visar sig, sa Sejer kort.

Så länge fotograferandet pågick stod de andra stilla och väntade, men en av teknikerna var i farten längre upp, där han genomsökte terrängen, som visade sig vara helt fri från skräp. Det här var en idyllisk liten plats, och sådana ställen var som regel översållade av kapsyler, använda kondomer och chokladpapper. De hittade ingenting.

– Otroligt, sa han. Inte så mycket som en bränd tändsticka.

– Han har väl städat efter sig, sa Sejer.

– Ser ut som ett självmord, tycker du inte?

– Hon är spritt språngande naken, replikerade han.

– Ja, men det har hon visst ordnat själv. De där kläderna är inte avslitna med våld, så mycket är säkert.

– De är smutsiga.

– Kanske är det därför hon har tagit dem av sig, log han. Dessutom har hon kräkts. Har säkert ätit något hon inte tålde.

Sejer skulle precis svara, men så svalde han och såg på henne. Han förstod tankegången trots allt. Det såg verkligen ut som om hon hade lagt sig ner själv, och det var sant att kläderna låg ordnade vid sidan av, inte slängda runtomkring. De var leriga men såg hela ut. Bara vindjackan som täckte överkroppen var torr och ren. Han stirrade ner i gyttjan och fick syn på något som liknade avtrycken efter en sko.

– Titta på det här, sa han till teknikern.

Mannen i overall satte sig på huk och mätte alla avtrycken flera gånger.

– Det här är hopplöst. De är fyllda med vatten.

– Kan du inte använda något av dem?

– Troligen inte.

De kisade ner i de vattenfyllda ovalerna.

– Ta bilder i alla fall. Jag tycker de ser små ut. Kanske en person med små fötter.

– Omkring tjugosju centimeter. Inte någon jättefot precis. Kan ju vara hennes. Fotografen knäppte flera bilder av spåren. Efteråt låg han och skvalpade i den gamla ekan. De hade inte funnit några åror, därför måste han ständigt paddla sig i position med händerna. Varje gång han rörde sig, krängde båten hotfullt.

– Den tar in vatten! ropade han bekymrat.

– Slappna av, vi är en hel räddningskår här! svarade Sejer.

Då han äntligen var färdig, hade han knäppt mer än femtio bilder. Sejer gick ner till vattnet, la ifrån sig skor och sockor på en sten, vek upp byxorna och vadade ut. Han stod en meter från hennes huvud. Runt halsen hade hon ett smycke. Han fiskade försiktigt fram det med en penna från innerfickan. – En medaljong, sa han lågt. Troligtvis silver. Det står

31

något på den. Ett H och ett M. Håll en påse färdig.

Han lutade sig fram och lossade kedjan, därefter tog han av jackan.

– Hon är röd i nacken, sa han så. Nästan ovanligt ljus hud överallt, men väldigt röd i nacken. En ful fläck, stor som en hand.

Rättsmedicinaren, som hette Snorrason, hade gummistövlar på fötterna. Han klev ner i vattnet och granskade i tur och ordning ögongloberna, tänderna, naglarna. La märke till den felfria huden, de svaga röda fläckarna, det fanns flera, liksom nyckfullt spridda över halsen och bröstet. Han synade varenda detalj, de långa benen, avsaknaden av födelsemärken, som var i det närmaste unik, och hittade ingenting annat än en liten leverfläck på högra axeln. Han rörde försiktigt vid skummet med en träspatel. Det verkade fast och kompakt, nästan som fromage.

– Vad är det där för något?

Sejer nickade mot hennes mun.

– Spontant skulle jag tro att det är vätska från lungorna, innehållande protein.

– Och det betyder?

– Drunkning. Men det kan också betyda andra saker.

Han skrapade bort en del av skummet, och efter en kort stund började nytt skum sippra fram.

– Lungorna har lagt av, förklarade han.

Sejer pressade ihop läpparna medan han betraktade fenomenet.

Fotografen tog nya bilder av henne, nu utan jacka.

– Dags att bryta sigillet, sa Snorrason och välte försiktigt över henne på mage. En viss begynnande stelhet, särskilt i nacken. Stor välbyggd kvinna med gott hull. Breda axlar. Kraftiga muskler i överarmar och lår och vader. Har kanske sysslat med idrott.

– Ser du några tecken på våld överhuvudtaget?

Han granskade ryggen och baksidan av benen. – Bortsett från rodnaden i nacken, nej. Någon kan ha tagit henne hårt i nacken och knuffat i henne framstupa. Troligen medan hon ännu var påklädd. Så har hon dragits upp igen efteråt, klätts av ordentligt, lagts till rätta och täckts med jackan.

– Några tecken på sexuellt våld?

– Vet inte ännu.

Han började ta hennes temperatur, helt ogenerat i allas åsyn, och studerade resultatet.

32

– Trettio grader. Tillsammans med de sparsamma likfläckarna och bara en svag stelhet i nacken, skulle jag uppskatta att döden inträffade inom en gräns på tio tolv timmar.

– Nej, sa Sejer. Inte om det är här hon dog.

– Ska du överta mitt jobb?

Han skakade på huvudet. – Det var folk här i förmiddags. En grupp människor med hund letade vid den här tjärnen efter en flicka som var anmäld saknad. De måste ha varit här någon gång mellan tolv och två. Då låg hon inte här. Det skulle de ha sett. Flickan dök för övrigt upp välbehållen, la han till.

Han såg sig omkring, kisade ner i gyttjan med smala ögon. En mycket liten lysande punkt fångade hans uppmärksamhet. Försiktigt plockade han upp den mellan två fingrar. – Vad är det här?

Snorrason tittade ner i hans hand. – Ett piller, eller en tablett av något slag.

– Kanske hittar du resten i hennes magsäck?

– Mycket möjligt. Men jag kan inte se någon pillerburk här.

– Hon kan ha haft dem löst i fickan.

– I så fall hittar vi stoft i hennes jeans. Lägg den i påsen.

– Känner du igen den, så här spontant?

– Kan vara vad som helst. Men de minsta tabletterna är ofta de starkaste. Labbet reder ut det.

Sejer nickade till männen med båren och blev stående med armarna i kors. För första gången på länge lyfte han blicken och tittade upp. Himlen var blek och de spetsiga granarna stod runt tjärnen som höjda spjut. Visst skulle de reda ut det. Det lovade han sig själv. Allt som hade hänt.

Jacob Skarre, född och uppväxt i Søgne på det vänliga Sörlandet, hade nyss fyllt tjugofem. Nakna kvinnor hade han sett många gånger, men aldrig något så naket som hon vid tjärnen. Det slog honom just nu, där han satt bredvid Sejer i bilen, att den här hade gjort ett starkare intryck på honom än alla andra han hade sett. Kanske för att hon låg som om hon ville skyla sin egen nakenhet, med ryggen mot stigen, med böjt huvud och knäna uppdragna. Men de hittade henne ändå, och de såg hennes nakenhet. Rörde vid och vände på henne, lyfte upp läpparna och undersökte tänderna, vände ut och in på ögonlocken. Tog temperaturen medan hon låg på magen med spretande ben. Som om hon var ett sto på auktion.

– Hon har väl egentligen varit ganska söt? sa han skakad.

Sejer svarade inte. Men han var glad över kommentaren. Han hade hittat andra flickor, hade hört andra kommentarer. De körde en stund i tystnad och stirrade på vägen, men framför sig såg de hela tiden den nakna kroppen. Den taggiga ryggraden, fotsulorna med lite rödare hud, vaderna med ljust hår, svävande över asfalten som en hägring. Sejer hade en märklig känsla. Det här liknade inte något han hade sett förut.

– Du ska ha nattjour?

Skarre harklade sig. – Bara till midnatt. Jag har tagit några timmar åt Ringstad. Hörde att du tänkte åka på en semestervecka förresten, blir det inget av med den nu?

– Det ser inte så ut.

I själva verket hade han glömt den.

Listan över saknade personer låg framför honom på bordet.

Den innehöll bara fyra namn, varav två var män, och de två som var kvinnor var bägge födda före 1960 och kunde inte vara kvinnan de hade funnit vid Ormetjern. Den ena var saknad från Centralsjukhuset, psykiatriska avdelningen, den andra från ett ålderdomshem i grannkommunen. "Längd 155 centimeter, vikt 45 kilo. Snövitt hår."

Klockan var sex på eftermiddagen, och det kunde ännu ta timmar innan någon ängslig själ tog steget och anmälde henne som saknad. De måste vänta både på bilderna och obduktionsrapporten, alltså var det inte mycket han kunde göra. Inte förrän de hade kvinnans identitet. Han tog skinnjackan från stolsryggen och tog hissen ner till första våningen. Bugade galant mot fru Brenningen i receptionen och kom i detsamma ihåg att hon faktiskt var änka och kanske levde ett liv som liknade hans eget. Söt var hon också, ljus som Elise, men rundare. Han hittade sin bil, en gammal isblå Peugeot 604, på parkeringsplatsen. I tankarna såg han framför sig den dödas ansikte, friskt och runt, utan smink. Kläderna var prydliga och slitstarka. Det ljusa släta håret var välskött, joggingskorna var dyra. På handleden hade hon ett värdefullt sporturo från Seiko. Det här var en kvinna med anständig bakgrund, från ett hem med ordning och struktur. Han hade hittat andra kvinnor, där en helt annan livsstil talade sitt tydliga språk. Men han hade blivit överraskad förr. Om hon till exempel var full av alkohol eller narkotika, eller något annat elände, visste de inte ännu. Allt var möjligt, och saker och ting var inte alltid vad de såg ut att vara.

Han körde sakta genom staden, förbi torget och brandstationen. Skarre hade lovat att ringa så fort hon blev efterlyst. På medaljongen stod bokstäverna H.M. Helene, tänkte han, eller Hilde kanske. Han trodde inte det skulle dröja länge innan någon ringde. Det här var en flicka som höll avtal, som hade ordning på sitt liv.

Då han fumlade med nyckeln i låset, hörde han den tunga dunsen när hunden hoppade ner från sin olovliga liggplats i länstolen. Sejer bodde i hyreshus, det enda i staden på tretton våningar, därför såg det ganska löjligt ut i landskapet. Som en förvuxen bautasten reste det sig skyhögt mitt i den andra bebyggelsen. Att han ändå hade flyttat in där för tjugo år sedan med hustrun Elise berodde på att lägenheten hade en ypperlig planlösning och en svindlande utsikt. Absolut hela staden kunde han se, och när han övervägde alternativen verkade allt annat instängt. Invändigt glömde man fort vad det var för slags byggnad, invändigt var lägenheten trivsam och ombonad och klädd med panel. Möblerna kom från hans föräldrahem, gamla och stadiga i sandblästrad ek. Väggarna var till största delen täckta av böcker, och på det lilla utrymme som återstod hade han några få utvalda bilder. Ett foto av Elise, flera av barnbarnet och dottern Ingrid. En kolteckning av Käthe Kollwitz, urklippt från en konstkatalog och uppsatt i stor lackram. "Döden med flicka i knät." Ett av honom själv i fritt fall över flygfältet. Ett av föräldrarna, högtidligt poserande i söndagskläder. Varje gång han tittade på bilden av fadern, kändes hans egen ålderdom obehagligt nära. På det sättet skulle kinderna sjunka in, men öronen och ögonbrynen skulle fortsätta att växa och ge honom samma buskiga uppsyn.

Reglerna i det här huset, där familjerna var staplade på varandra som i Vigelands monolit, var mycket stränga. Det var förbjudet att piska mattor från balkongen, därför skickade han dem på kemtvätt varje vår. Det var egentligen dags nu. Hunden, som hette Kollberg, hårade enormt. Den hade varit uppe till diskussion på ett styrelsemöte men hade godkänts utan problem, sannolikt för att Sejer var kommissarie och grannarna tyckte att det kändes tryggt att ha honom där. Han kände sig inte instängd, eftersom han bodde överst. Bostaden var ren och städad och avspeglade det han hade på insidan: ordning och överblick. Bara hunden hade en vrå i köket där torrfoder och vattenskvättar alltid låg och flöt, och denna vrå var hans enda svaga punkt. Hans förhållande till hunden var i alltför hög grad präglat av känslor och alltför lite av myndighet. Badrummet var det enda han var missnöjd med, men det skulle han ta itu med senare. Nu hade han den här kvinnan först, och kanske en farlig man på fri fot. Han gillade det inte. Som att stå vid en mörk vägkrök och inte kunna se dess slut.

Han ställde sig bredbent och tog emot hundens omfamning, som var överväldigande. Tog den med på en snabbtur bakom hyreshuset, gav den färskt vatten och var halvvägs inne i tidningen då telefonen ringde. Han dämpade stereoanläggningen, kände aningen av spänning då han lyfte luren. Någon kunde ha ringt redan, kanske hade de ett namn.

– Hej morfar! hörde han.

– Matteus?

– Jag ska lägga mig nu. Det är kväll.

– Har du borstat tänderna ordentligt? frågade han och satte sig på telefonbänken.

Han såg för sig det lilla ljusbruna ansiktet och de pärlvita tänderna.

– Mamma har gjort det.

– Och tagit fluortabletten?

– Mm.

– Och bett aftonbön? skojade han.

– Mamma säger att jag inte behöver.

Han pladdrade länge med sitt barnbarn med luren tätt intill örat för att uppfatta alla små suckar och susningar i den ljusa stämman. Den var rund och mjuk som en sälgpipa om våren. Så växlade han några ord med dottern till slut. Hörde den lilla uppgivna sucken då han berättade om fyndet, som om hon inte gillade vad han hade valt att fylla sitt liv med. Hon suckade på precis samma sätt som Elise hade gjort. Han nämnde inte hennes eget engagemang i det inbördeskrigshärjade Somalia. Han tittade på klockan i stället, tänkte plötsligt att någon annanstans satt någon som gjorde detsamma. Någon annanstans var det någon som väntade, som spejade mot fönstret och i riktning mot telefonen, och som väntade förgäves.

Polisstationen var en dygnetruntöppen institution som betjänade ett distrikt på fem kommuner, bebott av etthundrafemtontusen goda och onda

36

medborgare. I hela tingshuset hade mer än tvåhundra människor sitt arbete, varav hundrafemtio befann sig på stationen. Av dessa var trettio kriminalare, men eftersom det ständigt skulle avverkas ledigheter eller kurser och seminarier pålagda av justitieministern, var de i praktiken aldrig mer än tjugo personer i dagligt arbete. Det var för lite. Enligt Holthemann befann sig inte allmänheten längre i fokus, den var närmast utanför synfältet.

Enklare fall löstes av ensamma kriminalare, andra svårare fall av större team. Totalt strömmade det in mellan fjorton- och femtontusen fall per år. På dagtid kunde arbetet bestå i att behandla ansökningar från folk som ville sätta upp stånd, kanske för att sälja tygblommor och trolldegsfigurer på torget, eller så ville de demonstrera mot något, till exempel den nya tunneln. Fotografierna från den automatiska trafikkontrollen skulle gås igenom. Folk kom kokande av indignation för att studera avslöjande bilder av sig själva i färd med att korsa heldragna linjer och köra mot rött ljus. De satt och fnös i väntrummet, trettio fyrtio stycken per dag, med plånboken darrande i jackfickan. Pelle polisbil skulle bemannas, och det var skam till sägandes ingen rusning bland konstaplarna efter denna viktiga uppgift. Häktade skulle inställa sig i rätten och måste hämtas och lämnas, stationens eget folk kom dragande med ansökningar om fridagar och tjänstledighet som måste behandlas, och dagen var fullbelagd med sammanträden. På fjärde våningen befann sig åklagarmyndigheten, där fem jurister hade ett utmärkt samarbete med polisen. På femte och sjätte låg distriktsfängelset. På taket hade de rastgård, och där kunde internerna få en glimt av himlen.

Receptionen var stationens ansikte utåt och ställde stora krav på smidighet och tålamod hos den konstapel som hade vakten. Stadens medborgare var på tråden hela dygnet, en nästan oändlig ström av förfrågningar, stulna cyklar, bortsprungna hundar, inbrott och trakasserier. Ilskna fäder från stadens bättre villastråk ringde och beklagade sig över hänsynslös bilkörning i grannskapet. Någon enstaka gång hördes bara en snyftande röst, ynkliga försök att anmäla misshandel eller våldtäkt, som dränktes i förtvivlan och bara efterlämnade en död svarston i luren. Mer sällan gällde uppringningarna dråp och försvinnanden. I denna ström satt Skarre och väntade. Han visste att det skulle komma, han kände spänningen stiga allt eftersom klockan tickade och gick, först mot kväll och sedan mot natt.

Då det ringde hos Sejer för andra gången var det nästan midnatt. Han halvsov i stolen med tidningen i knät, i ådrorna flöt blodet lätt, uttunnat med en skvätt whisky. Han ringde efter en bil och tjugo minuter senare stod han på kontoret.

– De kom hit i en gammal Toyota, sa Skarre hektiskt. Jag väntade på dem utanför. Hennes föräldrar.

– Vad sa du till dem?

– Säkert inte de rätta sakerna. Jag blev lite stressad. De ringde först och trettio minuter senare var de här. De har åkt redan.

– Till Rättsmedicin?

– Ja.

– Ni var såpass säkra?

– De hade en bild med sig. Modern visste precis vad hon hade på sig. Allt stämde, från bältet till underkläderna. Hon hade en sådan där behå som är till för sport. Hon tränade ganska mycket. Men vindjackan är inte hennes.

– Vad sa du?

– Ganska otroligt, inte sant?

Skarre kunde inte hjälpa det, även om han var skakad kände han att ögonen tindrade.

– Han har lagt ett spår åt oss, helt gratis. I fickan låg en godispåse och en reflex formad som en uggla. Inte något annat.

– Lämna kvar sin egen jacka, det förstår jag inte. Vem är hon, förresten?

Skarre läste i anteckningarna. – Annie Sofie Holland.

– Annie Holland? Hur stämmer det med medaljongen?

– Det är hennes pojkvän. Han heter Halvor.

– Var är hon från?

– Från Lundeby. De bor i Kristallen på nummer tjugo. Det är faktiskt samma gata där Ragnhild Album sov i natt, lite längre in bara. Lite av ett sammanträffande.

– Och hennes föräldrar, hur var de?

– Vettskrämda, sa han lågt. Fina ordentliga människor. Hon pratade oavbrutet, han var närmast stum. De åkte härifrån tillsammans med Siven. Du kan väl sätta dig, la han till, jag är lite darrig.

Sejer stoppade en Fisherman's Friend i munnen.

– Hon var bara femton år, fortsatte Skarre. Högstadieelev.

– Vad säger du! Femton?

38

Han skakade på huvudet. – Jag trodde hon var äldre. Är bilderna klara?

Han drog handen genom den korta luggen och satte sig. Skarre gav honom en mapp från arkivet. Bilderna var uppförstorade till tjugo gånger tjugofem centimeter, med undantag av två, som var ännu större.

– Har du sett ett sexualdråp någon gång?

Skarre skakade på huvudet.

– Det här liknar inte ett sexualdråp. Det här är annorlunda.

Han bläddrade genom bunten. – Hon ligger för fint, ser för fin ut. Lagd till rätta, liksom omstoppad. Inga märken eller rispor, inga tecken på motstånd. Till och med håret ser ordnat ut. Sexualförbrytarna gör inte så, de demonstrerar makt. De slänger dem från sig.

– Men hon är ju naken?

– Ja, jo.

– Vad tycker du bilderna säger då? Så där omedelbart?

– Jag vet inte riktigt. Jackan har lagts så varsamt över hennes axlar.

– En sorts omsorg?

– Se på dem. Tycker inte du det?

– Jo, jag håller med. Men vad talar vi om då? Ett slags barmhärtighetsmord?

– I alla fall har det varit känslor med i spelet. Jag menar, mitt i det där andra har han haft känslor för henne. Goda känslor. Så då har han väl känt henne, kanske. Och det gör de ju i regel.

– Hur länge måste vi vänta på rapporten, tror du?

– Jag ska sätta blåslampan på Snorrason så gott jag kan. Förbannat att det var så kvistfritt där uppe. Några obrukbara fotavtryck och ett piller. Och annars inte ett barr, inte så mycket som en glasspinne.

Han krossade halstabletten mellan tänderna, gick till handfatet och fyllde en pappersmugg med vatten.

– I morgon åker vi till Granittveien. Vi måste få tag i dem som letade efter Ragnhild. Thorbjørn, till exempel. Vi måste veta när de passerade Ormetjern.

– Och Raymond Låke?

– Han också. Och Ragnhild. Ungar ser mycket, tro mig. Jag talar av erfarenhet, la han till. Och familjen Holland? Har de flera barn?

– En dotter till. Äldre.

– Gudskelov.

– Är det någon tröst? sa Skarre tvivlande.

– För oss, sa han dystert.

Den unge konstapeln klappade sig på fickan. – Får jag ta en rök?

– Visst.

– Du, sa han och blåste ut. Det finns två sätt att komma till Ormetjern på. Upp längs den markerade stigen där vi gick, plus en bilväg från baksidan, den som Ragnhild och Raymond gick. Om det bor folk längs den vägen får vi väl knacka på där i morgon?

– Den heter Kolleveien. Jag tror det är tämligen glest med hus där, jag kollade på kartan hemma. Bara någon enstaka gård. Men självklart, om hon blev fraktad till tjärnen i bil, måste de ha kommit den vägen.

– Det blir synd om hennes pojkvän när du hämtar in honom.

– Vi får väl se vad för slags typ det är.

– Om en kille tar livet av en tjej, sa Skarre, genom att hålla hennes huvud under vatten tills hon är död, och därefter drar upp henne igen och tar sig tid att hyfsa till henne, då ser jag för mig något sådant som detta. "Jag ville egentligen inte ta livet av dig, men jag var helt enkelt tvungen." Det är lite som att be om ursäkt, eller hur?

Sejer tömde pappersmuggen med vatten och skrynklade ihop den till en liten boll. – Jag ska prata med Holthemann i morgon. Jag vill ha dig med på det här.

Skarre blinkade överraskad.

– Han har satt mig på Sparbanken, stammade han. Tillsammans med Gøran.

– Men du vill?

– Ett mordfall? Det är ju rena julklappen. Jag menar, en stor utmaning. Klart jag vill.

Han rodnade i detsamma och tog telefonen, som ringde skarpt. Lyssnade och nickade och la på igen.

– Det var Siven. De har identifierat henne. Annie Sofie Holland, född tredje mars nittonhundraåttio. Men de kan inte höras förrän i morgon, säger hon.

– Är Ringstad på plats?

– Nyss kommit.

– Då får du se till att komma hem. Det blir en tuff dag i morgon. Jag tar med mig bilderna, la han till.

– Ska du studera henne i sängen?

– Jag tänkte det.

40

Han log vemodigt. – Jag föredrar bilder av papper. Dem kan jag lägga i lådan efteråt.

Kristallen var liksom Granittveien en återvändsgränd. Den slutade i ett tätt och risigt snår, där diverse löst folk hade kastat sopor i skydd av mörkret. Husen låg tätt ihop, tjugoen allt som allt. På avstånd såg det ut som radhus, men när man kom närmare syntes en smal passage mellan varje hus, precis så att man kunde gå emellan. Husen var i tre plan, höga och spetsiga och exakt lika, de påminde om Bryggen i Bergen, tänkte Sejer. Färgerna varierade men matchade varandra, djupröda, mörkt gröna, bruna och grå. Ett skilde ut sig, det var apelsingult.

Sannolikt hade flera av dem sett polisbilen, som stod vid garageinfarten, och Skarre som hade uniform. Strax skulle bomben sprängas. Tystnaden var laddad.

Ada och Eddie Holland bodde i nummer tjugo. Sejer kunde nästan känna grannarnas ögon i nacken då han stannade framför dörren. Något har hänt i nummer tjugo, tänkte de nu, i Hollands hus, med de två flickorna. Han försökte lugna ner andhämtningen, som var snabbare än vanligt på grund av tröskeln han snart skulle över. Det här var så svårt för honom att han redan för flera år sedan hade snickrat ihop en serie fasta repliker, som han nu, efter lång träning, kunde framföra med fast röst.

Annies föräldrar hade uppenbart inte företagit sig något som helst efter hemkomsten samma natt. De hade inte sovit heller. Chocken på Rättsmedicin hade varit som en öronbedövande cymbal, och den fortsatte att vibrera i deras huvuden. Modern satt i hörnet av soffan, fadern satt på armstödet. Han såg paralyserad ut. Kvinnan hade ännu inte förstått katastrofen, hon tittade närmast oförstående på Sejer, som om hon inte kunde fatta vad två polismän plötsligt gjorde i hennes vardagsrum. Det här var ju en mardröm, och snart skulle hon vakna. Sejer var tvungen att ta hennes hand från knät.

– Jag kan inte skaffa tillbaka Annie åt er, sa han lågt. Men jag hoppas jag kan komma fram till varför hon dog.

– Vi tänker inte på varför! skrek modern. Vi tänker på vem! Ni måste hitta honom och få honom inspärrad! Han är sjuk.

Mannen klappade henne tafatt på armen.

41

– Det vet vi inte ännu, sa Sejer. Inte alla som dödar är sjuka.

– Normala människor dödar inte unga flickor, det kan ni inte mena! Hon andades fort och flämtande. Mannen knöt sig till en stenhård knut.

– Hur som helst, sa Sejer försiktigt, finns det alltid ett skäl. Inte alltid ett skäl vi kan förstå, men det finns ett skäl. Men allra först måste vi få bekräftat att någon verkligen tog livet av henne.

– Om du tror att hon tog sitt eget liv måste du tänka om, sa modern sammanbitet. Inte en chans. Inte Annie.

Det säger alla, tänkte han.

– Jag är tvungen att fråga er om en del saker. Svara så gott ni kan. Om ni senare anser att ni kan ha svarat fel, eller glömt någonting, så ring. Eller om ni kommer på saker vad tiden lider. När som helst på dygnet.

Ada Holland flackade med blicken, såg förbi Skarre och Sejer, som om hon lyssnade efter den vibrerande cymbalen och ville komma på var ljudet kom ifrån.

– Jag behöver veta vad för slags flicka hon var. Berätta för mig så gott ni kan.

Vad är det för sorts fråga, tänkte han i detsamma, vad skulle de egentligen svara på det? Den allra bästa, självklart, den sötaste och duktigaste. Något helt speciellt. Det allra, allra käraste vi hade. *Bara Annie var Annie.*

De började gråta. Modern djupt nerifrån strupen, en jämrande smärtfylld klagan, fadern ljudlöst, utan tårar. Sejer kände igen hans drag från dottern. Ett brett ansikte med hög panna. Han var inte särskilt lång, men kraftig och robust. Skarre gömde pennan i handen, hans blick var stint fästad på blocket.

– Låt oss börja från början, sa Sejer. Det är svårt för oss att behöva plåga er, men tiden är värdefull för oss. När gick hon hemifrån?

Modern svarade ner i knät. – Halv ett.

– Vart skulle hon?

– Till Anette. En klasskompis. De höll på med ett grupparbete, de var tre stycken. De var lediga från skolan för att arbeta tillsammans.

– Hon kom aldrig fram?

– Vi ringde efter henne klockan elva igår kväll, för då tyckte vi att det var mer än sent nog. Anette hade lagt sig. Bara den andra flickan hade kommit. Jag trodde inte det var sant...

Hon gömde ansiktet i händerna. Hela dagen hade gått utan att de visste.

– Varför ringde inte flickorna hit och sökte Annie?

– De trodde att hon inte hade lust, sa hon med gråten i halsen. Att hon bara hade ändrat sig. De känner inte Annie särskilt väl när de tänker så. Hon slarvade aldrig med skolarbetet. Slarvade aldrig med någonting.

– Skulle hon gå till fots?

– Ja. Det är fyra kilometer att gå och hennes cykel är trasig, annars använder hon oftast cykel. Det går inga bussar.

– Var bor Anette?

– I Horgen. De har en gård och en lanthandel.

Sejer nickade, hörde Skarres penna skrapa mot papperet.

– Hon hade en pojkvän?

– Halvor Muntz.

– Hade de varit ihop länge?

– Runt två år. Han är äldre än henne. Det har varit lite till och från, men det var bra nu, så vitt jag vet.

Ada Hollands händer var liksom överflödiga, de famlade runt efter varandra, öppnade och knöt sig. Hon var nästan lika lång som mannen, lite tung och kantig med rödblommigt ansikte.

– Vet ni om det var ett sexuellt förhållande? frågade han försiktigt.

Modern stirrade förtörnat på honom. – Hon är femton år!

– Du får komma ihåg att jag inte kände henne, sa han ursäktande.

– Det var inget sådant, sa hon bestämt.

– Det vet vi väl inte så mycket om, försökte mannen protestera. Halvor är arton år. Inte något barn längre.

– Självklart vet jag det, avbröt hon.

– Hon berättar väl inte allt för dig, heller.

– Jag skulle ha vetat det!

– Men du är inte så bra på att prata om sådana saker!

Stämningen var spänd. Sejer drog sina egna slutsatser och såg på Skarres block att han gjorde detsamma.

– Om hon skulle hålla på med skolarbete, då hade hon kanske med sig en väska?

– En brun skinnryggsäck. Var är den?

– Vi har inte hittat den.

Alltså måste vi i med dykare, tänkte han.

– Använde hon någon form av mediciner?

– Absolut inte. Det var aldrig något fel på henne.

– Vad för slags tjej var hon? Öppen? Pratsam?

– Förr, sa mannen mörkt.

– Vad menar du nu? Sejer såg på honom.

– Det var bara åldern, sköt modern in. Hon var i en besvärlig ålder.

– Menar du att hon hade förändrat sig? Sejer vände sig till fadern igen för att stänga modern ute. Det gick inte.

– Alla flickor förändrar sig i den åldern. De håller på att bli vuxna. Sølvi var också sådan. Sølvi är hennes syster, la hon till.

Mannen svarade inte, han såg fortfarande paralyserad ut.

– Så hon var alltså *inte* en öppen och pratsam flicka?

– Hon var lugn och snäll, sa modern stolt. Omsorgsfull och rättskaffens. Hade ordning på sitt liv.

– Men förr var hon livligare?

– De gör ju mer väsen av sig när de är barn.

– Jag menar, fortsatte Sejer, ungefär när förändrade hon sig?

– Den vanliga tiden. Då hon var omkring fjorton. Puberteten, sa hon förklarande.

Han nickade, tittade på fadern igen.

– Förändringen hade inte andra orsaker?

– Vad skulle det vara? sa modern snabbt.

– Det vet jag inte. Han suckade lite och lutade sig tillbaka. Men jag försöker ta reda på varför hon dog.

Modern började darra så våldsamt att de nästan inte hörde vad hon sa.

– *Varför* hon dog? Men det är väl någon sorts...

Hon orkade inte säga ordet.

– Vi vet inte.

– Men var hon... Paus igen.

– Vi vet inte, fru Holland. Inte ännu. Sådant tar tid. Men de som tar sig an Annie nu vet vad de ska göra.

Han såg sig om i rummet, som var rent och städat, blått och vitt som Annies kläder hade varit. Kransar med torkade blommor över dörrarna, gardiner och spetsar, små kringlor av trolldeg på väggen. Fotografier. Virkade dukar. Välordnat, städat och anständigt. Han reste sig. Gick fram till ett stort fotografi på väggen.

– Det där är taget i vinter.

Modern följde efter. Han häktade försiktigt ner bilden och tittade på den. Blev lika förundrad var gång han såg ett ansikte igen, som han bara

44

hade sett utan liv och färg. Samma person, och ändå inte samma. Annie hade brett ansikte med stor mun och stora grå ögon. Täta, mörka ögonbryn. Hon log reserverat. I bildens underkant syntes en skjortkrage och dessutom pojkvännens medaljong. Snygg, tänkte han.

– Höll hon på med någon idrott?

– Förr, sa fadern lågt.

– Hon spelade handboll, sa modern sorgset, men så la hon av. Nu springer hon en del. Flera mil i veckan.

– Flera mil? Varför slutade hon med handbollen?

– Det blev så småningom så mycket läxor. Ungar är ju sådana, de provar på saker och så slutar de. Hon provade på skolmusiken också, kornett. Men så slutade hon.

– Var hon bra? I handboll?

Han hängde bilden på plats igen.

– Väldigt bra, sa fadern lågt. Hon var målvakt. Hon borde inte ha slutat.

– Jag tror hon tyckte det var tråkigt att stå i mål, sa modern. Jag tror det var därför.

– Det är inte säkert, svarade mannen. Hon förklarade det aldrig för oss. Sejer satte sig igen.

– Så ni reagerade på detta? Tyckte det var… obegripligt?

– Ja.

– Klarade hon sig bra i skolan?

– Bättre än de flesta. Det är inte skryt, det är bara så, la han till.

– Det där grupparbetet som flickorna jobbade med, vad handlade det om?

– Sigrid Undset. Det skulle vara färdigt till midsommar.

– Kan jag få se hennes rum?

Modern reste sig och gick före, hennes steg var korta och stapplande. Mannen blev sittande på armstödet, orörlig.

Rummet var pyttelitet, men det hade varit hennes eget lilla krypin. Precis plats för en säng, skrivbord och stol. Han tittade ut från fönstret och stirrade rätt över vägen på grannens veranda. Det apelsingula huset. Rester av en gammal fågelkärve spretade under fönstret. Han letade på väggarna efter idoler men hittade inga. Däremot var rummet fullt av pokaler, diplom och medaljer, och ett par bilder av Annie själv. En bild i målvaktsdräkt, tillsammans med resten av laget, och en där hon stod på en windsurfingbräda. På väggen över sängen hade hon flera foton av småbarn, ett där hon drog en barnvagn och ett av en ung pojke.

– Pojkvännen?

Modern nickade.

– Har hon jobbat med barn?

Han pekade på en bild av Annie med en ljushårig parvel i famnen. På bilden såg hon stolt och glad ut. Hon liksom lyfte pojken mot kameran, nästan som en trofé.

– Hon passade ungarna här på gatan allt eftersom de föddes.

– Så hon gillade barn?

Hon nickade igen.

– Skrev hon dagbok, fru Holland?

– Jag tror inte det. Jag har letat efter den, medgav hon. Jag har letat hela natten.

– Du hittade ingenting?

Hon skakade på huvudet. Från vardagsrummet hörde de ett lågt mummel.

– Vi behöver namn, sa han till sist. På folk vi måste prata med.

Han såg på bilderna på väggen igen och studerade Annies målvaktsdräkt, svart, med ett grönt emblem på bröstet.

– Det ser ju ut som en drake eller något?

– Det är ett sjöodjur, förklarade hon tyst.

– Varför ett sjöodjur?

– Det ska liksom finnas ett sjöodjur här i fjorden. Det är bara en sägen, en historia sedan gammalt. Om du är ute och ror och hör hur det brusar bakom båten, är det sjöodjuret som stiger upp ur djupet. Du får aldrig vända dig om, bara försiktigt ro vidare. Om du låtsas som ingenting och låter det vara i fred går allting bra, men om du vänder dig om och ser det i ögonen, drar det ner dig i djupet. Sägnen säger att det har röda ögon.

– Låt oss gå in igen.

Skarre satt fortfarande och skrev. Mannen satt fortfarande på armstödet. Det såg ut som om han höll på att glida av.

– Och hennes syster?

– Hon kommer hem med flyg nu på förmiddagen. Hon är i Trondheim, jag har en syster där.

Fru Holland sjönk ner i soffan igen och lutade sig mot mannen. Sejer

46

gick till fönstret och tittade ut. Han stirrade rakt på ett ansikte i köks-
fönstret intill.

– Ni bor tätt här, konstaterade han. Är det så att ni känner varandra
bra?

– Ganska bra. Alla pratar med alla.

– Och alla kände Annie?

Hon nickade tyst.

– Vi kommer att gå från hus till hus. Ni ska inte bry er om det.

– Vi har ingenting att skämmas över.

– Kan ni skaffa oss några bilder?

Fadern reste sig och gick fram till hyllan under TV:n. Vi har en video, sa
han, från i fjol sommar. Vi var i sommarstugan på Kragerø.

– De behöver inte någon video, sa modern tamt. Bara en bild av henne.

– Jag vill gärna ha den.

Han tog den och tackade.

– Flera mil i veckan? sa han sedan. Sprang hon ensam?

– Det var ingen som hann med, sa fadern enkelt.

– Hon tog sig alltså tid att springa trots skolarbetet. Flera mil i veckan.
Då var det kanske inte läxorna som fick henne att lägga av med handbol-
len när allt kommer omkring?

– Hon kunde ju springa när hon ville, sa modern. Det hände att hon
sprang före frukost. Men var det match så måste hon ju ställa upp, då
kunde hon inte bestämma själv. Jag tror inte hon gillade att vara bunden.
Hon var väldigt självständig, Annie.

– Var sprang hon?

– Överallt. I alla slags väder. Längs riksvägen, i skogen.

– Och till Ormetjern?

– Ja.

– Var hon rastlös?

– Hon var tyst och lugn, sa modern lågt.

Sejer gick till fönstret igen och fick syn på en kvinna som hastade över
vägen. En liten knatte med napp guppade på hennes arm. – Några andra
intressen? Bortsett från löpningen?

– Film och musik och böcker och sådant. Och småbarn, sa fadern.

– Särskilt då hon var yngre.

Han bad dem skriva en lista på alla personer i Annies omgivning. Vän-
ner, grannar, lärare, familj. Pojkvänner, om de hade varit flera. Då den

äntligen var färdig innehöll den fyrtiotvå namn, med mer eller mindre fullständiga adresser.

– Ska ni prata med alla på listan?

Det var modern som frågade.

– Det ska vi. Och det är bara början. Vi tänker på er, avslutade han.

– Vi måste prata med Thorbjørn Haugen. Som var ute och letade efter Ragnhild igår. Han har ett klockslag som vi behöver.

Bilen gled förbi garagen, Skarre läste igenom anteckningarna.

– Jag frågade fadern om handbollen, sa han. Medan ni var inne på hennes rum.

– Ja?

– Han sa att Annie var mycket lovande. Laget hade haft en kanonsäsong, de var i Finland på turnering bland annat. Han kunde inte förstå varför hon slutade. Det var därför han funderade på om något hade hänt.

– Kanske borde vi fråga ut honom eller henne som tränade dem? Kan det vara något?

– Honom, svarade Skarre. Han hade ringt i veckor för att övertala henne att börja igen. Laget fick stora problem då hon slutade. Ingen kunde ersätta Annie.

– Vi ringer från stationen och får namnet.

– Han heter Knut Jensvoll och bor på Gneisveien åtta. Alldeles nere i backen här.

– Tusen tack, sa Sejer och höjde på ögonbrynen. Jag sitter och tänker på något, fortsatte han så. Att Annie kanske miste livet medan vi satt på Granittveien några minuter därifrån och oroade oss för Ragnhild. Ring Pilestredet. Fråga efter Snorrason. Fråga om han kan öka takten lite, så vi får rapporten så fort som möjligt.

Skarre tog mobilen.

– Numret ligger på fyran.

Han slog fyra, väntade, frågade efter Snorrason, väntade igen och började sedan tala ohörbart.

– Vad sa han för något?

– Att fryshuset är fullt. Att varje dödsfall är tragiskt oavsett orsak och att en massa människor väntar på att få sina kära i jorden, men att han ändå kan förstå allvaret, och om du vill kan du komma upp om tre dagar och få en preliminär muntlig rapport. Den skriftliga måste du vänta längre på.

– Nåja, mumlade Sejer. Det var inte så illa för att vara Snorrason.

Raymond bredde smör på ett tunnbröd. Han koncentrerade sig djupt för att det inte skulle gå sönder, med den stora tungan stickande ut ur munnen. Nu hade han fyra tunnbröd på varandra med smör och socker mellan, rekordet var sex.

Köket var litet och ganska trivsamt, men nu var det rörigt efter bestyren med maten. En smörgås låg färdig till fadern också, franskbröd utan kanter med fläskflott från stekpannan. Efteråt, när de hade ätit, skulle han diska, och till slut brukade han sopa köksgolvet. Han hade redan tömt faderns kissflaska och fyllt vattenmuggen där inne. Idag syntes inte solen, allt var grått, och landskapet utanför var tråkigt och platt. Kaffet hade kokat upp tre gånger som det skulle. Han la ett femte tunnbröd på toppen och var ganska nöjd. Skulle precis hälla kaffe i faderns kopp, då han hörde en bil svänga in framför dörren. Till sin stora förskräckelse såg han att det var en polisbil. Han stelnade till, drog sig tillbaka från fönstret och sprang in i ett hörn av vardagsrummet. Kanske kom de för att sätta honom i fängelse. Och vem skulle ta hand om fadern då!

Det smällde i bildörrar ute på gårdsplanen, och han hörde rösterna, ett olycksbådande mummel. Han var inte säker på om han hade gjort något galet, det var inte alltid så lätt att veta, tyckte han. För säkerhets skull stod han kvar medan de bankade på dörren. De hade inte tänkt ge sig i första taget, de bankade och bankade och ropade hans namn. Kanske hörde fadern dem. Han satte igång att hosta våldsamt för att överrösta dem. Efter en stund blev det tyst. Han stod fortfarande i hörnet av vardagsrummet, bredvid kaminen, då han fick syn på ett ansikte i fönstret. En lång gråhårig man, som lyfte armen och vinkade. Men det var väl bara för att lura ut honom, tänkte Raymond och skakade kraftigt på huvudet. Han höll sig fast i kaminen och trängde sig ännu längre in i hörnet. Mannen utanför såg vänlig ut, men det var inte säkert att han var snäll för det. Sådana saker hade Raymond kommit på för länge sedan, han var väl inte dum heller. Efter en stund orkade han inte stå där längre, han sprang ut i köket i stället, men sannerligen var det inte ett ansikte där

49

också. Han hade krulligt hår och mörk uniform. Raymond kände sig som en kattunge i en säck, och nu sköljde det kalla vattnet över honom. Idag hade han inte varit ute med bilen, den ville fortfarande inte starta, så det kunde inte ha något med den att göra. Det måste vara det där uppe vid tjärnen, tänkte han förtvivlat. Han stod och vaggade lite. Efter en stund gick han ut i hallen och började ängsligt stirra på nyckeln som stack ut ur låset.

– Raymond! ropade den ene. Vi ska bara prata. Det är inte farligt.

– Jag har inte varit elak mot Ragnhild! ropade han.

– Det vet vi. Det är inte därför vi kommer. Vi behöver lite hjälp av dig bara.

Han tvekade lite till, så öppnade han slutligen.

– Kan vi få komma in? sa han som var längst. Vi måste bara fråga dig om någonting.

– Jadå. Jag var bara inte säker på vad ni ville. Jag kan inte öppna för vem som helst.

– Nej, det kan du inte, sa Sejer och kikade nyfiket på honom. Men det är bra om du öppnar när polisen kommer.

– Vi får sätta oss i vardagsrummet då.

Han gick före och pekade på soffan, som såg märkligt hemsnickrad ut. En gammal pläd låg på sätet. De satte sig och studerade rummet, ett ganska litet kvadratiskt rum med soffa, bord och två stolar. På väggarna hade han bilder av djur och ett foto av en äldre kvinna med en pojke i famnen. Sannolikt hans mor. Barnet hade tydliga mongoloida drag, och kvinnans ålder hade kanske blivit Raymonds öde. Någon TV-apparat syntes inte till och de kunde inte heller se någon telefon från där de satt. Sejer kunde inte minnas att han sett ett vardagsrum utan TV på åratal.

– Är din far hemma? började han och såg på Raymonds T-shirt. Den var vit och hade följande text: DET ÄR JAG SOM BESTÄMMER.

– Han ligger i sängen. Han stiger inte upp längre, han kan inte gå.

– Så det är du som sköter om honom?

– Jag lagar mat och fixar och så!

– Vilken tur din pappa har som har dig.

Raymond log med hela ansiktet på det ovanligt charmerande sätt som kännetecknar människor med Downs syndrom. Ett ofördärvat barn i en stor kropp. Han hade kraftiga, grova nävar med osedvanligt korta fingrar och stora breda axlar.

– Du var så snäll mot Ragnhild igår och följde henne hem, sa Sejer försiktigt. Så att hon slapp gå ensam. Det var bra gjort.

– Hon är ju inte så stor, vet du! sa han vuxet.

– Hon är inte det. Så det var bra att hon fick följa med dig. Och att du hjälpte henne med dockvagnen. Men då hon kom hem berättade hon något, och det tänkte vi fråga dig om, Raymond. Då menar jag det ni såg på stranden vid Ormetjern.

Raymond sneglade bekymrat på honom och stack ut underläppen.

– Ni såg en flicka, inte sant?

– Det är inte jag som har gjort det! sa han snabbt.

– Det tror vi inte heller. Det är inte därför vi kommer. Låt mig få fråga dig om något annat i stället. Jag ser att du har en klocka?

– Ja, jag har klocka. Han visade dem armbandsuret. Pappas gamla.

– Ser du ofta på den?

– Å nej, nästan aldrig.

– Varför inte?

– När jag är på jobbet så passar chefen tiden. Och här hemma passar pappa tiden.

– Varför är du inte på jobbet idag?

– Jag har ledigt i en vecka och så jobbar jag en vecka.

– Jaha. Kan du berätta för mig vad klockan är nu?

Han tittade på klockan. – Klockan är… lite mer än tio minuter över elva.

– Det stämmer. Men du ser alltså inte så ofta på den?

– Bara när jag måste.

Sejer nickade och tittade bort på Skarre, som skrev ivrigt.

– Såg du på den då du följde Ragnhild hem? Eller, till exempel, då ni stod vid Ormetjern.

– Nej.

– Kan du gissa vad klockan kan ha varit?

– Nu tycker jag att du frågar svårt, sa han och var redan trött av att tänka så intensivt.

– Det är inte lätt att minnas allting, det har du alldeles rätt i. Jag är snart färdig. Såg du något annat uppe vid vattnet, jag menar, såg du folk där uppe? Bortsett från flickan?

– Nej. Är hon sjuk? sa han misstänksamt.

– Hon är död, Raymond.

– Det var tidigt, tycker jag!

– Det tycker vi också. Såg du en bil eller något sådant, som körde förbi här under dagens lopp? På väg upp eller ner? Eller folk som gick förbi? Medan Ragnhild var här, till exempel?

– Det kommer en massa fjällvandrare hit. Men inte igår. Bara de som bor här. Vägen tar slut vid Kollen.

– Så du såg ingen?

Han tänkte länge. – Jodå, en. Precis då vi gick. Den vrålade förbi här, rena racerbilen.

– Exakt då ni gick?

– Ja.

– Var den på väg upp eller ner?

– Ner.

Vrålade förbi här, tänkte Sejer. Och vad betyder det, för en som bara kör på tvåan?

– Kände du igen bilen? Var det någon som bor här uppe?

– De kör inte så fort.

Sejer räknade i huvudet.

– Ragnhild var hemma lite före två, då kan klockan kanske ha varit omkring halv två? Det tar väl inte så lång tid härifrån och upp till tjärnen.

– Nej.

– Körde den fort, säger du?

– Det stod som ett moln efter den. Men nu är det ju väldigt torrt också.

– Vad för slags bil var det?

Just då höll han andan. En bilobservation skulle vara något att starta med. En bil i närheten av brottsplatsen, i hög fart vid en viktig tidpunkt.

– En helt vanlig bil, sa Raymond glatt.

– Vanlig bil? sa Sejer tålmodigt. Vad menar du då?

– Inte lastbil eller skåpbil eller något sånt. En vanlig bil.

– Jaha. En vanlig personbil. Är du bra på bilmärken?

– Inget vidare.

– Vad för slags bil har din far?

– Hiace, sa han stolt.

– Ser du polisbilen där ute? Kan du se vad för slags bil det är?

– Den? Det sa du ju nyss. Det är en polisbil.

Han vred sig i stolen och såg plötsligt trött ut.

– Men färgen då, Raymond? Såg du färgen?

Han ansträngde sig på nytt men skakade uppgivet på huvudet.

– Det dammade så förfärligt. Omöjligt att se färgen, mumlade han.

Sejer gav sig inte, Skarre skrev fortfarande. Chefens vänliga tonfall förvånade honom. Vanligtvis var han mer kortfattad.

– Kanske mitt emellan. Brun, eller grå eller grön. En smutsig färg. Det dammade så väldigt. Ni kan fråga Ragnhild, hon såg den också.

– Vi har redan frågat. Hon säger också att bilen var grå, eller kanske grön. Men hon kunde inte säga om det var en ny och fin bil, eller om det var en gammal och ful en.

– Inte gammal och ful, sa han bestämt. Mer mitt emellan.

– Jaha. Jag förstår.

– Det låg något på taket, sa han plötsligt.

– Jaså? Vad var det för något?

– En lång låda. Platt och svart.

– En skidbox, kanske? föreslog Skarre.

Raymond tvekade. – Ja, kanske en skidbox.

Skarre log och antecknade, fullständigt charmerad av den ivrige Raymond.

– Mycket bra observerat, Raymond. Fick du med det här, Skarre? Så din far ligger till sängs?

– Han väntar på sin mat nu, tänker jag.

– Det var inte meningen att uppehålla dig. Kan vi titta in och hälsa innan vi går?

– Jadå, jag ska visa er.

Han gick genom rummet, och de två männen följde efter. Längst ner i korridoren stannade han och öppnade dörren mycket försiktigt, nästan andaktsfullt. I sängen låg en gamling och snarkade. Tänderna låg i ett glas på nattduksbordet.

– Vi låter honom vara, viskade Sejer och stängde dörren igen. De tackade Raymond och gick ut på gårdsplanen. Han lufsade efter.

– Vi kanske kommer tillbaka igen. Dina kaniner är fina, sa Skarre.

– Det sa Ragnhild också. Du kan få hålla en om du vill.

– Kanske en annan gång.

De vinkade och guppade sedan nerför den dåliga vägen. Sejer trummade irriterat på ratten.

– Den där bilen är viktig. Och det enda vi har är något "mitt emellan". Men en skidbox på taket, du! Ragnhild nämnde inte något om det.

53

– Gud och hela världen har skidbox på taket.

– Inte jag. Stanna vid gården där nere.

De svängde in framför huset och parkerade vid sidan av en röd Mazda. En kvinna med regnrock, knäbyxor och gummistövlar fick se dem från logen och kom gående över gårdsplanen.

Sejer nickade mot den röda bilen.

– Polisen, sa han hövligt. Har ni fler bilar på gården än den här?

– Vi har två till, sa hon överraskat. Min man har en stationsvagn och sonen har en Golf. Hur så?

– Vilken färg är det på dem? frågade han kort.

Hon stirrade förvånat på honom. – Mercedesen är vit och Golfen är röd.

– Och på gården där nere, vad för slags fordon har de där?

– En Blazer, sa hon långsamt. Mörkblå Blazer. Har det hänt något?

– Ja, det har det. Vi kommer tillbaka till det. Var du hemma igår så där mitt på dagen? Vid ett–tvåtiden?

– Jag var på åkern.

– Du såg inte en bil komma körande uppifrån i hög fart? En grå eller grön bil med skidbox på taket?

Hon ryckte på axlarna. – Inte som jag kan komma ihåg. Men jag hör inte mycket när jag sitter i traktorn.

– Såg du överhuvudtaget folk i området vid den här tidpunkten?

– Det var några fjällvandrare. Ett killgäng med en hund, mindes hon. Annars ingen.

Thorbjørn och hans gäng, tänkte han.

– Tack för hjälpen. Är grannen hemma?

Han nickade mot gården längre ner och såg på hennes ansikte. Det bar tydlig prägel av mycket utomhusarbete och var friskt och rosigt.

– Ägaren är bortrest, det är bara en ersättare där nere. Och han åkte från gården i morse, jag har inte sett om han har kommit tillbaka.

Hon skuggade med handen över ögonen och blickade neråt. – Bilen är borta, ser jag.

– Känner du honom?

– Nej. Han säger inte mycket.

Han tackade och satte sig i bilen igen.

– Först måste den ju ha kört upp, sa Skarre.

– Då var han inte mördare ännu. Han körde kanske lugnt förbi, därför har ingen märkt honom.

De körde på andra växeln ner till riksvägen. Kort därefter såg de en liten lanthandel på vänster hand. De parkerade och gick in i affären. En bjällra ringde sprött över deras huvuden, och en man i blågrön nylonrock dök upp från rummet bakom disken. Några sekunder stod han bara och stirrade på dem med ett skräckslaget uttryck i ansiktet. – Gäller det Annie?

Sejer nickade.

– Anette är så ledsen, sa han bestört. Hon ringde till Annie idag. Hon hörde bara ett skrik i luren.

En tonårstjej uppenbarade sig och blev stående i dörren. Fadern la en arm runt hennes axlar.

– Hon har fått vara hemma idag.

– Ni bor här intill?

Sejer gick över golvet och räckte honom en hand.

– Femhundra meter härifrån, nere vid stranden. Vi kan inte fatta det.

– Såg du någon i området igår som det var något speciellt med?

Han tänkte efter. – Ett pojkgäng var inne här och köpte var sin Cola. Och annars bara Raymond. Han var här mitt på dagen och köpte mjölk och tunnbröd. Raymond Låke. Han bor med sin far uppe vid Kollen. Vi säljer inte mycket, vi ska ge oss snart.

Han klappade dottern över ryggen medan han talade.

– Hur lång tid tog Låke på sig för att handla?

– Nja, jag vet inte. Tio minuter kanske. En motorcykel stannade förresten också. Stod här en stund och åkte igen. Stor cykel med ordentliga cykelväskor. Kanske en turist. Inga andra.

– En motorcykel? Kan du beskriva den?

– Vad ska jag säga? Mörk, tror jag. Blank och fin. Han satt med ryggen till och han hade hjälm på sig. Satt och läste i någonting som låg framför honom på motorcykeln.

– Såg du registreringsskylten?

– Nej, tyvärr.

– Du minns inte en grå eller grön bil med en skidbox på taket?

– Nej.

– Och du då, Anette, sa Sejer och vände sig mot dottern. Är det något du kommer på som kanske har betydelse?

– Jag skulle ha ringt, mumlade hon.

– Du ska inte klandra dig själv för det här, du kunde inte ha gjort något

55

från eller till. Någon har säkert plockat upp henne på vägen.

– Annie gillade inte att folk brydde sig. Jag var rädd att hon bara skulle bli sur om vi tjatade.

– Kände du Annie bra?

– Inte så värst.

– Och du kommer inte på någon som hon kan ha mött på vägen? Nämnde hon något om nya bekantskaper?

– Nej, nej. Hon hade ju Halvor.

– Då så. Var snäll och ring om det dyker upp något. Vi vill gärna få återkomma till er.

De tackade och gick ut igen, och lanthandlare Horgen gick tillbaka in i rummet bakom disken. Sejer fick en glimt av den böjda gestalten i fönstret vid sidan av entrédörren.

– När han sitter på kontoret kan han faktiskt se vägen. En motorcykel som stannar utanför och som åker igen. Mellan halv ett och ett. Vi får komma ihåg den. Nåväl.

Han smällde igen dörren. – Thorbjørn trodde att de passerade Ormetjern omkring kvart i ett, då de letade efter Ragnhild. Då låg hon inte där. Raymond och Ragnhild passerade uppskattningsvis vid halvtvåtiden och då låg hon där. Det ger oss en marginal på tre kvart. Det är ju nästan enastående sällsynt. En bil körde förbi dem i hög fart precis innan de gick. En vanlig bil, så där mitt emellan. En smutsig färg, inte ljus, inte mörk, inte gammal, inte ny.

Han gav instrumentbrädan en puff.

– Alla är inte experter på bilar, log Skarre.

– Vi ber honom att inställa sig på polisstationen. Vem det nu är som passerade Raymonds hus vid ett–halvtvåtiden igår, i hög fart. Möjligen med skidbox på taket. Dessutom efterlyser vi motorcykeln. Om ingen anmäler sig kommer jag att fråga ut Raymond och Ragnhild om bilen igen.

– Hur ska du göra det?

– Vet inte ännu. Kanske kan de rita. Ungar brukar alltid rita.

Raymond bar in maten till fadern. Han smög, men golvplankorna knakade och assietten klirrade mot marmorplattan på nattduksbordet. Fadern öppnade det ena ögat.

– Vad ville de? frågade han.

56

Efteråt åt de i personalmatsalen i tingshuset.

– Omeletten är torr, sa Skarre missbelåtet. Har legat för länge i pannan.

– Jaså?

– Poängen är nämligen att ägget fortsätter att stelna länge efter att du har fått det på tallriken. Det måste ut ur pannan medan det ännu är flytande.

Sejer hade inga invändningar, han kunde överhuvudtaget inte laga mat.

– Dessutom har de mjölk i. Det förstör färgen.

– Har du gått på kockskola?

– Bara en kurs.

– Jösses, allt man inte vet.

Han körde runt franskbrödet på tallriken och fick med de allra sista smulorna. Så torkade han sig omsorgsfullt med servetten.

– Vi börjar med Kristallen. Var sin sida om vägen, det blir tio hus var. Vi väntar till efter fem, när folk har kommit hem från jobbet.

– Vad ska jag leta efter? frågade Skarre och kollade armbandsuret. Efter klockan två fick man röka.

– Avvikelser. Vad som helst. Fråga om Annie sedan en tid tillbaka också, om de tyckte hon hade förändrat sig. Spela på din charm och få dem att öppna sig. Kort sagt, pumpa dem på information.

– Vi borde prata med Eddie Holland ensam.

– Jag har också tänkt på det. Jag ska be honom komma när det har gått ett tag. Men du får komma ihåg att modern är i chock. Hon lugnar sig nog så småningom.

– De har visst haft ganska olika syn på Annie, tycker du inte det?

– Det är väl så det är. Du har inte barn, Skarre?

– Nej.

Han tände cigarretten och blåste ut röken till höger om chefen.

– Hennes syster är väl hemma nu, från Trondheim. Vi måste prata med henne också.

Efter maten gick de direkt till tekniska roteln, men ingen kunde komma med några avslöjande nyheter om den blå vindjackan som hade täckt liket.

– Import, från Kina. Den säljs i alla lågpriskedjor. Importören sa att de hade tagit in tvåtusen jackor. En påse smörkola i högra fickan, en reflex

57

och några ljusa hårstrån, möjligen hundhår. Fråga mig inte om rasen. Annars ingenting.

– Storlek?

– Extra Large. Men ärmarna har varit för långa, de var uppvikta.

– Förr i tiden hade folk namnlappar i sina jackor, mindes Sejer.

– Ja, det var väl på medeltiden någon gång.

– Och tabletten?

– Inte särskilt spännande är jag rädd. Det är en mentolpastill rätt och slätt, av den sorten som är populär nu. Pytteliten och väldigt stark.

Sejer blev besviken. En mentolpastill säger liksom ingenting om någon. Sådana hade vem som helst, själv hade han alltid en påse Fisherman's Friend i fickan.

De åkte tillbaka. Det var mer trafik i Kristallen nu, det var fullt av barn i olika fordon, trehjulingar, traktorer, dockvagnar och en hemsnickrad lådbil med en skabbig flagga vajande i vinden. Då polisbilen svängde in vid brevlådorna, frös den färggranna trafikbilden till is. Skarre kunde inte avhålla sig från att kolla bromsarna på ett par av fordonen, och han var ganska säker på att ägaren till en blå och rosa Massey Ferguson gjorde i blöjan av ren förskräckelse då han kommenterade att bakljuset var sprucket.

De flesta hade uppfattat att någonting hade skett, men inte vad. Ingen hade vågat ringa på hos Hollands för att fråga.

I hus efter hus framförde de sitt ärende, var för sig, på var sin sida av vägen. Gång på gång fick de betrakta misstron och chocken i de lamslagna ansiktena. Flera av kvinnorna började gråta, männen blev bleka och tysta. De väntade hövligt en anständig stund, sedan ställde de sina frågor. Alla kände Annie väl. Flera av kvinnorna hade sett henne då hon gick. Familjen Holland bodde längst in på gatan, hon måste passera alla husen på vägen ut. I åratal hade hon passat deras ungar, utom det sista året, då hon började bli vuxen. Så gott som alla nämnde handbollskarriären och förvåningen då hon slutade som målvakt, för Annie hade varit så bra att det ständigt stod om henne i lokaltidningen. Ett äldre äkta par kunde minnas att hon hade varit mer sprudlande och åtskilligt mer utåtvänd förr, men de trodde att förändringen berodde på att hon hade blivit äldre. Hon hade växt något enormt, sa de. Förr var hon ganska liten och spinkig, och plötsligt sköt hon i vädret.

Skarre tog inte husen i ordning, han var inne i det apelsingula huset. Det visade sig tillhöra en ungkarl i slutet av fyrtioårsåldern. Mitt på var-

58

dagsrumsgolvet stod en riktig liten båt med hissade segel, på durken låg en madrass och en massa kuddar, på relingen var en flaskhållare monterad. Skarre stirrade fascinerat på den. Båten var knallröd, seglen var vita. Hans egen lägenhet och dess avsaknad av oortodox inredning spökade lite i hans bakhuvud.

Fritzner kände inte Annie så väl, eftersom han inte hade några barn hon kunde passa. Men hon hade åkt med ner till centrum då och då. Hon brukade säga ja tack när vädret var dåligt, men när det var bra, vinkade hon honom vidare. Han gillade Annie. Sabla duktig handbollsmålvakt, sa han allvarligt.

Sejer förflyttade sig inåt på andra sidan vägen och hade kommit till en turkisk familj i nummer sex. Familjen Irmak skulle just äta då han ringde på dörren. De hade satt sig till bords, och det ångade ur en stor gryta mitt på bordet. Mannen i huset, en högrest uppenbarelse i broderad skjorta, räckte fram en brun hand. Sejer berättade för dem att Annie Holland var död. Att någon efter allt att döma hade mördat henne.

– Nej, sa de förskräckt, det kan inte vara sant. Hon den snälla i nummer tjugo, dottern till Eddie! Den enda familjen som hade tagit emot dem så välkomnande då de flyttade in? För de hade ju bott på andra ställen, och de hade inte varit lika välkomna överallt. Det kunde inte vara sant!

Mannen grep tag i hans arm och drog ner honom i soffan. Sejer satte sig. Irmak hade inte det eftergivna, underdåniga sätt han så ofta hade sett hos invandrare, i stället var han uppfylld av värdighet och självförtroende. Det var befriande.

Kvinnan i huset hade sett Annie när hon gick. Klockan var omkring halv ett, trodde hon. Hon gick lugnt förbi husen, med en ryggsäck på ryggen. De kände inte Annie då hon var yngre, de hade bara bott där i fyra månader.

– Pojkflicka, sa hon och rättade till sjalen. Stor! Massa muskler. Hon sänkte blicken.

– Passade hon ert barn någon gång?

Sejer nickade mot bordet, där en liten tjej väntade tålmodigt. En tyst, osedvanligt vacker flicka med täta ögonfransar. Blicken var djup och svart som ett gruvschakt.

– Vi ville fråga, sa mannen snabbt, men grannarna sa hon hade vuxit ifrån det. Så vi ville inte tjata. Och hustrun är hemma hela dagen, så vi klarar oss. Bara jag måste ut på morgonen. Vi har en Lada. Grannen säger det inte är en ordentlig bil, men den är fin för oss. Den går varje dag till och från Poppels gata, där jag har en kryddbutik. Utslagen du har på pannan försvinner med kryddor. Inte kryddor från Rimibutik. Ordentliga kryddor från Irmaks.

– Jaså. Är det möjligt?

– Det rensar systemet. Driver svetten fortare ut.

Sejer nickade allvarligt. – Så ni hade aldrig med Annie att göra?

– Inte på riktigt. Några gånger, när hon sprang förbi, stoppade jag henne och hötte med fingret. Jag sa, du springer ifrån din egen själ, flicka. Det skrattade hon åt. Jag sa, jag ska lära dig att meditera i stället. Att springa längs gatorna är besvärligt sätt att finna friden på. Då skrattade hon ännu mer och försvann runt kröken.

– Har hon varit inne i huset någon gång?

– Ja. Hon kom från Eddie den dagen vi flyttade in, med en blomma i en kruka. Som välkommen från dem. Nihmet grät, sa han och tittade på frun. Det gjorde hon nu också. Drog sjalen ner i ansiktet och vände ryggen till dem.

När Sejer gick, tackade de honom för besöket och önskade honom välkommen tillbaka. De stod i den lilla hallen och såg på honom. Flickan hängde i moderns kjol, hon påminde om Matteus, med de mörka ögonen och de svarta lockarna. Ute på vägen stannade han ett ögonblick. Iakttog Skarre som just kom ut från hus nummer nio på andra sidan gatan. De nickade till varandra, så skildes de igen.

– Många låsta dörrar? frågade Skarre.

– Bara två. Johnas i nummer fyra och Rud i nummer åtta.

– Jag fick redogörelser från alla.

– Några omedelbara reflektioner?

– Inte annat än att hon kände alla och gick ut och in i husen i åratal. Och tydligen var hon mycket omtyckt överallt.

De ringde på hos familjen Holland. En flicka öppnade. Det var ingen tvekan om att det var Annies syster, de var lika och på samma gång olika. Håret var ljust som Annies, men benan var mörkare. Ögonen var omringade av mascara. Innanför den svarta inramningen var de mycket ljusa och osäkra. Hon var inte stor och lång som Annie, inte sportig och välbyggd. Hon hade lila stretchbyxor med sydda pressveck och vit blus med flera öppna knappar.

– Sølvi? sa han frågande.

Hon nickade och räckte honom en fuktig hand. Gick före dem in i huset och sökte ögonblickligen skydd hos modern. Fru Holland satt i samma soffhörn som sist. Ansiktet hade förändrat sig lite under loppet av de få timmar som hade gått, uttrycket var inte längre skärande förtvivlat, utan tungt och ansträngt och en bra bit äldre. Fadern syntes inte till. Sejer försökte studera Sølvi utan att stirra. Hon hade ett annat ansikte och en annan figur än systern, varken Annies breda kindben och bestämda haka eller hennes stora grå ögon. Vekare och lite fylligare, tänkte han. Efter en halvtimmes samtal kom det fram att de två systrarna aldrig hade stått varandra särskilt nära. De hade levt var sitt liv, Sølvi jobbade som städerska i en frisersalong och hade aldrig varit intresserad av andras ungar, hade aldrig hållit på med idrott. Sejer tänkte att hon troligen bara hade varit upptagen av sig själv. Av hur hon såg ut. Till och med nu, där hon satt i soffan tillsammans med modern, mitt uppe i systerns död, arrangerade hon kroppen på ett fördelaktigt sätt, som av gammal vana. Det ena knät uppdraget, huvudet lite på sned, händerna knäppta runt underbenet. Det glittrade i flera färggranna ringar på fingrarna. Naglarna var långa och röda. En rund kropp utan kanter, utan karaktär, som om hon saknade skelett och muskler och bara var hud, som täckte en klump modellera som var rosa till färgen. Sølvi var betydligt äldre än Annie, men ansiktet hade ett naivt uttryck. Modern hade intagit en beskyddande ställning och klappade henne oavbrutet på armen, som om hon hela tiden måste tröstas för någonting, eller kanske förmanas, han visste inte riktigt. Dessa systrar hade i sanning varit olika. Annies ansikte på bilden var mer moget. Hon tittade in i kameran med ett försiktigt uttryck, som om hon inte tyckte om att bli fotograferad men hade böjt sig för övermakten i alla fall, kanske därför att hon var väluppfostrad. Sølvi poserade mer eller mindre hela tiden. Till utseendet liknade hon modern, tänkte han, medan Annie liknade fadern.

– Vet du om Annie hade knutit några nya kontakter den senaste tiden? Mött några nya människor? Pratade hon om något sådant?

– Hon var inte intresserad av att lära känna folk.

Sølvi slätade till sin blus.

– Vet du om hon skrev dagbok?

– Å nej, inte Annie. Hon var inte sådan. Hon var annorlunda än andra tjejer, nästan mer som en kille. Använde inte ens smink. Gillade inte att ha smycken. Hon bar Halvors medaljong, men det var bara för att han tjatade om det. Egentligen var den i vägen när hon sprang.

Hennes röst var ljus och näpen, som om hon i själva verket var en liten flicka och inte sex år äldre än Annie. Var snäll mot mig, bad den försiktigt, du ser väl att jag är liten och skör.

– Känner du hennes vänner?

– De är ju yngre än jag. Men jag vet vilka de är.

Hon fingrade på sina ringar och tvekade lite, som om hon försökte komma fram till vad det var för en ny situation hon plötsligt hade hamnat i.

– Vem av dem kände henne bäst, tror du?

– Hon var tillsammans med Anette, men bara om de skulle göra något. Inte bara för att prata, menar jag.

– Ni bor lite avsides här ute, sa han försiktigt. Kan hon ha liftat?

– Aldrig. Inte jag heller, sa hon snabbt. Men vi får ofta skjuts ändå när vi går längs vägen. Vi känner nästan alla.

Nästan, tänkte han.

– Tyckte du att hon verkade olycklig för något?

– Inte olycklig. Men hon var inte jätteglad heller. Det var inte så mycket som intresserade henne. Jag menar, tjejsaker. Bara skolan och löpningen.

– Och Halvor, kanske?

– Jag vet inte så noga. Hon verkade lite likgiltig inför Halvor också. Kunde liksom aldrig bestämma sig.

Sejer såg en bild för sitt inre öga, av en delvis bortvänd flicka med skeptisk blick, som gjorde som hon ville, som gick sina egna vägar och som hade hållit dem alla på avstånd. Varför?

– Din mor säger att hon var livligare förr, sa han högt. Tycker du också det?

– Oh ja, hon var mer pratsam förr.

Skarre harklade sig plötsligt. – Den här förändringen, sa han, kom den hastigt, tycker du? Eller kom den mer gradvis, över lång tid?

– Nej. De två såg på varandra. Vet inte exakt. Hon bara förändrade sig.

– Kan du säga något om tidpunkten, Sølvi?

Hon ryckte på axlarna. – I fjol någon gång. Det tog slut med Halvor och direkt efteråt slutade hon med handbollen. Och så växte hon så mycket. Hon växte ur alla sina kläder och blev liksom så tyst.

– Menar du sur, eller butter?

– Nej. Bara tyst. Besviken på något sätt.

62

Besviken.

Sejer nickade. Han iakttog Sølvi. Hennes stretchbyxor var överväldigande, de hade samma färg som hans barndoms syrener.

– Vet du om Annie och Halvor hade ett sexuellt förhållande?

Hon blev blossande röd. – Jag vet inte riktigt. Du kan väl fråga Halvor.

– Det ska jag också.

– Den systern, sa Sejer då de satt i bilen, är en sådan typ av flicka som ofta slutar som offer. Jag menar, för en man med dåliga avsikter. Så upptagen av sig själv och hur hon ser ut att hon inte skulle uppfatta varningssignalerna. Sølvi. Inte Annie. Annie var reserverad och sportig. Inte upptagen av att göra intryck på folk. Hon liftade inte och brydde sig inte om att träffa nya människor. Om hon har gått in i en bil är det någon hon känner.

– Det säger vi alltid.

Skarre såg på honom.

– Jag vet det.

– Du har en dotter, sa Skarre nyfiket, som har varit i puberteten. Hur var det egentligen?

– Å, mumlade han och såg ut genom fönstret. Det var mest Elise som tog hand om sådana saker. Men jag minns det ju. Puberteten, det är en ganska oländig terräng. Hon var en solstråle tills hon fyllde tretton, då började hon fräsa. Hon fräste tills hon var fjorton, då började hon hugga. Och sedan gav det med sig.

Det gav med sig, och han mindes henne då hon fyllde femton och började bli en liten kvinna och han inte visste hur han skulle prata med henne. Så måste det ha varit för Holland också. När barnet inte längre är barn och man måste hitta ett nytt språk. Komplicerat.

– Det tog alltså ett år eller två? Innan det var över?

– Ja, sa han tankfullt, det gjorde väl det.

– Du undrar över den här förändringen?

– Något kan ha hänt. Jag måste komma på vad det var. Vem hon var, vem som mördade henne, och varför. Det är på tiden att vi besöker Halvor Muntz. Han sitter säkert och väntar på oss. Hur tror du han har det?

– Ingen aning. Får jag röka i bilen?

– Nej. Du är förresten lite långhårig nu, tycker du inte?

– Jo, när du säger det. Ta dig en halstablett, du.

De såg ut genom var sitt fönster. Skarre fiskade fram en lock från nacken och drog ut den i dess fulla längd. När han släppte den, ringlade den snabbt ihop sig som en mask på en het platta.

Hon tyckte att hon kände igen honom på något sätt. Därför vickade hon gungstolen närmare och stack det rynkiga ansiktet ända intill skärmen. Ljuset träffade henne, så att han såg skäggstråna på hennes haka, som ständigt växte. De skulle ha rakats bort, tänkte han, men han visste inte riktigt hur han skulle lägga fram det för henne.

– Det är Johann Olav! skrek hon. Han dricker mjölk.

– Mm.

– Du store tid vad den pojken är ståtlig. Jag undrar om han vet det själv, han är som en skulptur, det är han verkligen. En levande skulptur!

Koss torkade bort mjölkmustaschen och log med vita tänder.

– Nej, har du sett garnityret på den pojken! Kritvita tänder! Det är för att han dricker mjölk. Det borde du också göra, dricka mer mjölk. Och så har han ju haft skoltandläkare, det hade inte vi.

Hon rättade till pläden över knäna. – Hade inte råd att laga tänderna, vi var bara tvungna att dra ut dem allt eftersom de ruttnade, medan ni har skoltandläkare och mjölk och vitaminer och sund kosthållning och tandkräm med fluor och jag vet inte vad.

Hon suckade tungt. – Jag ska säga dig att jag satt och grät i skolsalen, jag. Inte för att jag inte kunde min läxa, utan för att jag var hungrig. Klart ni är vackra, ni som är unga idag. Jag är avundsjuk på er! Hör du vad jag säger, Halvor? Jag är avundsjuk på er!

– Ja, farmor.

Med darrande fingrar plockade han ut bilder ur ett gult Kodakkuvert. En spinkig ung man med smala axlar, inte särskilt lik skridskoåkaren i TV-reklamen. Munnen var liten som på en flicka, den ena mungipan stramade lite, och när han log någon enstaka gång, ville den inte följa med. På nära håll kunde man se ett ärr som gick från höger mungipa och upp till hårfästet i tinningen. Håret var brunt, kortklippt och mjukt, skäggväxten var anspråkslös. På avstånd blev han ofta tagen för att vara femton, och länge måste han visa legitimation på bio. Han gjorde ingen affär av det, han var ingen bråkstake.

Långsamt bläddrade han igenom bilderna, som han hade sett på otaliga gånger. Men nu hade de fått nya dimensioner. Nu letade han efter tecknen i dem, på det som skulle ske längre fram, som han inte hade vetat om där och då, när han tog bilderna. Annie med en träklubba när hon bultade ner en tältpinne med våldsam kraft. Annie ytterst på en trampolin, rak som en pelare i den svarta baddräkten. Annie, sovande i den gröna sovsäcken. Annie på cykeln, med ansiktet dolt av det ljusa håret. Ett foto av honom själv när han slet med primusköket. Ett av dem båda, taget av folk i tältet intill. Han hade fått lov att tjata för att övertala henne. Hon avskydde att stå framför en kamera.

– Halvor! skrek farmodern borta från fönstret. Det kommer en polisbil!
– Ja, sa han lågt.
– Varför kommer den hit?
Hon såg på honom, plötsligt bekymrad. – Vad vill de?
– Det är på grund av Annie.
– Vad är det med Annie?
– Hon är död.
– Vad säger du?
Hon snubblade förskräckt tillbaka till gungstolen och tog stöd mot armstödet.
– Hon är död. De kommer för att fråga ut mig. Jag visste att de skulle komma, jag har väntat på dem.
– Varför säger du att Annie är död?
– För att hon är död! skrek han. Hon dog igår! Hennes pappa ringde.
– Jamen varför!
– Det vet väl inte jag! Jag vet inte varför, jag vet bara att hon är död.
Han gömde ansiktet i händerna. Farmodern föll ihop som en säck i stolen och var ännu blekare än vanligt. De hade haft det så lugnt och fridfullt under lång tid. Det kunde naturligtvis inte fortsätta så, det kunde det inte.

Någon knackade hårt på dörren. Halvor ryckte till, sköt in fotografierna under duken och gick för att öppna. De var två. De stod en stund i farstun och såg på honom. Det var inte svårt att se vad de tänkte.
– Du heter Halvor Muntz?
– Ja.
– Vi har kommit för att ställa några frågor till dig. Du förstår varför?
– Hennes far ringde i natt.

Halvor nickade och nickade. Sejer fick syn på den gamla i stolen och hälsade.

– Är det en släkting till dig?

– Ja.

– Finns det något ställe där vi kan tala ensamma?

– Bara på mitt rum.

– Ja? Om det är okej för dig, så...

Halvor gick före dem ut ur vardagsrummet, genom ett trångt litet kök och in i ett sovrum. Huset måste vara gammalt, tänkte Sejer, de placerade inte rummen på det här sättet längre. Männen fick plats i en ranglig bäddsoffa, Muntz satte sig på sängen. Ett gammaldags rum med grönmålad panel och breda fönsterkarmar.

– Är det din farmor eller mormor? I vardagsrummet?

– Farmor.

– Och dina föräldrar?

– De är skilda.

– Därför bor du här?

– Jag fick välja var jag ville bo.

Orden föll torrt och rasslande, som småsten.

Sejer såg sig omkring, letade efter foton av Annie och hittade ett litet i en guldram på nattduksbordet. Bredvid stod en väckarklocka och en figur av madonnan och barnet, kanske en souvenir från Sydeuropa. En enda affisch på väggen, sannolikt en rocksångare, med orden "Meat Loaf" skrivna tvärs över bilden. Stereoanläggning och CD-skivor. Ett klädskåp, ett par joggingskor, inte så fina som Annies hade varit. En motorcykelhjälm hängde på handtaget till klädskåpet. Sängen var obäddad. Mittemot fönstret stod ett smalt skrivbord och på det en behändig dator med liten skärm. I en låda vid sidan om hade han disketter. Sejer kunde se den översta: Chess for beginners. Genom fönstret tittade han ut på gårdsplanen, han kunde se Volvon de hade parkerat framför uthuset och en motorcykel med plast över.

– Du kör motorcykel? frågade han inledande.

– När den vill funka. Det är inte alltid den startar. Jag ska laga den, men jag har inte pengar just nu.

Han fingrade lite på skjortkragen.

– Har du något arbete?

– På glassfabriken. Har varit där i två år.

Glassfabriken, tänkte Sejer. I två år. Han hade alltså slutat efter högstadiet och börjat jobba. Kanske inte så dumt trots allt, han fick yrkeserfarenhet. Särskilt sportig var han inte, lite för spinkig, lite för blek. Annie var nästan atletisk i jämförelse, tränade ihärdigt och jobbade hårt i skolan, och den här ynglingen packade glass och bodde hos sin farmor. Han tyckte det rimmade illa. Det var förresten en arrogant tanke, han sköt bort den igen.

– Nu måste jag fråga dig om en del saker. Du förstår det?

– Ja.

– Då börjar jag så här: När såg du Annie senast?

– I fredags. Vi var på bio, på sjuföreställningen.

– Vilken film såg ni?

– Philadelphia. Annie grät, sa han tankfullt.

– Varför det?

– Filmen var sorglig.

– Jaha, just det, ja. Och sedan?

– Så åt vi på Biokaféet och tog bussen hem till henne. Satt på rummet och spelade plattor. Jag tog bussen tillbaka klockan elva. Hon följde mig till hållplatsen vid mejeriet.

– Och sedan dess har du inte sett henne?

Han skakade på huvudet. Den stramande munnen gav honom ett trumpet utseende. Det var faktiskt synd, tänkte Sejer, han hade annars ett ganska fint ansikte med gröna ögon och regelbundna drag. Den smala munnen fick det att se ut som om han ville dölja fula tänder eller något. Senare skulle han erfara att de var mer än perfekta. Fyra uppe och två nere var av porslin.

– Du talade inte med henne i telefon eller något?

– Jo, sa han snabbt. Hon ringde kvällen efter.

– Vad ville hon?

– Ingenting.

– Men hon var en ganska tystlåten flicka, stämmer det?

– Ja, men hon gillade att prata i telefon.

– Så hon ville ingenting, men hon ringde i alla fall. Vad talade ni om?

– Om du absolut måste veta det, så… snackade vi om allt och ingenting.

Sejer log. Halvor stirrade hela tiden ut genom fönstret som om han ville undgå ögonkontakt. Kanske kände han sig skyldig, eller kanske var han

67

bara generad. De kände en vemodig sympati för honom. Flickvännen var död, och kanske hade han inte någon att prata med, bortsett från farmodern som väntade i vardagsrummet. Och kanske, tänkte Sejer, är han en mördare.

– Och igår var du på jobbet som vanligt? På glassfabriken?

Han dröjde lite med svaret. – Nej, jag var hemma.

– Så du var hemma? Varför?

– Jag var inte i form.

– Är du ofta borta från jobbet?

– Nej, jag är inte borta ofta!

Han höjde rösten. För första gången anade de en antydan till upprördhet.

– Din farmor kan naturligtvis bekräfta det?

– Ja.

– Och du var inte ute alls på hela dagen?

– Bara en liten runda.

– Trots att du var sjuk?

– Vi måste ju ha mat! Det är inte så lätt för farmor att ta sig till affären. Hon klarar bara att gå på sina bra dagar och de är inte många. Hon har ledgångsreumatism, förklarade han.

– Okej, jag förstår. Kan du berätta lite om vad det var för fel på dig?

– Bara om jag måste.

– Det måste du inte precis nu, men kanske senare.

– Okej. Jag har nätter då jag inte får sova.

– Jaha? Så då stannar du hemma?

– Jag kan inte passa maskinerna när jag inte är utvilad i huvudet.

– Det låter rimligt. Varför har du sömnlösa nätter av och till?

– Tja, det är väl något jag dras med från barndomen. Är det inte så man säger?

Han log plötsligt ett bittert leende, nästan oväntat vuxet i det unga ansiktet.

– När gav du dig iväg ungefär?

– Vid elvatiden, kanske.

– Till fots?

– På bågen.

– Och till vilken affär?

– Kiwibutiken i centrum.

– Så den startade igår?

– Den startar nästan alltid, om jag bara håller på tillräckligt länge.

– Hur länge var du borta?

– Vet inte. Jag kunde inte veta att någon skulle fråga mig om det.

Sejer nickade. Skarre jobbade som en galning med pennan för att komma i kapp.

– Men på ett ungefär?

– En timme kanske.

– Och det kan farmor bekräfta?

– Förmodligen inte. Hon följer inte med så bra.

– Har du körkort?

– Nej.

– Hur länge var ni ihop, du och Annie?

– Ganska länge. Ett par år.

Han torkade sig under näsan och stirrade fortfarande ut på gården.

– Var det ett bra förhållande, tycker du?

– Det har varit slut några gånger.

– Gjorde hon slut?

– Ja.

– Sa hon varför?

– Egentligen inte. Men hon var inte alltid så värst intresserad. Ville hålla det på ett kamratligt plan.

– Och det ville inte du?

Han rodnade och tittade ner på sina händer.

– Var det ett sexuellt förhållande?

Nu rodnade han ännu mer och glodde ut på gården igen.

– Egentligen inte.

– Egentligen inte?

– Som jag sa. Hon var inte så värst intresserad.

– Men ni har försökt, är det så?

– Ja, nätt och jämnt. Ett par gånger.

– Var det inte så lyckat, kanske?

Sejers röst var mycket vänlig just då.

– Jag vet inte vad som räknas som lyckat.

Nu var han så stram i ansiktet att all mimik hade upphört.

– Vet du om hon hade haft sex med några andra?

– Det vet jag inget om. Men jag har svårt för att tro det.

69

– Du var alltså tillsammans med Annie i mer än två år, alltså från det att hon var tretton. Hon har gjort slut flera gånger, hon var inte särskilt intresserad av att ha sex med dig... och ändå fortsatte du förhållandet? Du är ju inte precis något barn, Halvor. Är du så tålmodig?

– Jag är väl det.

Rösten var låg och saklig, som om han hela tiden aktade sig för att visa känslor.

– Tyckte du att du kände henne väl?

– Bättre än många andra.

– Tyckte du att hon verkade olycklig för något?

– Inte olycklig direkt. Mer... nej, jag vet inte. Tungsint, kanske.

– Är det något annat? Att vara tungsint?

– Ja, sa han och tittade upp. När man är olycklig, hoppas man att det ska bli bättre. Och när man har gett upp, tar tungsinnet över.

Sejer lyssnade lite förundrat på denna förklaring.

– Då jag mötte Annie för två år sedan, var hon annorlunda, sa han plötsligt. Skrattade och skämtade med alla. Min raka motsats, kom han sedan på.

– Och så förändrade hon sig?

– Hon blev plötsligt så stor. Och så blev hon tystare. Var inte så uppsluppen längre. Jag väntade, jag tänkte att det kanske skulle gå över. Att hon skulle bli samma gamla Annie. Nu finns det inget mer att vänta på.

Han vred sina händer och stirrade i golvet, sedan gjorde han en kraftansträngning och mötte Sejers blick. Ögonen var blanka som våta stenar.

– Jag vet inte vad ni tror. Men jag har inte gjort Annie något.

– Vi tror ingenting. Vi pratar med alla. Det förstår du väl?

– Ja.

– Använde Annie narkotika eller alkohol?

Skarre skakade på pennan för att få ut bläcket i spetsen.

– Är du tokig! Du är inne på helt fel spår.

– Ja, sa han enkelt. Jag kände henne inte.

– Ursäkta, men det lät bara så löjligt.

– Hur är det med dig själv?

– Det skulle aldrig falla mig in.

Du milde, tänkte Sejer. En nykter arbetsam ung man med fast arbete. Detta såg ju riktigt lovande ut.

– Känner du någon av Annies vänner? Anette Horgen, till exempel?

– Lite. Men vi var oftast ensamma. Annie ville liksom inte att vi skulle träffa andra.

– Varför inte?

– Vet inte. Men det var hon som bestämde.

– Och du gjorde som hon ville?

– Det var inte svårt. Jag tycker inte om stora församlingar, jag heller.

Sejer nickade förstående. Kanske hade de passat för varandra trots allt.

– Känner du till om Annie skrev dagbok?

Halvor tvekade lite, stoppade en impuls i sista stund och skakade på huvudet. – Du menar en sådan där rosa hjärtformad bok med hänglås?

– Inte nödvändigtvis. Den kan ju ha sett annorlunda ut.

– Jag tror inte det, mumlade han.

– Men du är inte säker?

– Ganska säker. Hon nämnde det aldrig.

Nu var rösten knappt hörbar.

– Har du någon att prata med?

– Jag har farmor.

– Så du har starka band till henne?

– Hon är all right. Det är tyst och lugnt här.

– Äger du en blå vindjacka, Halvor?

– Nej.

– Vad har du på dig utomhus?

– Jeansjacka. Eller dunjacka när det är kallt.

– Du kan väl ringa mig om du har något på hjärtat?

– Varför skulle jag göra det?

Han tittade förvånat upp.

– Låt mig uttrycka det lite annorlunda: Du kan väl ringa till stationen om du skulle komma på något, vad som helst som du tror kan förklara varför Annie dog?

– Ja.

Sejer såg sig om i rummet för att lägga alla detaljer på minnet. Hans blick stannade vid madonnan. Vid närmare granskning såg den finare ut än första gången.

– Det är en vacker skulptur. Har du köpt den i något medelhavsland, kanske?

– Jag har fått den. Av fader Martin. Jag är katolik, la han till.

Detta fick Sejer att se annorlunda på honom. Hans beteende var häm-

71

mat och stramt, som om han vaktade på något de inte fick se. Och kanske måste de tvinga honom att öppna sig, lägga honom som en mussla i kokande vatten. Tanken fascinerade honom.

– Så du är katolik?

– Ja.

– Ursäkta min nyfikenhet… men vad är det med den tron som fascinerar dig?

– Det är väl uppenbart. Syndaförlåtelsen. Välsignelsen.

Sejer nickade. – Men du är ju så ung?

Han reste sig och log mot Halvor. – Du har väl knappast hunnit med någon omfattande synd?

Frågan hängde en sekund i luften.

– Jag har tänkt en och annan rutten tanke.

Sejer gjorde ett snabbt svep i sitt eget tankeliv. – Det du har sagt kommer självklart att bli kollat. Så gör vi med alla. Vi hör av oss.

Han tryckte Halvors hand hårt. Försökte visa att han kände med honom. Så gick de tillbaka genom köket, som luktade svagt av kokta grönsaker. I vardagsrummet satt den gamla i en gungstol, omsorgsfullt insvept i en pläd. Hon stirrade förskrämt efter dem då de gick. Utanför stod motorcykeln med plast över. En svart Suzuki.

– Tänker du på detsamma som jag? frågade Skarre då de körde därifrån.

– Antagligen. Han ställde inga frågor. Inte en endaste en. Någon har tagit livet av hans flickvän, och han verkade inte särskilt nyfiken. Men det behöver inte betyda något.

– Konstigt var det i alla fall.

– Kanske slår det honom just nu, när vi kör iväg.

– Eller kanske vet han vad som hände med henne. Därför föll det honom inte in.

– Vindjackan vi hittade, den skulle ha varit ganska stor åt Halvor, tror du inte?

– Ärmarna var uppkavlade.

Det var sent på eftermiddagen och de behövde en paus. De körde tillbaka, la det lilla samhället bakom sig och lät invånarna sitta där med sin chock och sina tankar. I Kristallen kilade folk fram och tillbaka över vägen, dörrar slogs upp och igen, telefoner ringde. Folk dök ner i lådorna efter gamla bilder. Annie var på allas läppar. De allra första späda ryktena

72

kom till i skenet från stearinljus och spred sig därefter som en löpeld mellan husen. En och annan snaps kom på bordet. Det var undantagstillstånd på den korta gatstumpen, och en rad regler bröts ju längre kvällen led.

Raymond däremot var upptagen med andra saker. Han satt vid köksbordet och klistrade in bilder i en bok, av Kalle och Hobbe och av Pip och Sylvester. Taklampan var tänd, fadern sov middag, radion förmedlade skivönskningar. Den här gratulationen går till Glenn Kåre, med hälsning från mormor. Raymond lyssnade och sniffade på limstiftet, kände den härliga lukten av mandelessens. Han märkte inte mannen som stirrade intensivt på honom genom fönstret.

Halvor låste dörren till köket och satte på datorn. Han gick in på hårddisken och tittade tankfullt på raden av dokument. Där fanns spel, självdeklaration, budgetar, adresslistor, en översikt av CD-samlingen och andra triviala saker. Men där fanns också något annat. En mapp där innehållet var okänt för honom. Den hette "Annie". Han blev sittande och betraktade den medan han funderade lite. Om han klickade två gånger med musen skulle mapparna öppna sig och innehållet skulle fladdra fram på skärmen sekunden efter. Men det fanns undantag. Själv hade han en mapp som hette "Privat". För att öppna den måste han slå in en kod som bara han kände till. Detsamma gällde för Annies. Han hade lärt henne att stänga den för andra, en ganska enkel procedur. Han visste inte vad hon hade valt som kodord och ingenting om vad mappen innehöll. Hon hade insisterat på att hålla den hemlig, och hon hade skrattat lite när hon såg hur besviken han blev. Så han visade henne hur hon skulle göra, och sedan måste han gå ut ur rummet och sitta i vardagsrummet medan hon la in koden. För ro skull klickade han två gånger, och ögonblickligen fick han beskedet:

"Access denied. Password requiered."

Nu ville han öppna den. Nu var det här det enda han hade kvar efter henne. Tänk om det stod något om honom själv där inne, något som kunde bli farligt för honom? Kanske var det ett slags dagbok. Det var självklart en omöjlig uppgift, tänkte han och tittade dystert ner på tangentbordet, där tio siffror, tjugonio bokstäver och en rad olika tecken utgjorde så många kombinationsmöjligheter att han inte ens kunde föreställa sig det. Han försökte slappna av och tänkte sedan att själv hade han valt ett namn. Namnet på en känd kvinna som blev bränd på bål och sedan upphöjd till helgon. Det passade perfekt, och inte ens Annie skulle ha tänkt på det. Men kanske hade hon valt ett datum. Att välja ett födelsedatum, kanske till en som stod en nära, var ganska vanligt. Han satt en stund och stirrade på mappen, bara en grå obetydlig kvadrat med hennes namn på. Nu var det i och för sig inte meningen att han skulle öppna den, hon hade ju stängt den för att hålla den hemlig. Men nu var hon borta, och då gällde inte längre samma regler. Kanske stod det något som kunde förklara varför hon var som hon var. Så förbaskat ointaglig.

De motstridiga känslorna skingrades och la sig som damm i hörnen. Han var ensam nu, med en oändlighet av tid och ingenting att fylla den med. När han satt här inne i det halvmörka rummet och stirrade på den lysande skärmen, kände han sig så nära Annie. Han bestämde sig för att börja med tal, som födelsedagar och personnummer. Några få hade han i huvudet, Annies, hans eget, farmoderns. Andra kunde han skaffa. Det var trots allt något att börja med. Självklart kunde hon ha valt ett ord. Eller flera ord, kanske ett ordspråk, eller ett känt citat, eller kanske ett namn. Det skulle bli ett mödosamt arbete. Han visste inte om han någonsin skulle finna det, men han hade gott om tid och mycket tålamod. Dessutom fanns det andra sätt.

Han började med hennes födelsedatum, vilket hon självklart inte hade valt, tredje mars nittonhundraåttio, noll tre noll tre ett nio åtta noll. Därefter samma tal baklänges.

"Access denied" blinkade på skärmen. Plötsligt stod farmodern i dörren.

– Vad sa de för något? frågade hon och stödde sig mot dörrposten.

Han ryckte till och rätade på ryggen.

– Inte något särskilt. De ställde några frågor bara.

– Jamen, det här är ju förskräckligt, Halvor! Varför är hon död? Han tittade tyst på henne.

– Eddie sa att de hittade henne i skogen. Uppe vid Ormetjern.

– Jamen, varför var hon död?

– Det sa de inte, viskade han. Jag glömde fråga.

Sejer och Skarre hade intagit undervisningsrummet i baracken bakom tingshuset. De drog för gardinerna och släckte största delen av belysning-

74

en. Bandet var tillbakaspolat. Skarre satt med fjärrkontrollen.

Ljudisoleringen i denna hastverksvariant av tillbyggnad var inte mycket att skryta med. De hörde telefoner som ringde och dörrar som smällde, röster, skratt och bilar som brummade förbi på gatan. Ett fyllo skrålade på bakgården utanför. Ändå var ljuden dämpade, präglade av att dagen gick mot sitt slut.

– Vad i hela världen är detta?

Skarre lutade sig fram.

– Någon som springer. Det liknar Grete Waitz. Ser ut som New York Marathon.

– Kanske har han skickat med oss fel band?

– Säkert inte. Stopp där, jag såg några holmar och skär.

Bilden hoppade och studsade en stund, innan den äntligen lugnade sig och fokuserades på två kvinnor i bikini, liggande på en berghäll.

– Modern och Sølvi, sa Sejer.

Sølvi låg på rygg med det ena knät uppdraget. Solglasögonen var uppskjutna på huvudet, kanske för att undgå vita ringar runt ögonen. Modern var delvis täckt av en tidning, av storleken att döma möjligen Aftenposten. Bredvid dem låg tidningar och solkräm och termosflaskor, flera stora badhanddukar och en liten radio.

Kameran hade riktat in sig länge nog på de två soldyrkarna. Nu sökte sig linsen mot en strand längre ner, och en lång ljus flicka kom gående in från höger. Hon bar en windsurfingbräda över huvudet och gick halvt bortvänd från kameran, ut i vattnet. Gången var på inget sätt utmanande, hon gick uteslutande för att komma fram, och hon sänkte inte farten ens när vattnet nådde henne över knäna. De hörde bruset från vågorna, som var ganska stora, och plötsligt faderns röst som trängde igenom.

– Le då, Annie!

Hon fortsatte som tidigare, längre och längre ut i vattnet, och ignorerade uppmaningen. Så vände hon sig om ändå, lite ansträngd under brädans tyngd. I några sekunder tittade hon rakt på Sejer och Skarre. Det ljusa håret fångades av vinden och fladdrade runt hennes öron, ett snabbt leende for över ansiktet. Skarre såg in i de grå ögonen och kände hur huden knottrade sig på armarna, medan han följde den långbenta flickan där hon vadade genom vågorna. Hon hade svart baddräkt av det slag som tävlingssimmarna använde, med ett kryss högt uppe på ryggen, och blå flytväst.

75

– Den där brädan är inget för nybörjare, mumlade han.

Sejer svarade inte. Annie gick allt längre ut i vattnet. Sedan stannade hon, tog sig upp på brädan, grep efter seglet med starka händer, fick balans. Så gjorde brädan en hundranittiograders sväng och sköt fart. Männen var tysta medan Annie seglade längre och längre ut. Hon sköt fram genom vågorna som en proffssurfare. Fadern följde henne med kameran. De var faderns ögon nu, så som han såg sin dotter genom linsen. Han ansträngde sig för att hålla den stilla, han fick inte skaka för mycket, utan göra surfaren största möjliga rättvisa. Genom bilderna kände de hans stolthet, den han måste ha känt över henne. Det här var hennes element. Det var tydligt att hon inte var rädd för att trilla av och hamna under vattnet.

Plötsligt försvann hon. De betraktade i stället ett dukat bord med blommig duk, tallrikar och glas, blankputsat bestick, ängsblommor i en vas. Kotletter, korv och bacon på ett galler. Grillen glödde vid sidan om. Solen blänkte i flaskor med Cola och Farris. Sølvi igen, i minikjol och bikiniöverdel, fru Holland i behaglig sommarklänning. Och slutligen Annie, med ryggen till, i mörkblå bermudashorts. Hon vände sig plötsligt mot kameran igen, ännu en gång på faderns uppmaning. Samma leende, lite bredare nu, de såg hennes skrattgropar och en antydan till tunna blå ådror på halsen. Sølvi och modern pladdrade i bakgrunden, det klirrade från isbitar, det var Annie som hällde i Cola. Hon vände sig långsamt om än en gång, med en flaska i handen, och frågade in i kameran:

– Cola, pappa?

Rösten var överraskande djup. I nästa ögonblick var de inne i stugan. Fru Holland stod vid köksbänken och skar upp en kaka.

Cola, pappa. Rösten var sträv men ändå mjuk. Annie hade älskat sin far, de hörde det i de två små orden, de hörde värmen och respekten. Den sken igenom på samma sätt som man ser skillnad på saft och rödvin i ett glas. Rösten hade djup och glöd. Annie var pappas flicka.

Resten av filmen flimrade förbi. Annie och modern som spelade badminton, flämtande i alltför stark vind, ypperlig för windsurfing, skoningslös mot fjäderbollen. Familjen samlad runt matbordet inomhus, där de spelade Trivial Pursuit. En närbild av spelplanen visade tydligt vem som ledde, men Annie var inte mallig. Hon sa på det hela taget inte mycket, det var Sølvi och modern som pratade hela tiden, Sølvi med ljuv och tunn röst, modern djupare och hesare. Skarre blåste ner röken mellan knäna och kände sig äldre än på länge. Det flimrade till lite, sedan dök det upp ett rödblommigt ansikte med gapande mun. En imponerande tenor fyllde rummet.

– No man shall sleep, sa Konrad Sejer och reste sig tungt.

– Vad sa du?

– Luciano Pavarotti. Han sjunger Puccini. Lägg bandet i arkivet, fortsatte han.

– Hon var bra på att surfa, sa Skarre andaktsfullt.

Sejer hann aldrig svara. Telefonen ringde och avbröt dem, Skarre tog den och rafsade samtidigt till sig block och blyertspenna. Det skedde automatiskt. Han trodde på tre saker här i världen, grundlighet, flit och gott humör. Sejer läste allt eftersom han skrev: Henning Johnas, Kristallen nummer fyra. Tolv fyrtiofem. Horgen Handel. Motorcykel.

– Kan du komma till stationen? sa Skarre upphetsat. Inte? Då kommer vi till dig. Det här är ganska viktiga upplysningar. Tack ska du ha, då säger vi det.

Han la på.

– En av grannarna. Henning Johnas, han bor i nummer fyra. Kom just hem och fick höra om Annie. Han plockade upp henne vid rondellen igår och satte av henne vid Horgen Handel. Han säger att det stod en motorcykel där. Och väntade på henne.

Sejer lutade sig mot bordet. – Den där motorcykeln igen, som Horgen såg. Halvor har motorcykel, sa han tankfullt. Varför kunde han inte komma hit?

– Hans hund håller på att få valpar.

Skarre stoppade lappen i plånboken. – Det kan bli svårt för Halvor att bevisa hur länge han var ute med motorcykeln. Jag hoppas det inte är Halvor som har gjort det. Jag tyckte om honom.

– En mördare är en mördare, sa Sejer lakoniskt. Det händer att de är trevliga.

– Ja, svarade Skarre. Men det är lättare att bura in någon man inte tål.

Johnas förde in en hand under magen på hunden och kände försiktigt. Hon andades snabbt, tungan hängde ut ur munnen, en rosa fuktig tunga. Hon låg alldeles stilla och lät honom känna. Det var inte långt kvar. Han tittade ut genom fönstret, hoppades att det snart skulle vara över.

– Duktig flicka, Hera, sa han och strök henne över ryggen.

Hunden tittade förbi honom, oberörd av berömmet, så han sjönk ner på golvet ett stycke därifrån. Blev sittande och såg på henne. Det tysta, tålmodiga djuret gjorde honom fullständigt hänförd. Aldrig var det något bråk med Hera, jämt var hon lydig och mild som en ängel. Vek aldrig från hans sida när de gick på promenad, åt den mat hon fick och tassade tyst bort till ett hörn när han själv gick upp för att sova på kvällen. Egentligen skulle han ha velat sitta så tills allt var över, alldeles intill, och bara lyssna till hennes andhämtning. Kanske skulle ingenting hända förrän på morgonkvisten. Han var inte trött. Då ringde det på hans dörr, en kort skarp signal. Han reste sig och öppnade.

Sejer gav honom ett torrt, hårt handslag. Mannen utstrålade myndighet. Den yngre var annorlunda, en smal pojkhand med tunna fingrar. Ett öppet ansikte, inte kyligt betraktande som hos den andre. Han bad dem komma in.

– Hur går det med hunden? frågade Sejer. En vacker dobermann låg alldeles stilla på en svart och rosa orientalisk matta. Men den var väl inte äkta kanske, man la väl inte en födande tik på en äkta orientalisk matta, tänkte han. Hunden andades snabbt, i övrigt låg den helt orörlig och brydde sig inte om att två främlingar hade kommit in i rummet.

– Det är första gången för henne. Tre stycken, tror jag, jag har försökt räkna. Men det här ska gå bra. Det är aldrig några svårigheter med Hera.

Han såg på dem och ruskade på huvudet. – Jag är så skakad över det som hänt att jag inte klarar av att koncentrera mig på någonting.

Johnas tittade bort mot hunden medan han pratade och strök sig med en kraftig näve över hjässan, som var kal. Annars var huvudet omkransat av brunt krulligt hår, och ögonen var ovanligt mörka. En man av medelstorlek fysiskt sett, men med kraftig överkropp och några kilo för mycket kring livet, kanske i slutet av trettioårsåldern. Som ung kunde han möjligen ha liknat en mörkare upplaga av Skarre. Han hade fina drag och var brunbränd, som om han hade varit på sydligare breddgrader.

– Ni vill inte köpa en valp?

Han gav dem en bedjande blick.

– Jag har en leonberger, upplyste Sejer, och jag tror inte han förlåter mig om jag kommer dragandes med en valp. Han är ganska bortskämd.

Johnas nickade mot soffan. Drog ut soffbordet så att de två männen kunde tränga sig in. – Jag mötte Fritzner vid garagen i kväll, jag kom från en mässa i Oslo. Han talade om det för mig. Jag tror inte jag har fattat det riktigt än. Jag skulle inte släppt ut henne ur bilen, det skulle jag inte.

Han gned sig i ögonen och tittade bort mot hunden igen.

– Annie har varit här i huset ofta. Var barnvakt åt oss. Jag känner Sølvi också. Om det hade varit hon, sa han lågt, hade jag förstått det bättre. Sølvi är mer den typen som kunde komma på att följa med någon om hon fick ett erbjudande, även om hon inte kände honom. Tänker inte på annat än pojkar. Men Annie...

Han såg på dem. – Annie var mer ointresserad, liksom. Och väldigt försiktig. Och så hade hon en pojkvän, tror jag.

– Stämmer, det hade hon. Känner du honom?

– Nej, nej, absolut inte. Men jag har sett dem på gatan här, på avstånd. De var blyga, de gick inte ens hand i hand.

Han log lite vemodigt åt tanken.

– Vart skulle du då du plockade upp Annie?

– Jag skulle till jobbet. Ett tag såg det ut som om Hera skulle valpa, men så dröjde det i alla fall.

– När öppnar du?

– Klockan elva.

– Det är ju sent på dagen?

– Ja, men du vet, mjölk och bröd behöver folk från morgonen, medan persiska mattor kommer senare, när de mer primitiva behoven är avklarade.

Han log ironiskt åt sin egen kommentar. – Jag har en mattaffär, förklarade han. Inne i centrum, på Cappelens gate.

Sejer nickade. – Annie skulle till Anette Horgen och jobba med ett grupparbete. Nämnde hon det för dig?

– Grupparbete? sa han förvånat. Nej, det nämnde hon inte.

– Men hon hade ryggsäck?

– Ja, det hade hon. Kanske var det en täckmantel för något annat, vad vet jag. Hon skulle till Horgens affär, det är allt jag vet.

– Berätta vad du såg.

Johnas nickade. – Annie kom springande nerför den branta sluttningen vid rondellen. Så jag körde över och stannade vid hållplatsen. Frågade om hon ville åka med. Hon skulle alltså till Horgen, och det är ju en bit att gå. Det är inte det att hon var lat eller något, Annie var vältränad. Hon sprang jämt. Hade säkert en fantastisk kondition. Men hon satte sig i bilen i alla fall och bad mig sätta av henne vid affären. Jag trodde att hon skulle köpa något där, eller kanske möta någon. Jag satte av henne och körde vidare. Men jag såg motorcykeln. Den stod parkerad bredvid affären, och det sista jag såg var att hon gick åt det hållet. Jag menar, jag vet inte säkert om han väntade på henne, och jag såg inte vem han var. Jag såg bara att hon gick med bestämda steg mot motorcykeln, och hon vände sig inte om.

– Vad var det för slags motorcykel? frågade Sejer.

Johnas slog ut med händerna. – Jag inser att du måste fråga om det, men jag vet inget om motorcyklar. Jag är ju i en annan bransch, för att uttrycka det milt. För mig var det bara krom och stål.

– Färgen då?

– Är inte motorcyklar svarta som regel?

– Absolut inte, sa Sejer kort.

– Den var i alla fall inte knallröd, det skulle jag komma ihåg.

– Var det en stor och bred båge eller en mindre typ? ville Skarre veta.

– Jag tror den var stor.

– Och föraren?

– Det var inte lätt att se. Han hade hjälm. Det var något rött på hjälmen, det minns jag. Och han såg inte ut som en vuxen man. Det var nog snarare en yngre kille.

Sejer nickade och lutade sig fram.

– Du har sett hennes pojkvän. Han har motorcykel. Kan det ha varit han?

Nu rynkade Johnas pannan som om han var på sin vakt. – Jag har sett honom gå förbi på gatan här, på avstånd. Men den här var en bit bort och hade hjälm. Jag kan inte säga om det var han. Jag vill inte antyda det ens.

– Inte att det *var* han. Sejer knep ihop ögonen. Bara om det *kan* ha varit han. Du säger att han var ung. Var han spenslig?

– Det är inte lätt att se när de har skinnkläder på sig, sa han hjälplöst.

– Men varför tror du att han var ung?

– Nja, sa han förvirrat, vad ska jag säga? Jag antog väl det för att Annie var ung. Eller så var det något med hållningen, kanske.

Han såg generad ut. – Man vet ju inte sådant, att det kan bli betydelsefullt, menar jag.

Han reste sig igen och knäböjde vid hunden. – Du måste förstå hur det är att bo på det här stället, sa han besvärat. Rykten sprider sig så fort. Och dessutom kan jag väl aldrig tro att pojkvännen skulle göra något sådant. Han är ju bara en grabb, och de var ju tillsammans länge.

– Det får du överlåta åt oss att bedöma, sa Sejer bestämt. Motorcykeln är självfallet viktig, och ett annat vittne har också sett den. Om han är oskyldig kommer han inte heller att bli dömd.

– Inte det? sa han tvivlande. Nej, nej, men det är illa nog att bli misstänkt, skulle jag tro. Om jag säger att han liknade hennes pojkvän, då sätter ni säkert igång ett helvete för honom. Och sanningen är att jag inte vet vem det var.

Han skakade häftigt på huvudet. – Jag såg bara en typ med skinnkläder och hjälm. Det kan ha varit vem som helst. Jag har en son på sjutton år, det kunde ha varit han. Jag skulle inte ha känt igen honom med all den där utrustningen. Förstår ni?

– Ja, jag förstår det, sa Sejer kort. Du har när allt kommer omkring svarat på min fråga. Det kan ha varit han. Och när det gäller helvetet, så är han väl redan där.

Johnas svalde.

– Vad pratade ni om, du och Annie, medan ni satt i bilen?

– Hon sa inte mycket. Jag fyllde tiden med att prata om Hera och valparna jag väntar på.

– Verkade hon ängslig eller nervös för någonting?

– Inte alls. Hon var som hon brukar.

Sejer såg sig omkring och la märke till att vardagsrummet var sparsamt möblerat, som om han inte var färdig med inredningen. Men det var fullt med mattor där inne, på golven och på väggarna, stora orientaliska mattor som såg dyra ut. På väggen hängde två fotografier, det ena av en ljus pojke i tvåårsåldern, det andra av en tonåring.

– Är det dina pojkar?

Sejer pekade och ville konversera.

– Ja, sa han. Men bilderna är inte helt nya längre.

Han klappade hunden igen, strök den över de svarta, silkesmjuka öronen och den fuktiga nosen.

– Jag bor ensam nu, la han till. Har äntligen fått mig en lägenhet i stan, på Oscarsgate. På sista tiden har jag inte sett till Annie så mycket. Hon blev väl lite konfunderad då frun reste. Och så fanns det ju inte längre några barn att passa.

– Och du sysslar med orientaliska mattor?

– Jag handlar mest med Turkiet och Pakistan. Av och till med Iran, men där har de en tendens att skruva upp priserna. Jag reser ner ett par gånger om året och blir borta i några veckor. Tar god tid på mig. Börjar att bli välkänd, sa han belåtet. Har skaffat mig bra kontakter. Det är det viktigaste nämligen, att komma i en förtroenderelation. De har tämligen blandade erfarenheter av kontakterna med västvärlden.

Skarre ålade sig förbi bordet och gick till rummets kortända, där en stor matta täckte nästan hela väggen från golv till tak.

– Det där är en turkisk Smyrna, sa Johnas. En av de allra vackraste jag har. Jag har egentligen inte råd att ha den. Två och en halv miljon knutar. Ganska otroligt, inte sant?

Skarre såg på mattan. – Är det sant att de är tillverkade av barn? frågade han.

– Ofta, ja, men inte mina. Det förstör verksamhetens rykte. Man kan tycka illa om det, men faktum är att barnen gör de vackraste mattorna. Vuxna har för tjocka fingrar.

De stod en stund och tittade på mattan, på alla de geometriska figurerna, som spred sig längre och längre in mot mitten och blev mindre och mindre, i ett nästan oändligt antal olika färgnyanser.

– Är det sant att barn blir fastkedjade vid vävstolen? sa Sejer skeptiskt.

Johnas skakade uppgivet på huvudet.

– Det låter så illa när du säger det så. Den som får ett vävjobb kan skatta sig lycklig. En bra vävare har mat och kläder och värme. Han har ett liv. Är det så att de blir fastkedjade vid stolen, är det på begäran från föräldrarna. Ofta försörjer en sådan liten vävare en hel familj på fem sex personer. På det sättet kan han rädda både mor och systrar från prostitution och far eller bröderna från att bli tiggare och tjuvar.

– Jag har hört att det bara är en sorts förhalning, sa Sejer. När de blir vuxna och får tjocka fingrar, är de ofta blinda eller närsynta på grund av ansträngningen framför väven. Då kan de inte jobba överhuvudtaget. Och så slutar de som tiggare i alla fall.

– Du har sett för mycket på TV2, log han. Res hellre ner och se själv. Vävarna är glada små människor, och de åtnjuter stort anseende bland folk. Så enkelt är det. Men vi får hjälpa de rika att upprätthålla moralen, inga är så känsliga som de när det gäller sådant. Därför håller jag mig undan från barnarbete. Om du vill ha dig en matta någon gång, måste du komma till Cappelens gate, sa han ivrigt. Jag ska se till att du gör ett bra köp.

– Jag tror knappast det är min prisklass.

– Varför är den fläckig? ville Skarre veta.

Johnas måste le lite åt denna totala okunnighet, samtidigt kvicknade han till, att låta honom prata om sin stora passion var som att blåsa på en nästan slocknad glöd. Han flammade upp. – Det är en nomadmatta.

Det sa inte Skarre ett dugg.

– Nomaderna flyttar hela tiden, eller hur? Det tar dem kanske ett år att tillverka en så stor matta. Och ullen färgar de med växter. Som de alltså måste plocka vid olika årstider, i växlande terräng med olika villkor för de enskilda växterna. Den här blå färgen, han pekade på mattan, får man från indigoväxten. Och den röda från krappörten. Men innerst i sexkanten är en annan röd, som kommer från krossade insekter. Den här mer orange färgen är henna, den gula är saffranskrokus.

Han la en hand på mattan och strök medhårs. – Det här är en turkisk matta, knuten med gordiska knutar. På varenda kvadratcentimeter är det cirka hundra knutar.

– Och mönstren då? Vem gör dem?

– De väver efter gamla mönster som är flera hundra år gamla, och många av dem är inte ens nedtecknade. De gamla vävarna går runt i verkstaden och sjunger mönstret för dem.

De gamla blinda vävarna, tänkte Sejer.

– För oss här i väst, fortsatte Johnas, har det tagit lång tid att upptäcka det här hantverket. Traditionellt sett tycker vi bäst om figurativa mönster, något som berättar en historia. Därför var det jaktmattorna och trädgårdsmattorna som först drog till sig uppmärksamheten i våra trakter, för de innehåller blommor och djurmotiv. Personligen föredrar jag den här typen. Först den breda bården ytterst, som håller allt på plats. Därefter flyttar man blicken längre och längre in och till slut kommer man in till skatten, så att säga. Som här, han pekade på mattan. Till medaljongen i mitten.

– Förlåt, sa han plötsligt. Här står jag och mässar om mig och mitt.

Han såg generad ut.

– Hur var det med hjälmen, sa Skarre och slet sig från mattan. Var den öppen eller integral?

– Finns det öppna hjälmar? sa han förvånat.

– En integralhjälm har käk- och hakskydd också. En öppen hjälm täcker bara skallen.

– Det la jag inte märke till.

– Men skinnkläderna, då? Var de svarta?

– I alla fall mörka. Det föll mig inte in att studera honom. Det är något

83

väldigt normalt med att se en söt flicka snedda över gatan och gå mot en pojke på en motorcykel. Det är liksom så det ska vara, eller hur?

De tackade honom och stannade ett ögonblick vid dörren. – Vi kommer nog tillbaka, det hoppas jag att du har överseende med.

– Självklart. Om valparna kommer i natt blir jag hemma ett par dagar.

– Kan du stänga affären?

– Kunderna ringer hem till mig om det är något de vill.

Hera suckade plötsligt tungt och gnydde missmodigt på sin äkta orientaliska matta. Skarre såg långt efter henne och följde motvilligt efter chefen.

– Kanske får vi se dem om vi kommer igen? log han hoppfullt. Valparna, alltså.

– Säkert, sa Johnas.

– Det är nog bäst att låta bli, smålog Sejer. Han tänkte på Kollberg.

– Kommer du ihåg Halvors hjälm? Som hängde i hans rum?

De satt i bilen igen.

– Svart integralhjälm med röd rand, sa Sejer tankfullt. Vi får ge oss för idag. Jag måste ut med jycken.

– Hur är det, Konrad? Har du ett lika brinnande förhållande till ditt jobb som Johnas har?

Sejer såg på honom. – Självklart. Du tycker kanske inte att det ser så ut?

Han satte fast bältet och startade motorn. – Det irriterar mig förresten när folk sätter munkavle på sig själva, av missriktad sympati med någon typ de inte ens känner, för att de är så tvärsäkra på att han är hederlig.

Han tänkte på Halvor och kände sig lite dyster. – Fram till den dag då människor mördar för första gången, är de inte mördare. Då är de som folk är mest. Och sedan, när grannarna kommer på att de faktiskt har mördat, då är vederbörande plötsligt en mördare för resten av livet och kan därefter mörda folk utan förskonande, som ett slags okontrollerad mördarmaskin. Då bevakar de sina barn och ingenting är tryggt längre.

Skarre såg frågande på honom. – Så nu är Halvor i sökarljuset?

– Självklart. Han var hennes pojkvän. Men jag undrar varför Johnas så innerligt vill beskydda en kille han bara har sett på avstånd.

Ragnhild Album böjde sig över papperet och började teckna. Blocket var nytt och det var nästan med andakt hon färglade det första orörda bladet. På sätt och vis var kanske inte en bil i ett dammoln uppgiften värdig, nämligen det att frånta blocket all denna kritvita jungfrulighet. Pennskrinet innehöll sex färger. Sejer hade varit inne i staden och handlat, en uppsättning till Ragnhild och en till Raymond. Idag hade hon två tofsar överst på huvudet, de pekade rakt upp i luften, som antenner.

– Du är fin i håret idag, sa han uppmuntrande.

– Med den här, sa modern och drog i den ena, får hon in Operation Vita Vargen i Narvik, och med den andra får hon in farmor, som är i Svalbard.

Han var tvungen att småskratta lite ner i golvet.

– Hon säger ju att det bara var ett dammoln, fortsatte hon bekymrat.

– Hon säger att det var en bil, sa Sejer. Det är värt ett försök.

Han la en hand på barnets axel. – Slut ögonen, sa han, och pröva om du kan se den framför dig. Sedan ritar du den så gott du kan. Du ska alltså inte bara rita en bil. Du ska rita precis den bilen som du och Raymond såg.

– Ja ja, sa hon otåligt.

Han föste ut fru Album ur köket och in i vardagsrummet, så att Ragnhild skulle få vara i fred. Fru Album ställde sig i fönstret och såg på horisonten i fjärran. Det var en disig dag, landskapet påminde om en gammal nationalromantisk tavla.

– Annie passade Ragnhild flera gånger, sa hon tyst. Och när hon passade barn, gjorde hon det bra. Det är ett par år sedan nu. De tog bussen till stan och var borta hela dagen. Åkte tåg på torget och rulltrappa och hiss på Magasinet, sådana saker som Ragnhild tyckte om. Hon var en naturbegåvning med barn. Annorlunda. Omsorgsfull.

Sejer hörde flickan gräva i skrinet med färgpennor ute i köket. – Känner du systern också? Sølvi?

– Jag vet vem hon är. Men hon är bara halvsyster.

– Jaså?

– Visste du inte det?

– Nej, sa han långsamt.

– Alla vet det, sa hon enkelt. Det är inte någon hemlighet eller så. De är väldigt olika. En period hade de problem med hennes far. Sølvis far, alltså.

Han förlorade umgängesrätten, och det kommer han visst aldrig över.

– Varför?

– Det vanliga. Fylla och våld. Men det är ju moderns version. Och Ada Holland är ganska sträng, så jag vet inte riktigt.

Hm, tänkte han. – Men nu är ju Sølvi myndig? Och kan göra som hon vill?

– Det är väl för sent. De har väl kommit ifrån varandra. Jag tänker mycket på Ada, la hon till. Hon fick inte tillbaka sin flicka som jag.

– Färdig! skrek Ragnhild från köket.

De reste sig och gick för att titta. Ragnhild satt med huvudet på sned och såg faktiskt inte särskilt nöjd ut. En grå sky fyllde merparten av papperet, och ut ur dammolnet stack nosen på en bil, med lyktor och stötfångare. Huven var lång, som på en stor amerikan, stötfångaren var färgad svart. Det såg ut som om den log ett brett leende utan tänder. Lyktorna satt på sned. Som kinesiska ögon, tänkte Sejer.

– Bullrade den mycket? Då den körde förbi?

Han lutade sig över köksbordet och kände den söta lukten från hennes tuggummi.

– Den bullrade väldigt.

Han tittade på teckningen. – Kan du göra en till teckning åt mig? Om jag säger: Rita lyktorna på bilen. Bara lyktorna?

– Men det var såna som du ser där!

Hon pekade på teckningen. – De var sneda.

Han nickade för sig själv. – Och färgen då, Ragnhild?

– Nja, den var egentligen inte grå. Men det fanns inte så mycket att välja på här, sa hon och skakade lillgammalt på skrinet med färgpennorna. Det var liksom en sån färg som inte finns.

– Vad menar du då?

– Jag menar en sån som det inte finns nåt namn på. En rad namn virvlade runt i hans huvud, sienna, petrol, sepia, antracit.

– Ragnhild, sa han sedan, kan du minnas om bilen hade något på taket?

– Antenner?

– Nej, något större. Raymond sa att det låg något stort på bilens tak.

Hon tittade på honom och tänkte efter. – Ja! sa hon plötsligt. En liten båt.

– En båt?

– En liten svart en.

– Jag vet inte vad jag skulle ha gjort utan dig, log Sejer och knäppte med fingrarna i hennes antenner.

– Elise, la han till, du har ett vackert namn.

– Ingen vill kalla mig det. Alla säger Ragnhild.

– Jag kan kalla dig Elise.

Hon rodnade generat och stängde locket på pennskrinet, slog ihop blocket och sköt över det till honom.

– Nej, det här är självklart ditt, det skulle bara fattas.

Genast öppnade hon skrinet igen och tecknade vidare.

– En av kaninerna har lagt sig på sidan!

Raymond stod i dörren till faderns sovrum och vaggade oroligt av och an.

– Vilken?

– Caesar. Den belgiska jättekaninen.

– Då får du ha ihjäl den.

Raymond blev så förskräckt att han släppte en fjärt. Det lilla utsläppet gjorde varken från eller till för luften i det instängda rummet.

– Men den andas som bara den!

– Vi håller inte på och utfodrar dem som dör, Raymond. Lägg den på huggkubben. Yxan står bakom dörren i garaget. Akta dina händer! la han till.

Raymond gick ut igen och vaggade missmodigt över gården till kaninburen. Han tittade en stund på Caesar genom ståltrådsnätet. Den låg precis som en baby, tänkte han, ihoprullad som en mjuk boll. Ögonen var stängda. Den rörde inte på sig när han öppnade buren och försiktigt stack in en hand. Han strök den ganska lätt över ryggen. Den var lika varm som vanligt. Han tog ett kraftigt grepp i nackskinnet och lyfte ut den. Den sprattlade halvhjärtat och verkade kraftlös.

Efteråt satt han och hängde över köksbordet. Framför honom låg ett album med bilder av landslaget och av fåglar och djur. Han såg mycket uppgiven ut då Sejer dök upp. Han hade träningsoverallsbyxor och tofflor på sig. Håret stod på ända, magen var vit och mjuk. De runda ögonen såg tjuriga ut och han plutade med munnen, som om han sög energiskt på någonting, kanske en karamell.

– God dag, Raymond.

Sejer bockade djupt för att mildra honom lite. – Tycker du jag tjatar mycket?

– Ja, för just nu håller jag på med min samling, och så blir jag avbruten.

– Sådant är förskräckligt irriterande. Jag kan inte tänka mig något värre själv. Men jag hade inte kommit om jag inte var tvungen, det hoppas jag du förstår.

– Jadå, jadå.

Han mjuknade lite och drog sig in mot kökets mitt. Sejer följde efter och la ritblocket och pennorna på bordet.

– Jag vill att du ska rita lite åt mig, sa han försiktigt.

– Å nej! Aldrig i livet!

Han såg så bekymrad ut att Sejer måste lägga en hand på hans axel.

– Jag kan inte rita, pep han.

– Alla kan rita, sa Sejer lugnt.

– Inte människor i alla fall.

– Nej, du ska inte rita människor. Bara en bil.

– En bil?

Nu såg han mycket skeptisk ut. Ögonen blev smala och liknade vanliga ögon.

– Den bilen du och Ragnhild mötte. Den som körde så fort.

– Fasligt vad ni tjatar om den bilen.

– Ja, det är viktigt. Vi har efterlyst den, men ingen har anmält sig. Kanske är han en skurk, Raymond, och då måste vi få tag i honom.

– Jag säger ju att den körde alldeles för fort.

– Något måste du ha sett, sa Sejer och la rösten i ett djupare läge. Du såg ju att det var en bil, eller hur? Inte en båt eller en cykel. Eller till exempel en kamelkaravan.

– Kameler?

Han skrattade så hjärtligt att den vita magen hoppade.

– Det hade varit roligt med ett gäng kameler här på vägen! Det var inte kameler. Det var en bil. Med skidbox på taket.

– Rita den, sa Sejer befallande.

Raymond gav med sig. Han sjönk ner vid bordet och stack ut tungan som ett roder. Det tog ett par minuter att konstatera att han hade talat alldeles sant. Resultatet liknade en limpa på hjul.

– Kan du färglägga den också?

Han öppnade skrinet, tittade noga igenom alla pennorna och valde till slut den röda färgen. Därefter koncentrerade han sig djupt för att inte rita utanför.

– Röd, Raymond?

– Ja, sa han kort och ritade vidare.

– Så bilen var röd? Är du säker? Jag tyckte du sa den var grå?

– Jag sa att den var röd.

Sejer vägde orden omsorgsfullt och drog ut en stol från bordet. – Du sa att du inte kunde komma ihåg färgen. Men att den kanske var grå, som Ragnhild sa.

Han kliade sig förnärmat på magen.

– Jag kommer ihåg bättre med tiden, förstår du. Jag sa det igår, till han som var här då, att den var röd.

– Vem?

– Bara en man som var ute och gick och som stannade på gården. Han ville se på kaninerna. Jag pratade med honom.

Sejer kände att håren reste sig i nacken.

– Var det någon du kände?

– Nej.

– Kan du berätta för mig hur han såg ut?

Han la ifrån sig den röda pennan och stack ut underläppen. – Nej, sa han.

– Vill du inte?

– Det var bara en man. Du blir inte nöjd i alla fall.

– Snälla. Jag ska hjälpa dig. Tjock eller smal?

– Så där lagom.

– Mörk eller ljus?

– Vet inte. Han hade keps.

– Jaså du? En ung kille?

– Vet inte.

– Äldre än jag?

Raymond kastade en hastig blick på honom.

– Å nej, inte så gammal som dig. Du är ju helt grå.

Jo tack, tänkte Sejer.

– Jag vill inte rita honom.

– Då ska du få slippa det. Kom han i bil?

– Nej, han kom gående.

– När han gick igen, gick han neråt vägen eller uppåt mot Kollen?

– Vet inte. Jag gick in till pappa. Han var väldigt snäll, sa han plötsligt.

– Det tror jag så gärna. Vad sa han då, Raymond?

– Att kaninerna var fina. Om jag ville sälja en om de fick ungar någon gång.

– Fortsätt, fortsätt.

– Så pratade vi om vädret. Om hur torrt det är. Han frågade om jag hade hört om flickan vid tjärnen och om jag kände henne.

– Vad sa du till honom?

– Att det var jag som hittade henne. Han tyckte det var sorgligt att flickan var död. Och jag berättade om er, att ni hade varit här och frågat mig om bilen. Bilen, sa han, den bullriga bilen, som alltid kör så fort på vägarna här? Ja, sa jag. Det var den jag såg. Han visste vilken det var. Sa att det var en röd Mercedes. Jag tog nog fel då ni frågade, för jag minns det nu. Bilen var röd.

– Hotade han dig?

– Nej, nej, jag låter mig inte hotas. En vuxen man låter sig inte hotas. Jag sa det till honom.

– Hur var det med kläderna då, Raymond? Vad hade han på sig?

– Helt vanliga kläder.

– Bruna kläder? Eller blå? Kan du komma ihåg det?

Raymond såg förvirrat på honom och gömde huvudet i händerna. – Tjata inte så mycket!

Sejer tog en paus och tittade på honom. Lät honom sitta en stund och lugna ner sig. Så sa han ganska lågt: – Men bilen var ju grå eller grön, inte sant?

– Nej, den var röd. Jag sa precis som det var, att det är ingen idé att hota. För den bilen var röd, och då var han nöjd.

Han böjde sig över papperet igen och klottrade lite på teckningen. Munnen var ett trotsigt streck.

– Förstör den inte. Jag vill gärna ha den.

Sejer lyfte upp teckningen. – Hur är det med din far? sa han tankfullt.

– Han kan inte gå.

– Jag vet det. Vi kan väl gå in till honom.

Han reste sig och följde Raymond genom korridoren. De öppnade utan att knacka på. Det var halvmörkt i rummet, men tillräckligt ljust för att Sejer ögonblickligen kunde se gamlingen stå i en gammal undertröja och för stora kalsonger vid nattduksbordet. Hans knän skakade oroväckande. Han var lika mager som sonen var rund och bastant.

– Pappa! skrek Raymond. Vad är det du håller på med!

– Inte nu, inte nu.

Han famlade efter löständerna.

– Sätt dig ner. Du bryter benen.

Runt vaderna hade han elastiska stödstrumpor och över dem svällde knäna ut som två bleka brödpuddingar, med russinliknande leverfläckar.

Raymond hjälpte honom ner på sängen och räckte honom tänderna. Den gamle mannen undvek Sejers blick och tittade oavvänt i taket. Ögonen var färglösa med pyttesmå pupiller och över dem långa buskiga ögonbryn. Tänderna kom på plats. Sejer gick bort och ställde sig framför honom. Tittade på fönstret, som vette ut mot gården och vägen. Gardinerna var fördragna och släppte igenom minimalt med ljus.

– Följer du med i det som händer på vägen här utanför? frågade han.

– Du är från polisen?

– Ja. Du har bra utsikt om du drar ifrån gardinen.

– Det gör jag aldrig. Bara om det är grått ute.

– Har du sett några främmande bilar här, eller motorcyklar?

– Det har hänt. Polisbilar, till exempel. Och rishögen som du kör runt i.

– Och människor till fots?

– Folk som ska ut och vandra. De ska till varje pris upp på Kollen här för att plocka småsten. Eller för att glo på den ruttna tjärnen. Den är förresten full av fårkadaver. Smaken är olika.

– Kände du Annie Holland?

– Jag kände fadern. Från tiden på verkstan. Han lämnade in bilen när det var något.

– Du ordnade det?

Han drog upp kudden och nickade. – Han hade två flickor. Ljushåriga, söta.

– Annie Holland är död.

– Jag vet det. Jag läser tidningar som andra människor.

Han nickade ner mot golvet, där en tjock bunt var inskjuten under nattduksbordet tillsammans med något annat, något mer grällt i glansigt papper.

– En man var här på gården igår kväll och pratade med Raymond. Såg du honom?

– Jag hörde bara hur de mumlade där ute. Raymond är kanske inte så snabbtänkt, sa han skarpt, men han vet inte vad ondska är. Förstår du? Han gör inte en fluga förnär. Men han gör vad man säger till honom att göra.

Raymond nickade ivrigt och kliade sig på magen.

Sejer mötte de ljusa ögonen. – Jag vet det, sa han lågt. Så du hörde mumlet? Du föll inte för frestelsen att dra undan gardinen och kika lite.

– Nej.

– Du är inte särskilt nyfiken, Låke?

– Det stämmer, det är jag inte. Vi håller reda på oss själva, inte på andra.

– Om jag säger att det är en ytterst liten chans att mannen på gårdsplanen är inblandad i mordet på Hollands flicka – förstår du allvaret då?

– Speciellt då. Jag tittade inte ut, jag var upptagen med tidningen.

Sejer såg sig omkring i det lilla rummet och rös. Det luktade inte särskilt gott här inne, sannolikt hade han dåliga njurar. Rummet borde rengöras, fönstret borde öppnas och gamlingen borde få sig ett hett bad. Han nickade och försvann ut i den friska luften, drog in några djupa drag i lungorna. Raymond lunkade efter och stod med armarna i kors medan Sejer satte sig vid ratten.

– Har du fått ordning på bilen då, Raymond?

– Jag måste ha nytt batteri, säger pappa. Och det har jag inte råd med nu. Kostar över fyrahundra. Jag kör inte på vägarna, sa han hastigt. Nästan aldrig i alla fall.

– Det är bra. Gå in nu, du står ju och fryser.

– Ja, huttrade han. Och så har jag gett bort min jacka.

– Det var väl inte så smart? sa Sejer.

– Jag tyckte nästan att jag var tvungen, sa han dystert. Hon låg ju där och hade inte något på sig.

– Vad sa du?

Sejer tittade häpet på honom. Jackan över liket var Raymonds jacka!

– Täckte du över henne? sa han snabbt.

– Hon hade inga kläder alls, svarade han och sparkade upp lite jord med toffeln.

Omedelbart hade han tänkt att hon frös och att någon borde täcka över henne. Det ljusa håret kanske var kaninhår. Han åt godis. Sejer såg in i hans ögon, som var ett barns ögon, rena som källvatten. Men muskler

92

hade han, kraftiga som julskinkor. Ofrivilligt skakade han på huvudet.

– Det var en vänlig tanke, sa han och såg forskande på honom. Pratade ni med varandra?

Raymond tittade förvånat på honom och ängelns blick vek undan en smula, som om han kanske anade konturerna av en fälla.

– Du sa ju att hon var död!

Efteråt, då Sejer hade åkt, smög Raymond sig ut och kikade in i garaget. Caesar låg innerst i ett hörn under en gammal stickad tröja, och han andades fortfarande.

Skarre gjorde undan rutiner och rapporter med en Microballpenna nummer 05 instucken i axelklaffen på skjortan. Han log belåtet och nynnade några strofer ur "Jesus on the line". Livet var faktiskt härligt och ett mordfall var mycket mer spännande än ett väpnat rån. Snart var det sommar. Och där stod chefen och viftade med en glass. Snabbt sköt han papperen åt sidan och tog den.

– Vindjackan, sa Sejer, som låg över liket. Den tillhör Raymond.

Skarre blev så överraskad att han tappade glassen.

– Men jag tror på honom när han säger att han la den där på hemvägen, efter att ha följt Ragnhild hem. Han bredde den ordentligt över henne för att hon var naken. Jag ringde till Irene Album och Ragnhild insisterar på att den inte låg där då de kom till tjärnen. Men… det är alltså hans jacka. Vi får hålla ett öga på honom. Jag förklarade att han dessvärre inte kunde få tillbaka den på en gång, och då blev han så besviken att jag lovade honom en gammal en som hänger hemma. Som jag aldrig använder. Hittat något spännande? avslutade han.

Skarre rev av papperet från glassen. – Jag har kollat upp alla Annies grannar. De är nog hederliga människor för det mesta, men det är mycket fortkörningar där på gatan.

Sejer slickade jordgubbssylt från överläppen.

– Av tjugoen hushåll har åtta stycken en eller flera fortkörningsböter. Det spräcker ju all statistik.

– De har långt till arbetet, förklarade Sejer. De jobbar i stan eller på Fornebu. Finns inte jobb i Lundeby, vet du.

– Nej, jag vet. Men i alla fall. Ett gäng fartdårar är de hur som helst. Men jag hittade något annat. Titta på det här. Han bläddrade i utskrifterna och pekade.

– Knut Jensvoll, Gneisveien åtta. Annies handbollstränare. Han har suttit inne för våldtäkt. Arton månader, på Ullersmo.

Sejer böjde sig ner och tittade. – Det där har han förmodligen kunnat hålla hemligt. Du får vakta din tunga när vi är där ute.

Skarre nickade och slickade på glasset. – Kanske måste vi kalla in hela handbollslaget. Kanske har han gjort ett försök med någon av tjejerna. Hur gick det för dig? Har du med dig den misstänkta bilen med alla detaljer?

Sejer stönade och plockade fram teckningarna från innerfickan.

– Ragnhild säger att skidboxen var en båt. Och den som Raymond ritade är ju rolig, sa han lågt. Men vad som är mer intressant är en man som var på hans gårdsplan igår kväll och som tydligen har lyckats övertyga Raymond om att bilen var röd.

Han la teckningen på bordet.

Skarre spärrade upp ögonen. – Va? Kunde han förklara...

– Något mitt emellan, sa Sejer lakoniskt. Med keps på huvudet. Jag vågade inte köra med honom så mycket, han blir helt ifrån sig.

– Det kallar jag snabbt.

– Det kallar jag först och främst våghalsigt, sa Sejer. Men nu talar vi faktiskt om en person som vet vem Raymond är. Han vet att de såg honom och måste försäkra sig om vad de har sett. Alltså måste vi koncentrera oss på bilen. Han måste ju för fasen vara precis i närheten.

– Men att parkera vid Raymonds hus, det är ju ganska vågat gjort. Kan några andra ha sett honom?

– Jag har frågat runt i gårdarna. Ingen har sett honom. Men om han kom vägen över Kollen är Låkes hus det första huset, och man ser hans tomt dåligt från gården som ligger nedanför.

– Hur är det med gamlingen?

– Han hörde bara att de mumlade där ute och föll inte ett ögonblick för frestelsen att lätta på gardinen.

De åt i tysthet.

– Ska vi glömma Halvor? Och motorcykeln?

– Absolut inte.

– När ska vi hämta in honom?

– I kväll.

– Varför vill du vänta?

– Det är lugnare här på kvällen. Du, jag pratade med Ragnhilds mamma medan flickan krafsade ner kristallklara bevis på ritblocket. Sølvi är

94

inte Hollands dotter. Och den biologiske fadern är nekad umgängesrätt. Antagligen på grund av fylla och våld.

– Sølvi är ju tjugoett?

– Nu är hon det. Men det har visst varit några år med smärtsamma konflikter.

– Vart vill du komma?

– Han har på sätt och vis upplevt hur det är att mista ett barn. Nu får hans frånskilda fru, som han har ett ansträngt förhållande till, uppleva detsamma. Han kanske vill hämnas. Det var bara en tanke.

Skarre visslade lågt. – Vem är han?

– Det ska du ta reda på när du är färdig med glassen. Och sedan kommer du in på mitt kontor. Vi ger oss iväg med detsamma om du hittar honom.

Han försvann ut. Skarre slog numret till Holland och slickade på glassen medan han väntade.

– Jag vill inte prata om Axel, sa fru Holland. Han höll på att krossa oss, och efter många år har vi äntligen lyckats göra oss kvitt honom. Hade jag inte gjort rättssak av det hela, skulle han ha förstört allt för Sølvi.

– Jag ber bara om namn och adress. Det här är bara rutin, fru Holland, det är tusen saker vi måste kolla.

– Han har aldrig haft något med Annie att göra. Gudskelov!

– Namnet, fru Holland.

Hon gav sig till slut. – Axel Bjørk.

– Har du mer?

– Jag har allt. Jag har personnumret och adressen också. Om han inte har flyttat. Gud give att han hade flyttat. Han bor för nära, det är bara en timme med bil.

Hon hetsade upp sig medan hon pratade.

Skarre antecknade, nickade och tackade. Så startade han PC:n igen, letade efter Bjørk, Axel, medan det slog honom hur svagt skyddet för den personliga integriteten hade blivit, bara en genomskinlig duk som det var omöjligt att gömma sig bakom. Han hittade mannen utan särskilda problem och började läsa.

– Det var som fan! utbrast han, med en snabb ursäktande blick upp mot taket.

Efteråt klickade han på Skriv ut och lutade sig bakåt i stolen. Han lyfte papperet, läste det en gång till och gick tvärs över korridoren till Sejers

95

kontor. Kommissarien stod framför spegeln med den ena skjortärmen uppkavlad. Han kliade sig på armbågen och gjorde en grimas.

– Jag har glömt min salva, mumlade han.

– Jag har honom här. Det är klart att vi har honom registrerad.

Skarre satte sig och la papperet på Sejers skrivbordsunderlägg.

– Jaha, då ska vi se. Bjørk, Axel, född fyrtioåtta...

– Polis, sa Skarre lågt.

Sejer reagerade inte. Han läste och nickade långsamt.

– Har varit. Jaha, du kanske inte har lust att följa med?

– Jo, absolut. Men det är ju lite speciellt.

– Vi är väl inte bättre än andra. Eller hur, Skarre? Vi får väl höra mannens egen version. Du kan räkna med att den är annorlunda än fru Hollands. Vi får alltså ta en tur till Oslo. Han jobbar tydligen i skift, då är chansen ganska stor att vi får tag på honom hemma.

– Sognsveien 4, det är i Adamstuen. Det stora röda hyreshuset vid spårvagnshållplatsen.

– Känner du till Oslo så bra? sa Sejer förvånat.

– Jag körde taxi där i två år.

– Finns det något du inte har gjort?

– Jag har aldrig hoppat fallskärm, ryste han.

Skarre demonstrerade sina kunskaper från taxikarriären genom att dirigera Sejer den kortaste vägen, in vid Skøyen, till vänster på Halvdan Svartes gate, förbi Vigelandsparken, upp på Kirkeveien och nerför Ullevålsveien. De parkerade olovligt utanför en frisersalong och hittade namnet Bjørk på tredje våningen. Ringde på och väntade. Ingen svarade. En kvinna kom ut från en dörr längre ner, skramlande med hink och golvmopp.

– Han är i affären, sa hon. I vilket fall som helst gick han över gården med tomflaskor i en kasse. Han handlar på Rundingen, precis här bredvid.

De tackade och gick ut igen. Satte sig i bilen och väntade. Rundingen var en liten livsmedelsaffär med gula och rosa skyltar i fönstren. Folk kom och gick, för det mesta kvinnor. Först då Skarre hade rökt en cigarrett med fönstret öppet och armen hängande utanför, dök det upp en ensam man i tjock rutig flanellskjorta och joggingskor på fötterna. Genom det öppna fönstret hörde de hur det klirrade i hans påse. Han var mycket lång och kraftigt byggd men tappade en hel del av längden genom att gå med

96

böjt huvud och en bister blick ner i trottoaren. Han la inte märke till bilen.

– Kan definitivt se ut som en före detta kollega. Vänta tills han går runt hörnet, sedan sticker du ut och ser om han går in i hyreshuset.

Skarre väntade, öppnade dörren och slank runt hörnet. Därefter väntade de två tre minuter, sedan gick de upp igen.

Bjørks ansikte i den halvöppna dörren var en studie av muskler, nerver och impulser som fick det mörka ansiktet att flacka från uttryck till uttryck under loppet av sekunder. Först det öppna, neutrala ansiktet som inte väntade någon, med ett stänk av nyfikenhet. Därefter konstaterandet av Skarres uniform, en snabb minneskoll för att förklara den uniformerade gestalten vid hans egen dörr. Tidningsartikeln om liket vid tjärnen – och slutligen sammanhanget, hans egen historia, kopplingen, och hur de måste ha tänkt. Det sista uttrycket, som dröjde sig kvar, var ett beskt leende.

– Jaha, sa han och öppnade helt. Hade ni inte dykt upp, skulle jag inte ha haft särskilt höga tankar om modernt spaningsarbete. Ni får komma in. Är det mästaren och hans lärling?

De ignorerade anmärkningen och gick efter honom in i den lilla hallen. Lukten av alkohol var omisskännlig.

Bjørks lägenhet var en nätt liten sak med rymligt vardagsrum och sovalkov och en liten kokvrå med utsikt över gatan. Möblerna passade illa till varandra, som om de var hopsamlade från flera olika hus. På väggen, över ett gammalt skrivbord, hängde en bild av en liten flicka. Hon såg ut att vara i åttaårsåldern. Håret var mörkare, men dragen hade inte förändrat sig nämnvärt genom åren. Det var Sølvi. I det ena hörnet var en röd rosett fastsatt vid ramen.

Plötsligt fick de syn på en schäfer, som låg alldeles stilla i ett hörn och tittade på dem med vaksam blick. Den hade varken rört sig eller skällt när de kom in i rummet.

– Vad har du gjort med den hunden, frågade Sejer, som jag tydligen inte har gjort med min egen? Den kastar sig över folk så fort de sätter foten innanför dörren och bär sig åt så det hörs ner till första våningen. Och jag bor på trettonde, la han till.

– I så fall har du fäst dig för mycket vid den, sa Bjørk kort. Du får inte behandla en hund som om den är det enda du har här i världen. Men det är det kanske?

Han log ironiskt, studerade Sejer genom smala ögonspringor och räknade inte med att resten av samtalet skulle förlöpa i en lika gemytlig ton. Håret var kortklippt men otvättat och fett, och skäggväxten var kraftig. En mörk skugga täckte nederdelen av ansiktet.

– Jaha, sa han efter en paus. Och nu vill du veta om jag kände Annie? Han lirkade ut repliken mellan läpparna som ett fiskben.

– Hon har varit här i lägenheten flera gånger tillsammans med Sølvi. Ingen orsak att hålla det hemligt. Så fick Ada reda på det och satte stopp för trafiken. Sølvi ville faktiskt gärna hit. Jag vet inte vad Ada har gjort med henne, men jag tror det är som något slags hjärntvätt. Nu är hon inte intresserad. Hon har låtit Holland ta över.

Han kliade sig på hakan, och eftersom de teg fortsatte han:

– Du trodde kanske att jag tog livet av Annie för att hämnas? Bevare mig väl, det har jag verkligen inte gjort. Jag har ingenting emot Eddie Holland, och jag önskar inte ens min värsta fiende att mista ett barn. För det är det jag har gjort. Idag är jag barnlös. Jag orkar inte slåss längre. Men jag måste erkänna att tanken självklart har slagit mig, att nu får hon veta hur det är, den pryda gamla sladdertackan, att mista en unge. Nu får hon ta mig tusan veta hur det är. Och mina möjligheter att få kontakt med Sølvi är mindre än någonsin. Från och med nu kommer Ada att hålla henne instängd. Och den situationen skulle jag aldrig ha satt mig i.

Sejer satt alldeles stilla och lyssnade. Bjørks röst var sur och sträv som syra.

– Och var befann jag mig vid den aktuella tidpunkten? Hon hittades i måndags, eller hur? Någon gång mitt på dagen, om jag minns rätt från tidningen. Då är svaret här, i lägenheten, utan alibi. Förmodligen var jag full, det är jag som regel när jag inte är på jobbet. Om jag är våldsam? Absolut inte. Det är sant att jag slog Ada, men det var hon som tiggde om en rejäl smäll. Det var nämligen det hon ville. Hon visste att om hon fick mig att gå över gränsen, hade hon något att komma med i rätten. Jag slog henne en gång, med knytnäven. Det var en impuls. Den enda gången i hela mitt liv jag faktiskt har slagit någon. Jag hade maximal otur, jag träffade hårt, hon bröt käken och miste flera tänder, och Sølvi satt på golvet och såg på. Ada hade arrangerat alltihop. Hon hade lagt Sølvis leksaker på golvet i vardagsrummet, så att hon skulle sitta där och se oss, och fyllt kylskåpet med öl. Så började hon bråka. Hon var förbannat duktig på det. Och hon gav sig inte förrän jag exploderade. Jag gick rätt i fällan.

Under bitterheten låg ett slags lättnad, kanske för att det äntligen var någon som lyssnade.

– Hur gammal var Sølvi då ni skildes?

– Hon var fem. Ada hade redan ett förhållande med Holland, och hon ville ha Sølvi för sig själv.

– Det är väldigt länge sedan. Du kan inte lägga det här bakom dig?

– Man lägger inte sina barn bakom sig.

Sejer bet sig i läppen. – Du blev suspenderad?

– Jag blev alkis. Miste frun och ungen och jobbet och huset och respekten hos de flesta. På så sätt, sa han med ett bistert leende, skulle det egentligen inte ha gjort så mycket från eller till om jag också blev mördare. Det skulle det inte.

Han log plötsligt med en djävulsk glimt i ögonen. – Men då skulle jag ha handlat omedelbart, inte väntat i åratal. Och för att vara ärlig, fortsatte han, då skulle jag hellre ha tagit livet av Ada.

– Vad bråkade ni om? frågade Sejer nyfiket.

– Vi bråkade om Sølvi.

Han la armarna i kors och tittade ut genom fönstret, som om minnena tågade förbi på gatan utanför. – Sølvi är ju lite speciell, det har hon alltid varit. Ni har säkert mött henne, så ni har väl sett vad det har blivit av henne. Ada ville alltid beskydda henne. Hon är inte särskilt självständig, kanske helt enkelt lite dum. Sjukligt upptagen av pojkar, av att se bra ut inför andra. Det är det Ada vill, att hon ska få sig en man så fort som möjligt, som kan se efter henne. Jag har aldrig sett någon styra en flicka så till den milda grad. Jag har försökt att förklara att det hon behöver är precis det motsatta. Hon behöver självförtroende. Jag ville ta med henne och fiska och så, lära henne hugga ved, sparka fotboll och sova i tält. Hon behöver jobba lite fysiskt, tåla att frisyren kommer i oordning utan att få panik. Nu svassar hon runt i en frisersalong och ser sig i spegeln hela dagen. Ada beskyllde mig för att ha något komplex. Att jag egentligen önskade mig en son och aldrig hade accepterat att vi fick en dotter. Vi bråkade alltid, suckade han, genom hela äktenskapet. Och sedan har vi fortsatt.

– Vad lever du av idag?

Bjørk tittade på Sejer med en dyster blick. – Det vet du säkert redan. Jag jobbar hos ett privat väktarbolag. Jagar omkring på natten med hund och ficklampa. Det är faktiskt helt okej. Lite lite action, förstås, men jag har väl antagligen fått min beskärda del.

– När var flickorna här senast?

Han gned sig i pannan som om han ville röra upp datumet ur tankarnas djup. – I fjol höst någon gång. Annies pojkvän var också med.

– Du har alltså inte sett flickorna sedan dess?

– Nej.

– Har du åkt hem till dem och sökt henne?

– Flera gånger. Och varenda gång ringde Ada polisen. Påstod att jag trängde mig på. Att jag stod där i dörren och var hotfull. Jag får problem på jobbet om det blir mer bråk, jag måste ge mig.

– Hur är det med Holland?

– Holland är okej. Egentligen tror jag att han tycker det är ganska jävligt. Men han är ju ett mähä. Ada håller honom hårt, det gör hon. Han gör som han blir tillsagd och det är därför de aldrig bråkar. Du har pratat med dem, du har säkert sett hur det är.

Han reste sig plötsligt, ställde sig vid fönstret och rätade på sig i sin fulla längd.

– Jag vet inte vad som har hänt Annie, sa han lågt. Men jag skulle ha förstått det bättre om det hade hänt Sølvi något. Hon är så obeskrivligt lättlurad.

Sejer tittade nyfiket på honom och förvånade sig över att alla sa det. Att om det hade varit Sølvi. Som om alltihop var ett enda stort fel och Annie blivit mördad på grund av ett missförstånd.

– Har du motorcykel, Bjørk?

– Nej? sa han undrande. Jag hade en då jag var yngre. Den blev stående i garaget hos en bekant och till slut sålde jag den. En Honda sjufemti. Jag har bara hjälmen kvar.

– Vad för slags hjälm?

– Den hänger ute i hallen.

Skarre tittade ut i hallen och fick syn på hjälmen, en helt svart integralhjälm med sotfärgat visir.

– Privatbil?

– Jag kör bara vaktbolagets Peugeot. Jag har gjort en stor upptäckt, sa han plötsligt. Jag har sett mor–barnfenomenet på nära håll. Det är ett slags helig pakt som ingen kan bryta. Det skulle ha varit svårare att skilja Ada och Sølvi åt än att dela siamesiska tvillingar med bara händerna.

Bilden fick Sejer att blinka.

– Jag ska vara helt ärlig mot er, fortsatte han. Jag hatar Ada och det sticker jag inte under stol med. Och jag vet vad som skulle vara det allra värsta som skulle kunna hända henne. Nämligen att Sølvi en gång blir vuxen nog att verkligen förstå vad som har hänt. Att hon förr eller senare törs trotsa Ada och komma hit, så att vi kan få ett far–dotterförhållande, som det alltid var meningen att vi skulle ha och som vi båda har rätt till. Ett ordentligt förhållande. Det skulle ta knäcken på henne.

Han såg plötsligt trött ut. Spårvagnen dundrade och pinglade förbi ute på gatan, och Sejer tittade på bilden av Sølvi igen. Han försökte tänka sig sitt eget liv med andra förtecken. Att Elise skulle ha börjat hata honom, flyttat och tagit Ingrid med sig och till på köpet fått rättens medhåll om att de aldrig mer skulle se varandra. Det fick det att svindla för honom. Han hade god föreställningsförmåga.

– Med andra ord, sa han lågt, var Annie Holland en sådan flicka du gärna ville att Sølvi skulle vara?

– Ja, på sätt och vis. Hon är självständig och stark. Var, sa han plötsligt och skruvade på sig. Det är för jävligt. Jag hoppas för Eddies skull att ni hittar den som gjorde det, det hoppas jag verkligen.

– För Eddies skull? Inte för Adas?

– Nej, sa han uppriktigt. Inte för Adas.

– En riktigt vältalig man, eller hur?

Sejer startade bilen.

– Tror du på honom? frågade Skarre och pekade att han skulle ta till höger vid Rundingen.

– Jag vet inte. Men det fanns mycket förtvivlan bakom hans bistra mask, och den verkade äkta. Det finns säkert onda, beräknande kvinnor här i världen. Och kvinnor har ju ett slags förtursrätt till barnen. Det är väl bittert att drabbas av något sådant, beskyllningar som det inte är någon idé att kämpa emot. Kanske måste det vara så, sa han tankfullt och styrde vid sidan om spårvagnsspåren. Kanske är det ett biologiskt fenomen som ska skydda barnen. Ett verkligt band till mamman som inte kan brytas.

– Jösses! Skarre lyssnade och skakade på huvudet. – Du har ju barn, tror du själv på det du säger nu?

– Nej, jag bara tänker högt. Hur är det med dig själv?

– Jag har ju inte ungar!

– Men du har föräldrar, eller hur?

101

– Jo, jag har föräldrar. Och jag är rädd att jag är en obotlig morsgris.
– Det är jag också, sa Sejer tankfullt.

Eddie Holland lämnade revisionsbyrån, gav ett kort besked till sekreteraren och körde iväg. Efter en åktur på tjugo minuter, gled den gröna Toyotan in på en stor parkeringsplats. Motorn slocknade och han sjönk tillbaka i sätet. Efter en stund slöt han ögonen och satt kvar alldeles stilla medan han väntade på att något skulle få honom att vända och köra tillbaka med oförrättat ärende. Ingenting hände.

Till sist öppnade han ögonen och såg sig omkring. Det var otvivelaktigt ett vackert ställe. Byggnaden var vidsträckt, den vilade i terrängen som en stor flat sten, omgiven av skimrande gröna gräsmattor. Han tittade ut över de smala stigarna, där gravarna låg i symmetriska rader. Frodiga träd med hängande kronor. Tröst. Stillhet. Inte en människa, inte ett ljud. Han kravlade sig långsamt ur bilen, slog igen dörren hårt med en svag önskan om att någon skulle höra det och kanske komma ut genom krematoriets dörr för att fråga vad han ville. Göra det lätt för honom. Ingen kom.

Så han började strosa lite längs stigarna. Läste enstaka namn, men la först och främst märke till årtalen, som om han letade efter någon som inte hade varit så gammal, som kanske bara hade varit femton som Annie, och han hittade flera. Han förstod så småningom att många hade varit igenom det här förut, de hade bara kommit ett stycke längre. De hade tagit en rad beslut, till exempel att sonen eller dottern skulle kremeras, vad för sorts sten de skulle sätta över urnan och vad de skulle plantera. De hade valt blommor och musik till jordfästningen och informerat prästen om vad för slags barn just deras barn hade varit, så att griftetalet skulle få en så stor personlig prägel som möjligt. Händerna darrade och han stoppade dem i fickorna. Det var en gammal rock med trasigt foder. I den högra fickan kände han en knapp, och det slog honom i detsamma att den hade legat där i åratal. Kyrkogården var ganska stor, och längst ner, precis intill vägen, fick han syn på en man i mörkblå nylonrock som promenerade mellan gravarna. Det kunde vara en som jobbade där. Han började gå i mannens riktning och hoppades att han skulle vara av det pratsamma slaget. Själv var han inte mycket för att ta första steget, men mannen kanske stannade och sa något om vädret. De hade ju alltid vädret, tänkte Eddie. Han tittade upp mot himlen och såg att det var svagt molnigt, med mild luft och en ganska lätt bris.

– God dag!

Den mörkblå rocken stannade verkligen.

Holland harkladé sig. – Jobbar ni här?

– Ja. Han nickade upp mot krematoriet. Jag är det vi kallar förman här.

Mannen log vänligt, som om han inte var rädd för något här i världen och hade sett det som fanns att se av mänskligt lidande.

– Har jobbat här i tjugo år. Det här är en vacker plats att tillbringa dagarna på. Tycker du inte?

Han sa du. Det lät otvunget och fint. Holland nickade.

– Jo. Och här går jag och funderar, sa han, på framtiden och så. Han skrattade lite nervöst. Förr eller senare ska man ju i jorden. Det kommer man inte ifrån.

Händerna knöt ihop sig nere i fickorna. Han kände knappen.

– Det gör man inte. Har du någon av de dina här?

– Nej, inte här. De är begravda på kyrkogården hemma. Vi har inte någon tradition med kremering. Jag vet egentligen inte riktigt vad det innebär, sa han. Att bli kremerad, menar jag. Men det är kanske inte så stor skillnad när allt kommer omkring. Om man blir begravd eller kremerad. Men man ska ju bilda sig en åsikt. Inte så att jag är så gammal precis, men nu har jag fått för mig att jag ska bestämma mig snart.

Den andre log inte längre. Han tittade uppmärksamt på den runde mannen i grå rock och tänkte på allt det hade kostat honom av stolthet för att framföra sitt ärende. Folk hade många motiv för att ströva längs gravarna. Han tog aldrig risken att göra en tabbe.

– Det är ett viktigt beslut, tycker jag. Något man ska ta sig tid med. Folk borde tänka mer på sin egen död.

– Ja, tycker du inte?

Holland såg lättad ut. Han drog upp händerna ur fickorna och luftade dem lite. – Men man drar sig ju för att fråga och så, han studsade lite över sina egna ord. Man är liksom rädd för att uppfattas som konstig. Eller inte helt i balans, kanske. När man alltså gärna vill veta lite om kremationsprocessen och hur den går till.

– Folk har behov av att få veta det, svarade förmannen enkelt. Det finns bara ingen som vågar fråga. Eller så vill de inte veta det. Men att enstaka personer vill veta det har jag stor förståelse för. Vi kan ju gå in, så kan jag förklara för dig?

Holland nickade tacksamt. Han kände sig ganska väl till mods i sällskap med den vänlige mannen. En man i hans egen ålder, mager och med lite hår. De promenerade tillsammans längs stigarna, gruset knastrade svagt under fötterna, och den milda brisen strök Holland över hjässan som en tröstande hand.

– Det hela är faktiskt enkelt, sa förmannen. Men först kan jag för ordningens skull berätta för dig att självklart blir hela kistan med den döde i placerad i ugnen. Vi har egna kistor till kremeringen. Allt är av trä, handtag och allt. Bara så du inte tror att vi lyfter ut den döde och lägger honom, eller henne, i ugnen utan kista. Men det trodde du väl inte heller. De flesta har sett amerikanska filmer, log han.

Holland nickade och knöt händerna igen.

– Ugnen är ganska stor. Här hos oss har vi två stycken. De drivs elektriskt och bildar med hjälp av gas kraftiga flammor. Temperaturen kommer upp i ett par tusen grader, knappt.

Han log ut i luften som om han ville fånga upp ett par svaga solstrålar.

– Allt den döde har på sig i kistan utplånas alltså i ugnen. Också saker eller smycken som från början inte brinner blir lagda i urnan efteråt. Pacemaker och spikar eller skenor som är inopererade tar vi bort. När det gäller ädla metaller har du kanske hört rykten om att de hamnar på andra ställen. Men det ska du inte tro på, sa han bestämt. Det ska du verkligen inte.

De närmade sig dörren in till krematoriet.

– Ben och tänder mals i en kvarn till fint, nästan sandaktigt grävitt stoft.

Precis då han sa det där om kvarnen, tänkte Eddie på hennes fingrar. De tunna, fina fingrarna med den lilla ringen av silver. Han rullade förskräckt ihop sina egna nere i fickorna.

– Vi följer processen under arbetets gång. Ugnen har dörrar av glas. Efter cirka två timmar sopas allt ut ur ugnen och utgör då en liten hög med fin aska, mindre än folk kanske föreställer sig.

Följa processen under arbetets gång? Genom glasdörren? Kunde de titta in och se på det som låg där inne… se på Annie medan hon brann?

– Jag kan visa dig ugnarna om du önskar det.

– Nej, nej!

Han pressade armarna intill kroppen och försökte förtvivlat hålla dem stilla.

104

– Askan är mycket ren, nästan det renaste som finns. Påminner om fin sand. I gamla dagar använde man aska till medicinskt bruk, visste du det? Bland annat kunde den strykas på eksem och ha god effekt, eller så kunde den ätas. Den innehöll salter och mineraler. Men vi silar alltså ner den i en urna. Jag ska visa dig en så att du får se hur den ser ut. Urnan kan du välja själv, för den finns i olika utformningar. Men vi arbetar ofta med en standardurna, och de flesta väljer den. Den stängs och förseglas och firas därefter ner i graven genom ett smalt schakt. Den ceremonin kallar vi gravsättning.

Han höll upp dörren för Holland, som gick före in i den halvmörka byggnaden.

– Det är rätt och slätt ett påskyndande av processen. Renare, på ett sätt. Jord skall vi åter varda, men vid en vanlig jordfästning är det en mycket långsam process. Då tar det tjugo år. Ibland trettio eller fyrtio, allt beroende på vad för slags jord det är. Här i distriktet har vi mycket sand och lera, och då tar det lång tid.

– Jag tycker om det där, sa Holland lågt. Jord skall vi åter varda.

– Ja, inte sant? Några vill också spridas för vinden. Det är dessvärre inte tillåtet på land, vi har mycket stränga regler på det här området. Enligt lagen ska alla läggas i vigd jord.

– Inte så dumt, sa Eddie och klarade strupen. Men det är något underligt med de här bilderna som dyker upp. När man ska försöka föreställa sig hur det är. Ligger man i jorden ska man ruttna. Och det låter ju inte så bra. Men så är det det här med att brinna.

Ruttna eller brinna, tänkte han. Vad för slags val är det jag har för Annie?

Han stannade lite, kände att knäna höll på att ge vika, men fortsatte sedan, uppmuntrad av den andres tålamod.

– Det är något med det här att brinna som får mig att tänka på... ja, du vet... Helvetet. Och när jag ser flickan framför mig...

Han stannade tvärt och blev långsamt röd i ansiktet. Den andre stod tyst länge men gav honom till slut en klapp på axeln och fortsatte lågt.

– Du ska ta beslutet för... din dotter, kanske?

Holland böjde huvudet.

– Det tycker jag du ska ta allvarligt på. Det blir liksom ett dubbelt ansvar. Det är inte lätt, nej, det är det inte. Han vaggade på huvudet. Och då måste man ta sig tid. Men vill du ha kremering, måste du skriva under på att hon själv aldrig har yttrat ett enda ord som talar emot det. Om hon

105

inte är under arton, då kan du ta beslutet åt henne.

– Hon är femton, sa han stilla.

Förmannen slöt ögonen några sekunder. Sedan började han gå igen.

– Följ med mig ner i kapellet, viskade han. Så ska jag visa dig en urna.

Han ledde Holland nerför trappan. En osynlig hand hade lagt sig över dem och stängde ute resten av världen. De lutade sig lite mot varandra, förmannen för att ge närhet, Holland för att få värme. Där nere var väggarna grova och ojämna och vitkalkade. Vid foten av trappan stod en röd och vit blomsteruppsats och en lidande Kristus tittade ner på dem från ett kors på väggen. Eddie repade sig igen. Han kände att kinderna fick tillbaka sin normala färg och han började känna sig trygg.

Urnorna stod på hyllor längs väggarna. Förmannen lyfte ner en av dem och räckte honom den. – Var så god, du kan känna på den här. Fin, eller hur?

Han kände på urnan och försökte föreställa sig det som var Annie och att det just nu låg i hans armar. Det liknade metall, men han visste att det var ett nedbrytbart material, och dessutom var den varm mellan hans händer.

– Nu har jag berättat för dig hur det går till. Det är så det är, och jag har inte hoppat över något.

Eddie Holland strök med fingrarna över den guldfärgade urnan. Den låg bra i handen och hade liksom en bra vikt.

– Urnan är genomtränglig, så att luft från jorden sipprar in och påskyndar processen. För urnan försvinner också. Det är något mystiskt och stort över det här, att allting försvinner, tycker du inte?

Han log andäktigt. – Också vi. Också huset och asfalten här utanför på vägen. Men ändå, sa han och kramade Eddies arm hårt, vill jag tro att vi har något mer att vänta oss. Något annat och spännande. Varför skulle det inte vara så?

Holland såg på honom, nästan förundrad.

– Utanpå sätter vi en lapp med hennes namn på, sa förmannen till slut.

Holland nickade. Kände att han fortfarande stod upprätt. Tiden skulle fortsätta att gå, en minut i taget. Nu hade han känt lite på smärtan, gått en liten, liten bit på vägen tillsammans med Annie. Föreställt sig flammorna och dånet från ugnen.

– Det ska stå Annie, sa han rörd. Annie Sofie Holland.

106

När han kom hem, stod Ada Holland och skrubbade orkeslöst några röda smutsiga potatisar, böjd över slasken. Sex potatisar. Två var. Inte åtta, som hon var van vid. Det såg så lite ut. Hennes ansikte var fortfarande stelt, det stelnade i samma sekund som hon böjde sig över båren på Rikshospitalet och läkaren drog ner lakanet. Efteråt satt uttrycket där som en mask hon inte kunde rubba.

– Var har du varit? sa hon tonlöst.

– Jag har tänkt på det, sa Holland försiktigt. Jag tycker vi ska kremera Annie.

Hon släppte potatisen och såg på honom. – Kremera?

– Jag har tänkt på det, sa han stilla. Det här att någon har tagit på henne. Och liksom satt ett märke på henne. Jag vill ha bort det!

Han lutade sig tungt mot köksbänken och såg bedjande på henne. Det var inte ofta han bad om något.

– Vad då för slags märke? frågade hon slött och plockade upp potatisen igen. Vi kan inte kremera Annie.

– Du behöver bara tid att vänja dig vid tanken, sa han, lite högre nu. Det är en vacker sed.

– Vi kan inte kremera Annie, upprepade hon och skrubbade vidare. De ringde från åklagarmyndigheten. De sa att vi inte kunde kremera henne.

– Jamen, varför! skrek han och vred händerna.

– Om de ska ta upp henne igen. När de hittar den som har gjort det.

Bardy Snorrason stack in en hand under stålhandtaget och drog ut Annie ur väggen. Lådan gled nästan ljudlöst på välsmorda skenor. Han satte inte den unga flickans lik i samband med sitt eget liv eller sin egen dödlighet, eller med sina döttrars dödlighet. Det hade han slutat med. Han hade god aptit och han sov gott om natten. Och i och med att han behandlade andras död och olycka med den yttersta respekt, räknade han med att hans arvtagare skulle göra detsamma med hans egen kropp när den dagen kom. Ingenting under hans trettio år som rättsmedicinare hade gett honom anledning att tvivla på detta.

Det tog honom två timmar att gå igenom alla punkterna. Han kände igen bilden mer och mer allt eftersom han arbetade. Lungorna var spräckliga som fågelägg, och ett rödgult skum kunde pressas fram från snittytorna. Det fanns rikligt med blod i hjärnan och oregelbundna blödningar i hals- och bröstmuskulatur, som visade att hon hade kippat våldsamt efter luft. Iakttagelserna läste han in på diktafon, korta, nästan obegripliga uttryck som bara kunde tydas av invigda och knappt ens det. Senare översatte assistenten dem till mer korrekt terminologi i den skriftliga rapporten. När han hade gått igenom allt, satte han skalltaket på plats, drog tillbaka huvudsvålen, spolade igenom kroppen ordentligt och fyllde den tomma bröstkorgen med hopknycklat tidningspapper. Sedan sydde han igen kroppen. Han var väldigt hungrig. Han kände att han måste ha mat innan han kunde börja med nästa, och inne i personalrummet hade han fyra hela smörgåsar med Jubelsalami och en termos med kaffe. Genom det vattrade glaset i dörren såg han plötsligt en gestalt. Den stannade och stod orörlig ett ögonblick, som om den egentligen hade lust att vända. Snorrason krängde av sig handskarna och log. Han kände inte många som var så resliga.

Sejer var tvungen huka sig lite när han gick in. Han tittade ointresserat bort mot båren, där Annie nu var inpackad i lakan. Över skorna hade han dragit de obligatoriska plastöverdragen, som var påsiga och pastellfärgade och såg riktigt roliga ut.

– Jag är precis färdig, sa Snorrason och nickade. Hon ligger där.

Nu tittade Sejer på mumien på båren med större intresse.

– Då har ju jag tur.

– Ja, det är frågan, det.

Läkaren började tvätta sig från armbågarna och neråt, skrubbade huden och naglarna med en styv borste i flera minuter och avslutade med att skölja dem lika länge. Så torkade han sig med papper från en hållare på väggen, drog fram en stol och sköt den mot kommissarien.

– Det var inte mycket jag hittade här.

– Få mig inte att tappa modet med en gång. Det måste väl finnas något?

Snorrason trängde undan hungerkänslorna och satte sig.

– Det är inte upp till mig att värdera vad fynden är värda. Men vanligtvis hittar vi ju lite av varje. Hon verkar så orörd.

– Troligtvis var han snabb och stark. Han handlade fullständigt oväntat. Och kläderna tog han av efteråt.

– Troligtvis. Men hon har inte blivit utnyttjad. Hon är inte oskuld, men hon har inte blivit sexuellt utnyttjad och inte misshandlad på något annat sätt heller. Hon har helt enkelt drunknat. Därefter har hon blivit avklädd, snyggt och prydligt, alla knapparna är på plats i skjortan, alla sömmar är hela. Kanske ville han, men blev skrämd av något. Eller kanske svek modet honom, eller potensen, eller vad som helst.

– Eller kanske ville han bara få oss att tro att han är en sexualförbrytare.

– Varför skulle han vilja det?

– För att dölja det egentliga motivet. Och det kan betyda att det ligger något bakom det här, som faktiskt låter sig anas. Att det inte är en impulshandling av någon störd person. Dessutom måste hon ha följt med honom frivilligt. Hon måste alltså ha känt honom, eller så måste han ha gjort intryck på henne. Och efter vad jag har förstått var det inte lätt att göra intryck på Annie Holland.

Han öppnade en knapp i jackan och lutade sig över bänken.

– Sätt igång. Berätta vad du hittade.

– Femton år gammal flicka, sa Snorrason, mässande som en präst. Etthundrasjuttiofyra centimeter lång, vikt sextiofem kilo, minimalt med fett, för största delen av fettet är omvandlat till muskler på grund av hård träning. Kanske för hård för en flicka på femton år. De borde roa sig lite i den åldern, men det är väl inte så lätt när de väl har kommit igång. Alltså – mycket muskler, mer än många pojkar i samma ålder. Hennes lungkapacitet har varit mycket god, vilket skulle kunna tyda på att det tog lång tid innan hon förlorade medvetandet.

Sejer såg ner på det slitna linoleumgolvet och upptäckte att mönstret liknade det han hade hemma i badrummet.

– Hur lång tid tar det egentligen? sa han lågt. Hur lång tid tar det egentligen för en vuxen människa att drunkna?

– Från två minuter upp till tio, det beror på den fysiska konditionen. Var den så god som jag tror, tog det troligtvis närmare tio.

Upp till tio minuter, tänkte Sejer. Multiplicerat med sextio blir det sexhundra sekunder. Allt han kunde hinna på tio minuter. Ta en dusch. Äta en bit mat.

– Hon har förstorade lungor. Har hon reagerat som de flesta människor, har hon först tagit ett par kraftiga andetag när hon hamnade under vattnet, det vi kallar "respiration de surprise". Därefter knep hon ihop munnen tills hon förlorade medvetandet och sedan har begränsade mängder vatten trängt ner i hennes lungor. I hjärna och benmärg fann jag

109

förekomster av diatoméer, en typ av kiselalger, visserligen mycket små, men tjärnen var heller inte särskilt förorenad. Dödsorsaken är alltså drunkning.

Hon hade inga ärr efter operationer, inga missbildningar, födelsemärken eller tatueringar, inga hudförändringar överhuvudtaget. Hårfärgen var hennes egen, hennes naglar var korta och omålade, inga partiklar av intresse, bortsett från lera. Mycket fina tänder. En enda plastplomb i en av de nedre oxeltänderna.

Inga spår efter alkohol eller andra kemikalier i blodet. Inga märken efter injektioner. Åt en ordentlig måltid mat samma dag, bröd och mjölk. Inga abnormiteter i hjärnan. Hon har aldrig varit gravid. Och... – han suckade plötsligt och fäste blicken på Sejer – hon skulle aldrig ha blivit det.

– Va? Varför inte?

– Hon hade en stor tumör i vänster äggstock med spridning till levern. Elakartad.

Sejer blev sittande och stirrade på honom. – Säger du att hon var allvarligt sjuk?

– Ja. Säger *du* att du inte visste det?

– Hennes föräldrar visste inte heller om det. Han skakade tvivlande på huvudet. Annars skulle de ha sagt något, eller hur?

– Du måste självklart ta reda på om hon har en läkare och om hennes föräldrar kände till det. Men hon borde ha känt smärtor i underlivet, i alla fall under menstruationen. Hon tränade hårt. Kanske hade hon så mycket endorfiner i omlopp att hon inte kände det. Men saken är att hon var mycket illa däran. Jag tvivlar på att de hade kunnat rädda henne. Levercancer är komplicerat.

Han nickade bort mot båren där Annies huvud och fötter tydligt avtecknade sig under lakanet. – Om några månader skulle hon ha dött i vilket fall som helst.

Upplysningen fick Sejer att komma av sig totalt och glömma vad han var där för. Han tog en minut på sig för att samla tankarna.

– Bör jag berätta det för dem? Hennes föräldrar?

– Det får du väl avgöra själv. Men de kommer att fråga dig vad jag hittade.

– Det kommer att bli som att förlora henne för andra gången.

– Det kommer det.

– De kommer att anklaga sig själva för att de inte märkte det.

– Troligtvis.

– Kläderna då?

– Nedsmetade med gyttja, bortsett från vindjackan som jag skickade till er. Men hon hade ett skärp med mässingsspänne.

– Ja?

– Ett stort spänne format som en halvmåne med öga och mun. Laboratoriet hittade fingeravtryck på det. Två olika. Det ena var Annies.

Sejer knep ihop ögonen. – Och det andra?

– Dessvärre är det ofullständigt, det är inte mycket att skryta med.

– Fan, mumlade Sejer.

– Han har helt klart ett finger med i spelet här. Men det borde kunna användas till att utesluta folk. Det är väl alltid något?

– Och märkena i hennes nacke? Kan du se om han var högerhänt?

– Nej, det kan jag inte. Men eftersom Annie var i såpass god form, har han i alla fall inte varit någon vekling. Det måste ha varit ett slagsmål. Och ändå så är hon så hel.

Sejer reste sig och suckade. – Nu är hon väl inte särskilt hel längre.

– Jodå! Du kan få se henne om du vill. Det här är ett hantverk och jag slarvar inte.

– När kan jag få det här skriftligt?

– Du får besked, sedan kan du ju skicka den unge med lockarna. Och du själv då. Har du hittat någon ledtråd?

– Nej, sa han dystert. Ingenting. Jag kan inte se någon som helst anledning till att någon skulle mörda Annie Holland.

Kanske hade Annie valt titeln på en låt. Och gjort en kod av den? Till exempel flöjtmelodin hon tyckte så mycket om som hette "Annies sång".

Halvor grubblade och prövade sig fram framför skärmen. Dörren stod på glänt till vardagsrummet om farmodern skulle ropa. Hon hade inte mycket röst kvar och att resa sig från länstolen var ett omständligt projekt när gikten härjade. Han stödde hakan i händerna och tittade på skärmen. "Access denied. Password requiered." Egentligen var han hungrig. Men som så mycket annat nuförtiden, kom sådana saker i andra hand.

På stationen satt Sejer och läste. En tjock bunt tättskrivna ark, hophäftade i ena hörnet. Bokstäverna BBH dök hela tiden upp och stod för Bjer-

111

keli barnhem. Halvors uppväxt var en trist historia. Modern låg för det mesta till sängs, klagande och skör, med trasiga nerver och ett ständigt växande batteri av lugnande tabletter inom räckhåll. Hon tålde inte skarpt ljus och inte starka ljud. Barnen fick inte skrika och väsnas. Halvor hade sannerligen gått några rundor i ringen, tänkte Sejer. Bra gjort att ha fast jobb och till på köpet ta hand om sin farmor.

Halvor knappade in titeln på en del sånger i det svarta fältet allt eftersom han kom på dem. Orden "Access denied" dök hela tiden upp, nästan som en fluga man tror att man har slagit ihjäl men som ideligen återvänder och börjar surra omkring igen. Han hade gått igenom alla de möjliga sifferkoder han kunde komma på. Alla födelsedagar som var aktuella, till och med ramnumret på hennes cykel som han hittade på reservnyckeln han förvarade åt henne i en kruka. Hon hade en DBS Intruder, och hon hade insisterat på att den ena nyckeln skulle ligga hos honom. Den måste han förresten ge tillbaka till Eddie kom han på och skrev samtidigt "Intruder" på skärmen.

Faderns alkoholproblem och moderns svaga nerver hade präglat familjen i alla år. Halvor och brodern snodde omkring i huset och tog sig mat och dryck själva, om det fanns något. Fadern var i regel på stan och drack, i början för lönen och senare för socialbidraget. Några snälla grannar hjälpte till så gott de kunde, i hemlighet, bakom faderns rygg. Under årens lopp blev han alltmer våldsam. Det vankades en och annan örfil, som växte till knytnävsslag. Pojkarna kröp ihop intill varandra och slöt sig inom sig själva. Blev allt tunnare och tystare.

Annie hade nog inte valt att använda en sifferkod, trodde han. Hon var flicka och hade säkert hittat på något mer romantiskt. En kombination av ord var mest sannolik, han tänkte sig två eller tre ord, möjligen ord med en djupare symbolisk innebörd. Eller ett namn, förstås, men nu hade han provat de flesta, till och med namnet på hennes mor, fastän han visste att hon aldrig skulle ha valt just hennes. Också namnet på Sølvis far hade han knappat in. Axel Bjørk och hans hund Akilles. "Access denied."

Han hade smala händer med tunna fingrar. Inte mycket att ha till att imponera på en rasande, okontrollerat berusad person. Att kämpa mot fadern måste ha varit en hopplös kamp. De två bröderna dök upp på akutmottagningen med jämna mellanrum, med blåmärken och bulor och den berömda rådjursblicken som sa: Jag är snäll. Du får inte slå mig. Som regel hade de slagits med pojkarna på gatan, ramlat nerför trappan

112

eller vält på cykeln. De försvarade alltid fadern. De hade en tuff men säker hemmiljö. Alternativet var barnhem eller fosterföräldrar, och risken var då stor att de skulle bli skilda från varandra. Halvor brukade ofta svimma i skolan. Orsaken var undernäring och för lite sömn. Han var äldst, den lille fick mest mat.

Halvor gick över till böcker han visste att hon hade läst och som hon ofta hade talat om. Titlar, personer därifrån, saker de hade sagt. Tid hade han gott om. Han kände sig väldigt nära Annie medan han höll på. Att hitta koden skulle vara som att hitta tillbaka till Annie. Han inbillade sig att hon följde med i hans letande, och kanske skulle hon ge honom ett tecken bara han höll på tillräckligt länge. Meddelandet skulle komma i form av ett minne, trodde han. Något hon hade sagt någon gång, något som var lagrat i hans egen hjärna och som skulle uppenbara sig när han bara grävde djupt nog. Han mindes mer och mer. Det var som lager på lager av florstunn spindelväv som han drog åt sidan, och bakom varje lager hittade han någonting, minnen av när de tältade, åkte på cykeltur eller gick på bio, som de hade gjort så ofta. Och Annies skratt. Ett djupt, nästan manhaftigt skratt. Hennes starka näve när hon knuffade honom i ryggen och sa: Lägg av, Halvor! på ett alldeles speciellt sätt. Kärleksfullt och tillrättavisande på samma gång. Andra former av ömhetsbetygelser var sällsynta.

Varje gång Barnavårdsnämnden anmälde sin ankomst åt fadern antabus, tvättade och städade och tog minstingen i knät. Han var mycket stark och kunde framkalla en förtroendeinjagande, stabil uppsyn, som fick de förskrämda hönsen från Barnavårdsnämnden att omedelbart dra sig tillbaka. Modern log svagt under täcket. Det vilade ett tungt ansvar på Torkel så länge hon var sjuk, det måste de förstå, och ungarna var i en besvärlig ålder. Så drog de sig tillbaka och for hem med oförrättat ärende igen. Alla förtjänade att få en chans till. Halvor ägnade det mesta av sin tid åt modern och sin lillebror. Han fick aldrig tid för sina läxor, men han hade bra betyg ändå. Alltså var han riktigt begåvad. Efterhand tappade fadern greppet om verkligheten. En natt kom han instormande på rummet där de två pojkarna sov. Den natten, som så ofta annars, låg den minste i Halvors säng. Fadern hade en kniv. Halvor såg den blänka i hans hand. De kunde höra hur modern snyftade förskrämt nere på bottenvåningen. Plötsligt kände han den skarpa smärtan av kniven som träffade i tinningen, han kastade sig åt sidan och kniven klöv kinden ner mot mungipan, där den

113

stötte emot kindtänderna. Faderns ögon kunde plötsligt se verkligheten igen, blodet på kudden och den minste som skrek. Han störtade utför trappan och ut på gården. Gömde sig i vedskjulet. Dörren smällde igen.

Halvor kliade sig med en vass nagel i mungipan och kom plötsligt ihåg Annies förtjusning i boken Sofies värld. Och eftersom hon hette Annie Sofie, skrev han in titeln. Han tyckte att det skulle ha varit en ganska fiffig kod. Men det var inte så hon hade tänkt, för det hände ingenting. Han fortsatte som förut. Hans mage kurrade och en begynnande huvudvärk dunkade i tinningarna.

Sejer och Skarre låste kontoret och gick neråt korridoren. På Bjerkeli hade pojkarna trivts bra. Halvor tydde sig till en katolsk präst som besökte hemmet då och då. Samtidigt gick han ut nian. Den yngre fick ett fosterhem, så nu var Halvor alldeles ensam. Så småningom valde han att flytta till sin farmor. Han var van att ha någon att sköta om. Utan det kände han sig överflödig.

– Konstigt att det blir folk av dem trots allt, sa Skarre och skakade på huvudet.

– Nu vet vi kanske inte riktigt vad det har blivit av Halvor, sa Sejer nyktert. Det återstår väl att se. Skarre nickade förläget och fumlade med bilnycklarna.

Halvor kände att huvudvärken tilltog. Det hade blivit kväll. Farmodern hade suttit ensam länge och han hade ont i ögonen av att stirra på den flimrande skärmen. Han fortsatte lite till men hade egentligen ingen aning om vilka chanser han hade att lösa Annies kod eller vad han skulle hitta om dokumentet plötsligt skulle öppna sig. Kanske hade hon en hemlighet. Han *måste* finna den, och han hade gott om tid. Till sist reste han sig, nästan motvilligt, för att få sig lite mat. Lät skärmen lysa och gick ut i köket. Farmodern tittade på en film om det amerikanska inbördeskriget på TV. Hon hejade på dem med blå uniformer, som hon tyckte var de snyggaste. De med grå uniformer hade dessutom en ful dialekt, tyckte hon.

Skarre körde mjukt och långsamt, han hade efterhand insett chefens motvilja mot höga hastigheter, och vägen var obeskrivligt usel. Förstörd av tjälskott, smal och krokig där den slingrade sig inåt landet. Det var fortfarande kyligt, det var som om någon hade huggit tag i sommaren någonstans och nu sinkade den med att prata. Hemkomna flyttfåglar satt under buskarna och ångrade sig. Folk hade slutat lägga ut fågelfrö. Det var trots allt barmark. En torr, hård skorpa där ingen lämnade några spår.

Halvor hällde cornflakes i en skål och strödde på bra med socker. Han bar in alltsammans i vardagsrummet och rullade undan en vävd löpare på matbordet för att inte spilla på den. Skeden darrade i handen på honom. Blodsockret var helt i botten, och det susade i öronen.

– Det har börjat jobba en neger nere på Konsum, sa farmodern plötsligt. Har du sett honom, Halvor?

– Det heter Kiwi nu. Konsum är borta. Ja, han heter Philip.

– Han talar Bergensdialekt, sa hon misstroget. Jag tycker inte om att en pojke som ser ut på det viset talar Bergensdialekt.

– Men han är ju från Bergen, sa Halvor och sörplade mjölk och socker. Han är född och uppvuxen där. Föräldrarna är från Tanzania.

– Det skulle liksom ha varit mer riktigt om han hade talat sitt eget språk.

– Bergensdialekten är hans eget språk. Dessutom skulle du inte ha förstått ett ord om han hade talat swahili.

– Men jag blir så förskräckt varenda gång han öppnar munnen.

– Du vänjer dig nog.

Så där höll de på. I regel blev de överens. Farmodern kastade fram sitt senaste bekymmer och Halvor fångade upp det, enkelt och okomplicerat, som om det bara var ett misslyckat pappersflygplan som måste vikas om.

Bilen närmade sig uppfarten. På avstånd såg det gästvänligt ut. Ett flygfoto skulle ha avslöjat hur ensamt huset faktiskt låg, en bit från vägen och delvis dolt av skog och buskar. Små fönster högt upp på väggen. Bleknad grå panel. Gårdsplanen delvis igenvuxen av ogräs.

Genom fönstret i vardagsrummet såg Halvor ett svagt ljussken. Han hörde bilen och spillde lite mjölk på hakan. Strålkastarna lyste för ett ögonblick upp vardagsrummets halvmörker. Kort därefter stod poliserna i dörren och såg på honom.

– Vi behöver prata lite, sa Sejer vänligt. Du måste följa med, men du kan äta färdigt först.

Han ville inte ha mer. Han hade inte heller trott att han skulle slippa undan så lätt, så han gick lugnt ut i köket och sköljde ordentligt av skålen under kranen.

Därefter skyndade han snabbt in i sitt rum och stängde av skärmen. Mumlade något i farmoderns öra och följde med dem ut. Han fick sitta ensam bak i bilen och det tyckte han inte om. Det påminde honom om något.

115

– Jag försöker skapa mig en bild av Annie, sa Sejer inledningsvis. Vem hon var och hur hon levde. Nu vill jag att du berättar allt om vilken sorts flicka hon var. Vad hon gjorde och sa när ni var tillsammans, alla tankar och fantasier du måste ha haft om varför hon drog sig undan omgivningen och vad som hände uppe vid Ormetjern. Allt, Halvor.

– Jag har ingen aning.

– Någonting måste du väl ha tänkt.

– Jag har tänkt en massa. Men jag kommer ingen vart.

Tystnad. Halvor studerade Sejers skrivbordsunderlägg, som var en världskarta, och hittade den ungefärliga punkten där han själv bodde.

– Du var en viktig del av det som var Annies landskap, fortsatte Sejer. Det är egentligen det jag håller på med. Jag försöker kartlägga det område hon rörde sig i.

– Så det är det du håller på med, sa Halvor torrt. Du ritar kartor?

– Du har kanske några bättre idéer.

– Nej, sa han snabbt.

– Din far är död, sa Sejer plötsligt. Han granskade det unga ansiktet framför sig, och Halvor kände hans intensiva närvaro som en spänning i rummet. Det tappade honom på egna krafter, särskilt när de hade ögonkontakt. Därför satt han med huvudet nerböjt.

– Han tog sitt liv. Men du sa att de var skilda. Var det svårt, tycker du?

– Det gick.

– Därför undanhöll du sanningen för mig?

– Den är inte mycket att skryta med.

– Jag förstår. Kan du säga mig vad du ville Annie, sa han plötsligt, eftersom du väntade på henne vid Horgen Handel samma dag som hon mördades?

Överraskningen verkade helt äkta.

– Ursäkta mig, men nu är du ute på villospår.

– En motorcyklist blev iakttagen i närheten vid en viktig tidpunkt. Du var ute och åkte. Det kan ha varit du.

– Kolla synen på den som såg mig så fort som möjligt.

– Är det allt du har att säga?

– Ja.

– Det ska jag göra. Vill du ha något att dricka?

– Nej.

Tystnad igen. Halvor lyssnade. Någon skrattade en bit bort, det kändes overkligt. Annie var död och folk stojade och bar sig åt som om ingenting hade hänt.

– Hade du något intryck av att Annie inte var helt frisk?

– Va?

– Hörde du någon gång att hon klagade över smärtor, till exempel?

– Ingen var så frisk som Annie. Var hon sjuk?

– Vissa upplysningar måste vi tyvärr undanhålla dig, även om du stod henne nära. Hon nämnde aldrig något sådant?

– Nej.

Sejers röst var inte ovänlig, men han talade utstuderat långsamt och tydligt, vilket gav hans grå uppenbarelse en hel del auktoritet.

– Berätta om ditt arbete. Vad gör du på fabriken?

– Vi flyttar runt. Vi packar en vecka, sköter maskinerna en vecka och kör ut en vecka.

– Trivs du?

– Man slipper tänka, sa han tyst.

– Slipper tänka?

– På själva jobbet. Det går av sig självt, så att man kan sysselsätta tankarna med andra saker.

– Som till exempel vad då?

– Vad som helst, sa han surt.

Rösten hade en avvisande klang. Kanske visste han inte om det själv utan hade det med sig som en vana från barndomen, när åratal av skäll och stryk hade tvingat honom att väga varje ord på guldvåg.

– Vad gör du för att få tiden att gå? Den tid du brukade vara med Annie?

– Försöker få reda på vad som hände, slank det ur honom.

– Har du några tips?

– Jag rannsakar minnet.

– Jag är inte säker på att du berättar allt du vet för mig.

– Jag har inte gjort Annie något. Du tror det var jag som gjorde det, inte sant?

– Ärligt talat så vet jag inte. Du måste hjälpa mig, Halvor. Men det verkar som om Annie genomgick en personlighetsförändring. Håller du med om det?

– Ja.

– Mekanismen bakom en sådan är delvis känd. Några faktorer åter-

117

kommer ofta. Människor kan till exempel förändras drastiskt om de för-
lorar någon som står dem nära. Eller om de är inblandade i allvarliga
olyckor eller drabbas av sjukdom. Unga människor som alltid har varit
kända som ordentliga, arbetsamma och flitiga kan bli totalt likgiltiga,
även om de fysiskt sett är botade. Knark kan också leda till personlighets-
förändring. Eller brutala överfall, som våldtäkt.

– Blev Annie våldtagen?

Han svarade inte på det. – Känner du igen något av detta?

– Jag tror hon hade en hemlighet, sa han till slut.

– Du tror hon hade en hemlighet? Fortsätt.

– Något som styrde hela hennes liv. Som hon inte lyckades skjuta un-
dan.

– Ska du nu säga mig att du inte har en aning om vad det var?

– Det stämmer. Jag har ingen aning.

– Vem, utom du, kände Annie bäst?

– Pappan.

– Men de talade visst inte så mycket med varandra?

– Man kan känna varandra ändå.

– Visst. Så om någon skulle ha en chans att förstå något av hennes tyst-
nad, så vore det Eddie?

– Det är tveksamt om du får ur honom särskilt mycket. Be honom
komma ensam i så fall, utan Ada. Han säger mer då.

Sejer nickade. – Träffade du Axel Bjørk någon gång?

– Sølvis far? En gång. Jag följde med flickorna dit och hälsade på ho-
nom.

– Vad tycker du om honom?

– Han var okej. Bönade och bad att vi skulle komma tillbaka. Såg olyck-
ligt efter oss när vi gick. Men Ada blev urförbannad, och Sølvi fick åka dit
i all hemlighet. Men så gitte hon inte längre, så Ada fick som hon ville.

– Hur är Sølvi?

– Det är inte mycket att säga om henne. Du har väl sett vad som finns
att se, det är fort gjort.

Sejer dolde ansiktet genom att stödja pannan i händerna. – Ska vi inte
ta oss en Cola? Luften är så torr här inne. Bara syntet och glasfiber och
elände.

Halvor nickade och slappnade av lite. Men så stramade han upp sig
igen. Kanske var det bara taktik, som fick honom att erfara den här första

lilla känslan av sympati för den gråsprängde kommissarien. Han var nog inte hygglig utan skäl. Han hade väl gått på kurs, studerat förhörsteknik och psykologi. Visste hur han skulle hitta en spricka där han kunde slå in en kil. Dörren slog igen efter honom och Halvor passade på att sträcka lite på benen. Han gick fram till fönstret och tittade ut men såg ingenting annat än tingshusets grå betongvägg och några parkerade tjänstebilar. På skrivbordet stod en PC, amerikansk Compaq. Kanske var det i den de hade letat fram hans barndom. Kanske hade de koder, precis som Annie, upplysningarna var ju känsliga saker. Han funderade lite på vad slags koder de i så fall hade och vem som hade hittat på dem.

Sejer kom in igen och nickade mot skärmen.

– Det är bara en leksak. Jag håller inte på så mycket med den.

– Varför inte?

– Den är liksom inte på min sida.

– Naturligtvis inte. Den kan överhuvudtaget inte välja sida, därför kan man faktiskt lita på den.

– Du har en sådan, eller hur?

– Nej, jag har en Mac. Jag spelar spel på den. Annie och jag brukade spela tillsammans.

Han öppnade sig plötsligt en smula och log sitt halva leende.

– Det hon tyckte bäst om var störtlopp. Man kan välja snö, grov- eller finkornig, torr eller blöt, temperatur, längd och vikt på skidorna, vindförhållanden och hela paketet. Annie vann jämt. Hon valde alltid den svåraste nedfarten, antingen Deadquins Peak eller Stonies. Hon kastade sig utför branten med de längsta skidorna, mitt i natten i full storm och på blöt snö, och jag hade inte en chans.

Sejer såg oförstående på honom och ruskade på huvudet. Han hällde upp Cola i två plastmuggar och satte sig igen.

– Känner du Knut Jensvoll?

– Tränaren? Jag vet vem han är. Jag följde med Annie på hennes matcher då och då.

– Tyckte du om honom?

Axelryckning.

– Inte precis någon toppenkille, kanske?

– Han intresserade sig lite väl mycket för flickorna, tyckte jag.

– För Annie också?

– Skämtar du?

119

– Nästan aldrig. Jag bara frågar.

– Det vågade han inte. Hon lät sig inte tafsas på.

– Så hon var tuff på det viset?

– Ja.

– Men det här förstår jag inte, Halvor.

Han sköt plastmuggen åt sidan och lutade sig fram över bordet.

– Alla talar så vackert om Annie, om hur stark och självständig och sportig hon var. Mycket lite upptagen av sitt utseende, nästan avvisande. "Lät sig inte tafsas på." Ändå har hon följt med någon långt upp i skogen och ner till en liten tjärn. Uppenbarligen helt frivilligt. Och så – han sänkte rösten – har hon låtit sig mördas.

Halvor såg förskräckt på honom, som om det absurda i situationen verkligen gick upp för honom i all sin förfärlighet.

– Någon måste ha haft makt över henne.

– Men fanns det någon som hade makt över Annie?

– Inte som jag vet. I alla fall inte jag.

Sejer drack Cola. – Förbaskat att hon inte lämnade något efter sig. En dagbok, till exempel.

Halvor stack näsan i muggen och drack länge.

– Men kan det vara så, fortsatte Sejer, att någon verkligen hade någon sorts hållhake på henne? Någon hon inte vågade trotsa? Kan Annie ha varit inblandad i något farligt som inte fick komma ut? Kan hon ha blivit utsatt för någon sorts utpressning?

– Annie var mycket ordentlig. Jag tror inte hon har gjort något galet.

– Man kan göra mycket galet och ändå vara ordentlig, sa Sejer tankfullt. En enda handling säger inte mycket om en människa.

Halvor la de orden på minnet.

– Har ni knark på det här lilla stället?

– Oh ja! Det har vi haft i åratal. Ni dyker ju upp med jämna mellanrum och gör razzior på krogen nere i centrum. Men det kan inte ha något med det här att göra. Annie satte inte sin fot där. Hon handlade knappt i kiosken intill.

– Halvor, sa Sejer enträget. Annie var en tystlåten, tillbakadragen flicka som ville ha koll på sitt liv. Men tänk efter – tycker du att hon verkade rädd för någonting också?

– Inte rädd egentligen. Men... instängd. Ibland nästan ilsken och ibland uppgiven. Men jag har sett Annie verkligt rädd. Inte för att det har

120

med det här att göra, men jag kom att tänka på det nu.

Han glömde sig och blev riktigt talför. – Mamman och pappan och Sølvi var i Trondheim, för flickorna har en moster där. Annie och jag var ensamma hemma. Jag skulle sova över. Det var förra våren. Först var vi ute och cyklade, efteråt satt vi uppe till långt in på natten och spelade plattor. Det var väldigt milt, så vi bestämde oss för att ligga i tält ute i trädgården. Vi gjorde i ordning allt, och sedan gick vi in och borstade tänderna. Jag la mig först. Annie kom efter, satte sig på huk och öppnade sovsäcken. Och då låg det en huggorm där, en stor svart huggorm ihopringlad inne i sovsäcken. Vi störtade ut ur tältet, och jag hämtade en av grannarna som bor tvärs över vägen. Han trodde att den hade krupit in i sovsäcken för att värma sig och lyckades till slut ha ihjäl den. Annie var så rädd att hon kräktes. Och efter det fick jag alltid lov att skaka hennes sovsäck när vi var ute och tältade.

– En huggorm i sovsäcken? Sejer ryste och kom ihåg sina egna tältutflykter i en fjärran ungdom.

– Det kryllar av orm på Fagerlundsåsen, det är ett stenröse. Vi lägger ut smör och får bort en del.

– Smör? Varför det?

– De sätter i sig av det så att de nästan faller i dvala. Sedan är det bara att plocka upp dem.

– Och dessutom har ni storsjöodjuret på botten av fjorden?

Sejer log.

– Precis, sa Halvor och nickade. Det har jag sett med egna ögon. Det visar sig bara någon enstaka gång, under mycket speciella vindförhållanden. Egentligen är det ett blindskär som ligger långt under vattenytan, och när vinden slår om från pålandsvind till frånlandsvind brusar det kraftigt tre fyra gånger. Sedan blir det lugnt igen. Det är egentligen märkligt. Alla vet ju mycket väl vad det är, men om du är ensam där ute tvivlar du inte ett ögonblick på att det är något som stiger upp ur djupet. Första gången rodde jag som fan, och jag vände mig inte om en enda gång.

– Men du kommer inte på en levande själ i Annies närhet som ville henne något ont?

– Inte en enda, sa han fast. Jag har tänkt och tänkt på allt som har hänt, och jag fattar det inte. Det måste ha varit en galning.

Ja, tänkte Sejer, det kan ha varit en galning. Han skjutsade hem Halvor igen, körde ända fram till trappan.

– Du ska väl upp tidigt, sa han vänligt. Det blev sent.

– Det brukar gå bra.

Halvor både tyckte om honom och tyckte inte om honom. Det var knepigt.

Han steg ur, stängde dörren försiktigt och hoppades att farmodern sov. För säkerhets skull kikade han in genom dörren och hörde att hon snarkade. Sedan satte han sig framför skärmen igen och fortsatte där han slutat. Hela tiden kom han på nya saker, kom plötsligt ihåg att hon hade haft en katt för ett tag sedan, som de hittade i en snödriva, platt som en pizza. Han knappade in namnet Baghera i rutan. Ingenting hände. Men det hade han inte väntat sig heller. Han såg projektet som något långsiktigt, dessutom fanns det andra sätt. Långt bak i huvudet på honom växte tanken att lösa problemet på ett enkelt sätt. Men ännu hade han inte tappat modet. Dessutom vore det att fuska. Om han lyckades komma fram till koden på egen hand skulle brottet vara mindre, kändes det som. Han kliade sig i nacken och skrev Top Secret i det svarta fältet. För säkerhets skull. Och i samma veva skrev han Annie Holland framlänges och baklänges, eftersom det plötsligt slog honom att han inte hade prövat den allra enklaste möjligheten, den mest närliggande, som hon naturligtvis inte hade använt och just därför kunde ha använt ändå. "Access denied." Han sköt ut sig lite från bordet, sträckte på sig och la handen över nacken igen. Det kliade, som om det satt något där och irriterade honom. Det gjorde det inte, men känslan dröjde sig kvar. Fundersamt vände han sig om och stirrade på fönstret. Ett plötsligt infall fick honom att resa sig och dra för gardinen. Han hade en intensiv känsla av att det var någon som iakttog honom, och känslan gjorde att håret reste sig på hans huvud. Kvickt släckte han lampan. Utanför hördes steg som avlägsnade sig, som om någon sprang sin väg i tystnaden. Han kikade ut genom en glipa i gardinen men kunde inte se någon. Ändå visste han att någon hade stått där, som man ibland vet saker och ting med alla sina sinnen, en obestridlig, nästan fysisk visshet. Han stängde av datorn, drog av sig kläderna och kröp ner under täcket. Där låg han tyst som en mus och lyssnade. Nu hade det blivit knäpptyst, det hördes inte ens ett sus från träden utanför. Men så, efter några minuter, hörde han en bil som startade.

Knut Jensvoll hörde inte bilen eftersom han stod och fumlade med en elektrisk borr. Han ville få upp en hylla som han kunde ställa de fuktiga joggingskorna på efter träningen. Då han tog en paus hörde han dörrklockan. Han tittade snabbt ut genom fönstret och fick syn på Sejers långa gestalt på det översta trappsteget. Tanken hade slagit honom att de kanske skulle komma. Han stod ett tag och samlade sig, ordnade till klädseln och luggen. I tankarna hade han redan gått igenom några frågor. Han kände sig förberedd.

En enda sak surrade i Jensvolls huvud. Om de kände till våldtäkten. Det var väl trots allt därför de kom. En gång skurk, alltid skurk, det systemet kände han väl. Han tog på sig en sammanbiten mask men kom plötsligt att tänka på att det kunde göra dem misstänksamma. Därför tog han sig samman och försökte le i stället. Så kom han ihåg att Annie var död och satte på masken igen.

– Polisen. Får vi komma in?

Jensvoll nickade. – Jag ska bara stänga dörren till tvättrummet. Han vinkade in dem, försvann ett ögonblick och kom snart tillbaka igen. Tittade bekymrat på Skarre som fiskade upp anteckningsboken ur jackan.

Jensvoll var äldre än de hade trott, på god väg mot de femtio, och kraftig. Men kilona var väl fördelade, han var fast och hård i kroppen, vältränad och välnärd, med frisk ansiktsfärg, en tät man av rött hår och en ganska snygg välansad mustasch.

– Jag utgår från att det gäller Annie? sa han.

Sejer nickade.

– Jag har aldrig blivit så förskräckt i hela mitt liv. För jag kände henne väl, det tror jag att jag vågar påstå. Men det är ju ett tag sedan hon slutade i klubben. Det var förresten en tragedi, för vi hade ingen som kunde ersätta henne. Nu står det en riktig tjockis där, som gärna duckar när bollen kommer. Men för all del, hon fyller upp halva målet.

Han stoppade ordflödet och rodnade lite.

– Ja, det är verkligen en tragedi, sa Sejer, lite syrligare än han hade tänkt. Är det länge sedan du såg henne?

– Som jag sa, hon slutade. Det var i höstas. I november, tror jag.

Han såg Sejer i ögonen.

– Förlåt, men det låter lite konstigt. Hon bodde väl bara ett par hundra meter upp i backen här?

– Ja, jag åkte väl förbi henne på vägen då och då. Jag trodde du menade när jag sist hade med henne att göra. På allvar, på träningen. Men jag har ju sett henne, det har jag förstås. Nere i stan, kanske i affären.

– Då frågar jag så här: När såg du Annie senast?

Jensvoll måste tänka efter. – Det vet jag nästan inte om jag kommer ihåg. Det är nog ett tag sedan.

– Vi har gott om tid.

– För ett par tre veckor sedan, kanske. På posten, tror jag.

– Pratade ni med varandra?

– Bara hälsade så där. Hon var inte särskilt pratsam längre.

– Varför slutade hon som målvakt?

– Ja, den som kunde berätta det för mig. Han ryckte på axlarna. Jag är rädd för att jag tjatade en hel del på henne för att få henne att tänka om, men det tjänade ingenting till. Hon hade tröttnat. Ja, det trodde jag egentligen inte på, men det var det hon sa. Ville springa i stället, sa hon. Och det gjorde hon minsann också, både bittida och sent. Jag körde ofta förbi henne på slätten. Full fart, långa ben, dyra joggingskor. Holland snålade inte när det gällde den flickan.

Han väntade fortfarande på att de skulle dra upp hans förflutna och gjorde sig inga illusioner om att slippa undan.

– Bor du ensam här?

– Jag skilde mig för ett tag sedan. Frun tog ungarna med sig och stack, så nu är jag ensam och trivs med det. Har inte så mycket tid över när jobbet och träningen är avklarade. Jag har ett pojklag också, och spelar själv i oldboyslaget. Ut och in i duschen halva dygnet.

– Du trodde inte på henne då hon sa att hon hade tröttnat – vad trodde du var den egentliga orsaken?

– Det vet jag inte. Men hon hade ju en pojkvän och sådant tar ju tid. Han var förresten inte särskilt atletisk, en piprensare med tunna ben. Blek och spinkig som en bönstjälk. Han var med på matcherna några gånger, satt stel som en pinne på första bänk och sa aldrig ett pip. Följde bara bollen fram och tillbaka, fram och tillbaka. När de gick fick han inte ens bära bagen åt henne. Han var ingenting för henne, hon var nog tuffare än så.

– De var ihop fortfarande.

– Jaså, var de? Ja ja, var och en har sin smak.

Sejer tittade i golvet och behöll sina tankar för sig själv.

– Jag måste fråga dig: Var var du förra måndagen mellan elva och två?

– Måndag? Du menar… den dagen. På jobbet, naturligtvis.

– Och det kan de bekräfta på Byggvaruhuset?

– Jag kör ju en del, alltså. Vi levererar ju från dörr till dörr.

– Så du var i bilen? Ensam?

– Delvis var jag i bilen. Jag körde två garderober till en villa ute på Rød-tangen, det kan de i alla fall bekräfta där.

– När var du där?

– Mellan ett och två, kanske.

– Kan du precisera, Jensvoll?

– Tja, kanske närmare två.

Sejer räknade i huvudet. – Och timmarna dessförinnan?

– Ja, det var väl lite fram och tillbaka. Jag sov ganska länge. Och stal mig till en halvtimme i solariet. Vi styr vår egen arbetstid, så att säga. En annan gång får jag jobba över utan lön. Så jag har inget dåligt samvete. Chefen själv brukar –

– Var var du, Jensvoll?

– Jag kom lite sent den dagen, sa han och harklade sig. Vi var ett par stycken som var ute i söndags. Det är ju korkat att gå ut en söndag, när man vet att man ska upp och allt, men det blev bara så. Jag kom väl vid halvtiotiden, kanske.

– Vem var du tillsammans med?

– En kompis. Erik Fritzner.

– Fritzner? Annies granne?

– Ja.

– Jaha. Sejer nickade ut i luften och såg på tränaren, på det vågiga håret och det bruna ansiktet. Tyckte du Annie var en tilldragande flicka?

Jensvoll förstod vinken. – Vad är det för sorts fråga?

– Var snäll och svara bara.

– Naturligtvis. Du har säkert sett bilder av henne.

– Det har jag, sa Sejer. Hon var inte bara snygg att se på, hon var också ganska vuxen för sin ålder. Mogen, liksom, mer än de flesta tonårsflickor. Håller du med om det?

– Ja, i och för sig. Nu var jag ju för det mesta upptagen av hur hon skötte sig i buren.

– Visst, det är klart. Och i övrigt? Hade du konflikter med flickorna nå-gon gång?

125

– Vad för slags konflikter?

– Sådana som du måste ha haft, sa Sejer avmätt. Oavsett vilka.

– Det hade jag förstås. Tonårsflickor är ganska explosiva saker. Men det var ju bara det gamla vanliga. Ingen ville ersätta Annie i målet, ingen ville sitta på bänken. Perioder av hejdlöst fnissande. Pojkvänner i publiken.

– Och Annie?

– Ja, vad är det med henne?

– Hade du någon gång konflikter med Annie?

Han la armarna i kors och nickade. – Javisst, det hade jag. Den dagen hon ringde och ville sluta. Då föll det nog en del ord i ren desperation som jag borde haft osagda. Kanske tog hon det som en komplimang, vem vet? Hon avslutade samtalet, la på och lämnade tillbaka dräkten dagen därpå. Så var det med det.

– Och det var enda gången ni hade en dispyt?

– Ja, det var det. Enda gången.

Sejer såg på honom och nickade mot Skarre. Samtalet var över. De gick mot dörren, Jensvoll följde efter, en del instängd frustration höll på att ta överhanden.

– Uppriktigt sagt, sa han när Sejer öppnade dörren. Varför låtsas du som om du inte hade sett mitt register? Tror du inte jag begriper att det är det första ni gör? Och att det är därför ni är här? Jag vet nog hur ni tänker.

Sejer vände sig om och såg på honom.

– Kan du överhuvudtaget föreställa dig vad som skulle ske med mitt lag om den historien kom ut på bygden? Flickorna skulle bli inlåsta på sina rum. Hela idrottsföreningen skulle falla ihop som ett korthus, och flera års arbete skulle vara förgäves!

Han höjde rösten allt eftersom han fortsatte att tala. – Och om det är något den här bygden behöver så är det idrottsföreningen. Den övriga halvan av befolkningen sitter på krogen och köper knark. Det är nämligen det enda alternativet. Bara så att du vet vad du ställer till med om du går ut med vad du vet. Dessutom är det elva år sedan!

– Jag har inte nämnt det med ett ord, sa Sejer stilla. Och om du dämpar rösten, kan vi kanske förhindra att det kommer ut bland folk.

Jensvoll tystnade och blev blossande röd. Han drog sig ögonblickligen in i hallen och Skarre stängde dörren efter dem.

– Kors, sa han. En landmina med hår och mustasch.

– Hade vi haft nog med folk, sa Sejer skarpt, skulle jag ha sett till att få honom skuggad.

– Varför det?

Skarre stirrade förvånad på honom.

– Bara för att jävlas, antar jag.

Fritzner låg på rygg i jollen och smuttade på en Hansa Premium. Efter varje klunk drog han ett bloss på cigarretten, medan hans hjärna hela tiden var upptagen av boken som han hade stödd mot knäna. En jämn ström av öl och nikotin sipprade in i hans blodomlopp. Efter en stund ställde han ifrån sig pilsnern och gick fram till fönstret. Därifrån kunde han se ner på Annies sovrumsfönster. Gardinerna var fördragna trots att det bara var tidigt på eftermiddagen, som om hennes rum inte längre var ett vanligt rum utan en helig plats som ingen fick titta in i. Det lyste svagt från en ensam lampa, kanske den på skrivbordet, tänkte han. Så tittade han bort över vägen och fick plötsligt syn på polisbilen vid brevlådorna. Och där kom den unge konstapeln med lockarna. Skulle väl till Hollands och informera dem om läget, kanske. Han såg inte särskilt allvarstyngd ut, han gick med lätta steg och ansiktet vänt mot himlen, en slank och stilig varelse med stort lockigt hår, säkert på gränsen till det tillåtna. Plötsligt svängde han till vänster och in på hans egen tomt. Fritzner rynkade pannan. Automatiskt såg han bort-åt vägen för att se om besöket registrerades i något av de andra husen. Det gjorde det. Isaksen stod på gården och räfsade.

Skarre hälsade och gick fram till fönstret, precis som han själv hade gjort.

– Du har utsikt över Annies sovrum, konstaterade han.

– Ja, det har jag.

Fritzner följde efter.

– Egentligen är jag en gammal snuskgubbe, så jag stod ofta här och dreglade och glodde i hopp om att få en glimt. Men hon var inte precis sådan att hon visade upp sig. Först drog hon för gardinerna och sedan drog hon tröjan över huvudet. Jag kunde faktiskt se silhuetten, i alla fall om hon tände i taket och det inte var för mycket veck i gardinen. Det var inte illa bara det.

Han var tvungen att le när han såg Skarres ansiktsuttryck.

– Ska jag vara ärlig, fortsatte han, och det ska man ju, så har jag aldrig haft lust att gifta mig. Men ändå skulle jag gärna haft en unge eller två för

127

att lämna något efter mig. Och allra helst med Annie. Hon var en kvinna man fick lust att befrukta, om du förstår hur jag menar.

Skarre svarade fortfarande inte. Han stod och tuggade eftertänksamt på ett sesamfrö som hade suttit länge mellan två kindtänder och äntligen lossnat.

– Lång och slank, breda axlar, långa ben. Kvick i huvudet. Vacker som en huldra i finnskogarna. Med andra ord, en massa prima arvsanlag.

– Hon var ju bara en tonåring.

– De blir ju äldre. Ja, inte Annie förstås, sa han snabbt. Allvarligt talat, fortsatte han, jag närmar mig de femtio och är inte lika fantasieggande utrustad som andra män. Men några privilegier ska man väl ha som ungkarl, tycker du inte? Det är ingen som står och fräser i köket när jag tittar på damerna. Om du hade bott här, mittemot Annie, skulle du också ha kastat ett öga ner på hennes hus då och då. Det är väl inget brott?

– Det är väl inte det.

Skarre studerade jollen och den halva pilsnern vid relingen. Han funderade på om den var stor nog att –

– Har ni hittat någonting? sa Fritzner nyfiket.

– Naturligtvis. Vi har ju de tysta vittnena. Du vet, tusen småsaker runtomkring fyndplatsen. Alla lämnar kvar något.

Skarre iakttog Fritzner när han sa det. Mannen stod med ena handen i fickan och genom tyget såg han den knutna näven.

– Jag förstår. Vet ni förresten att vi har en tok här i trakten?

– Förlåt?

– En hjärnskadad typ som bor med far sin uppe på Kolleveien. Han är visst väldigt intresserad av flickor.

– Raymond Låke. Ja, det vet vi. Men han är inte hjärnskadad.

– Jaså, inte det?

– Han har en kromosom för mycket.

– Verkar snarare som om han har för lite av någonting, om du frågar mig.

Skarre skakade på huvudet och tittade på Hollands hus igen, på det fördragna fönstret.

– Varför kryper en huggorm ner i en sovsäck, tror du?

Fritzner spärrade upp ögonen. – Det var värst vad ni vet. Jag har frågat mig detsamma. Det hade jag faktiskt glömt, det var ett litet drama, vill jag lova. Men det är ju ett utmärkt gömställe, inte sant. En sådan från Ajungilak med dun och allt. Jag satt här i jollen med en whisky, då den här killen hon var ihop med ringde på dörren. De såg väl att det lyste här inne. Annie stod dubbelvikt i rummet, vit som ett lakan. Annars var hon tuff, men inte då. Hon var verkligen uppskrämd.

– Hur fångade du den? sa Skarre nyfiket.

– Kära nån, det var väl ingenting. Jag använde skurhinken. Först gjorde jag ett hål i botten med sylen, stort som en tioöring kanske. Så smög jag mig in i tältet. Den var inte i sovsäcken längre, den hade krupit in i ett hörn och rullat ihop sig. En stor fan var det också. Jag kastade helt enkelt hinken över den och satte foten ovanpå. Sedan sprejade jag in Baygon genom hålet.

– Vad är det?

– Ett mycket giftigt insektsmedel. Säljs inte över disk. Ormen blev avtrubbad med en gång.

– Hur har du tillgång till sådant?

– Jag jobbar på Anticimex. Skadedjursbekämpning. Flugor och kackerlackor och allt som kryper.

– Jaha, och sedan då?

– Sedan hämtade den där spinken till pojkvän en förskärare och så kapade jag skiten på mitten, la den i en plastkasse och kastade den i min soppåse. Det gjorde mig verkligen ont om Annie. Hon vågade nästan inte lägga sig i sin egen säng efteråt.

Han skakade på huvudet vid tanken.

– Men du är väl inte här för att prata om min karriär som Stålmannen, va? Varför kommer du egentligen?

– Ja. Skarre strök en lock från pannan. Chefen säger att vi alltid måste ta pulsen på folk två gånger.

– Jaså du. Ja, mitt blodtryck är ganska stabilt. Men jag har egentligen inte fattat det, att någon har gått och tagit livet av Annie. En alldeles vanlig flicka. Här i bygden, på den här gatan. Inte hennes familj heller. Nu kommer de att låta hennes rum stå orört i åratal, precis som hon lämnade det. Jag har hört om sådant. Tror du det är en omedveten önskan om att hon plötsligt ska dyka upp igen?

– Kanske. Ska du gå på begravningen?

– Alla i trakten kommer. Så är det när man bor på en liten ort. Tjänar ingenting till att göra något i hemlighet. Folk känner att de har rätt att delta. Det är på gott och ont, det där. Svårt att hålla någonting hemligt.

129

– Det är kanske en fördel för oss, sa Skarre. Om mördaren kommer härifrån.

Fritzner gick fram till jollen, lyfte flaskan och tömde den.

– Tror ni han är härifrån?

– Låt oss säga att vi hoppas det.

– Det gör inte jag. Men om det är så, hoppas jag ni tar honom fort som fan. Säkert har alla tjugo husen här på gatan registrerat att du har kommit till mitt hus. För andra gången.

– Stör det dig?

– Naturligtvis. Jag vill gärna bo kvar här.

– Det finns väl inget skäl till att du inte skulle kunna det?

– Det visar sig. Som ungkarl är man lite extra utsatt.

– Varför det?

– Det är onaturligt att en man inte har en kvinna. Folk väntar sig att man ska skaffa sig en kvinna, åtminstone när man har passerat fyrtio. Och om så inte sker måste det finnas en orsak.

– Nu tycker jag du låter lite paranoid.

– Du vet inte hur det är att bo så här tätt. Det kommer att bli tufft framöver för väldigt många.

– Tänker du på någon särskild?

– På sätt och vis, ja.

– Jensvoll, till exempel?

Han svarade inte. Stod en stund och tänkte. Sneglade på Skarre och bestämde sig plötsligt. Drog upp handen ur fickan och höll fram något.

– Jag ville bara visa dig den här.

Skarre såg på den. Det såg ut som en hårsnodd överdragen med tyg, blått, med isydda pärlor.

– Det är Annies, sa Fritzner och såg på honom. Jag hittade den i bilen. På golvet där framme, inklämd mellan sätet och dörren. Hon åkte med ner till centrum för bara en vecka sedan. Snodden blev liggande.

– Varför ger du mig den?

Han drog efter andan. – Jag kunde ha låtit bli, förstås. Eldat upp den i spisen, inte sagt ett ord. Det är för att visa att jag spelar med öppna kort.

– Jag har aldrig trott något annat, sa Skarre.

Fritzner log. – Tror du jag är dum?

– Det är möjligt, sa Skarre och log tillbaka. Kanske försöker du lura mig. Kanske är du så taktisk att denna vackra bekännelse är teater. Jag tar med

130

mig snodden. Och kommer att syna dig noggrannare i sömmarna än förut.

Fritzner bleknade. Skarre kunde inte låta bli att skratta.

– Varifrån kommer namnet på båten? frågade han nyfiket och såg på jollen. Det är ett konstigt namn på en båt. Narco Traficante?

– Det var bara ett infall. Han försökte återhämta sig efter incidenten. Men det låter bra, tycker du inte det?

Han såg bekymrat på den unge konstapeln.

– Har du haft den i sjön någon gång?

– Aldrig, erkände han. Jag blir så förfärligt sjösjuk.

Allmänna åklagaren hade talat. Annie Holland måste i jord, och nu såg Eddie på sitt armbandsur att mer än ett dygn hade gått sedan den första skoveln med torr jord träffade kistlocket. Jord över Annie. Full av kvistar, sten och mask. I fickan hade han ett hoprullat papper, några få ord han egentligen hade velat läsa stående vid kistan, efter predikan. Att han bara stod kvar och snyftade, utan att få fram ett enda ord, skulle plåga honom resten av livet.

– Jag undrar om Sølvi kanske har fått en liten störning, sa han och satte ett knubbigt finger mot pannan, ångrade sig och flyttade det ut mot tinningen i stället. Det syns inte när man röntgar eller något, men det finns någonting där. Hon har lärt sig det hon ska här i världen, hon är lite långsam bara. Lite enkelspårig, kanske. Du får inte säga något till Ada om det, la han till.

– Förnekar hon det? frågade Sejer.

– Hon säger att om de inte kan se den, behöver den inte finnas där heller. Folk är bara olika, säger hon.

Sejer hade kallat in honom till stationen. Holland befann sig fortfarande i ett stort mörker.

– Jag måste få fråga om en sak, sa Sejer försiktigt. Om Annie hade stött på Axel Bjørk längs vägen, skulle hon då ha följt med honom i bilen?

Frågan fick honom att gapa av förvåning. – Det var det orimligaste jag har hört, sa han sedan.

– Det har begåtts ett orimligt brott här. Svara bara på min fråga. Jag känner inte de människor det gäller så bra som du, och det anser jag faktiskt är en fördel.

131

– Sølvis far, sa han tankfullt. Jo, kanske. De har varit där ett par tre gånger, så hon kände honom ju. Hon skulle nog ha satt sig i bilen om han bad henne. Varför inte?

– Vad har du för slags förhållande till honom?

– Överhuvudtaget inget alls.

– Men du har talat med honom?

– Bara lite. Ada stoppade honom alltid i dörren. Påstod att han trängde sig på.

– Vad tycker du om det?

Han vred sig i stolen som om hans svaghet blev obehagligt tydlig. – Jag tyckte det var dumt. Han ville ju inte förstöra för oss, bara träffa Sølvi någon enstaka gång. Nu har han ingenting. Förlorade visst jobbet också.

– Sølvi då? Tyckte hon om att hälsa på hos honom?

– Jag är rädd för att Ada förstörde hennes lust att göra det. Hon kan vara ganska hård. Bjørk har väl gett upp. Men jag såg honom på begravningen, då fick han ju en skymt av henne. Du förstår, sa han med inlevelse, det är inte lätt att säga emot Ada. Vilket inte betyder att jag är rädd eller så – han skrattade ett kort, ironiskt skratt – men hon blir så utom sig. Det är inte lätt att förklára. Hon blir bara utom sig, och det står jag inte ut med.

Han teg igen, och Sejer satt stilla och väntade, medan han försökte föreställa sig det invecklade spelet människor emellan. Hur tusentals trådar genom åren tvinnade ihop sig och bildade slitstarka, finmaskiga nät där man kände sig fångad. De underliggande mekanismerna fascinerade honom. Och människornas intensiva motvilja mot att ta kniven och skära sig loss, även om de längtade sig sjuka efter frihet. Holland ville nog gärna ut ur Adas nät, men tusen små saker höll honom tillbaka. Han hade gjort ett val, han skulle sitta fast i de klibbiga trådarna i resten av sitt liv, och beslutet hade tryckt ner honom så att hela hans tunga varelse lutade.

– Har ni ingenting? frågade han efter ett tag.

– Tyvärr, sa Sejer motvilligt. Allt vi har är en massa människor som talar varmt och vackert om Annie. De tekniska fynden är mycket få och har inte lett någonstans, och det finns inga synliga motiv. Annie har inte utsatts för sexuellt våld eller misshandlats på annat sätt. Man har inte gjort några iakttagelser i närheten av Kollen den aktuella dagen som kan vara till någon verklig hjälp för oss, och alla som åkte sträckan i bil har anmält sig och kunnat avföras från utredningen. Här finns det ju ett undantag, men den bilen är å andra sidan så oklart beskriven att vi inte kommer någon vart. Motorcyklisten vid Horgen Handel är som uppslukad av jorden. Kanske var det en turist på genomresa. Ingen såg nummerplåtarna, kanske var han utlänning. Vi har dykt efter hennes ryggsäck utan att hitta den, därför måste vi anta att gärningsmannen fortfarande har kvar den. Men vi har ingen misstänkt och därför inte heller någon att rannsaka. Vi har inte ens en konkret teori. Vi har så lite att vi i det närmaste bara fantiserar. Annie kan till exempel på något sätt ha kommit över ömtåliga upplysningar, kanske av en ren tillfällighet, och någon tog livet av henne för att de inte skulle komma fram. I så fall måste upplysningarna ha varit ganska så komprometterande, eftersom de ledde till mord. Hon var avklädd men orörd, och det kan betyda att mördaren har velat leda oss in på ett sexspår, möjligen för att rikta uppmärksamheten bort från det verkliga motivet. Det är därför, slutade han, som vi intresserar oss för Annies förflutna.

Han tystnade och kliade sig på handens översida, där han hade en röd fnasig fläck, stor som en femkrona.

– Du är en av dem som kände henne bäst. Och du har säkert tänkt tusen tankar. Jag måste fråga dig igen om det finns något som helst i Annies förflutna, upplevelser, bekanta, något hon har sagt, intryck, vad som helst, som har fått dig att haja till. Tänk inte i några särskilda banor. Tänk bara på om det var något som förvånade dig. Gräv fram minsta lilla detalj, även om du tycker det är dumma bagateller, bara det är något som gjorde dig överraskad. En reaktion du inte hade väntat. Repliker, antydningar, gester du fäste dig vid. Annie gick igenom en personlighetsförändring. Jag har fått intrycket att det kanske var något mer än den vanliga puberteten. Kan du bekräfta det?

– Ada säger...

– Men vad säger du?

Sejer höll fast hans blick. – Hon avvisade Halvor, slutade som målvakt och sedan slöt hon sig inom sig själv. Hände det något under den här tiden, som avvek från det vanliga?

– Har ni talat med Jensvoll?

– Det har vi.

– Ja, jag har hört några rykten, men det är väl inte sant, kanske. Rykten sprids ganska fort här hos oss, la han till, lite förlägen och röd om kinderna.

– Vad menar du?

– Bara något som Annie sa. Att han har suttit inne. För länge sedan. Jag vet inte för vad.

– Visste Annie det?

– Så han *har* suttit inne?

– Det stämmer, det har han. Men jag visste inte att någon visste om det. Vi kollar alla i Annies omgivning, om de har alibi och så. Vi har talat med över trehundra människor. Men tyvärr har ingen meriterat sig som misstänkt.

– Det bor en karl uppåt Kolleveien, mumlade Holland, som inte är helt riktig. Jag har hört att han har försökt något med flickorna här i trakten.

– Vi har talat med honom också, sa Sejer tålmodigt. Det var han som fann Annie.

– Ja, var det inte så?

– Han har alibi.

– Bara man kan lita på det.

Sejer tänkte på Ragnhild och underlät att berätta för Holland att alibit var ett sexårigt barn.

– Varför slutade hon passa barn, tror du?

– Hon växte väl ifrån det.

– Men jag har förstått att hon var alldeles särskilt intresserad av barn. Därför tycker jag det verkar lite konstigt.

– I flera år gjorde hon ingenting annat. Först läxorna och sedan ut för att se om det inte var någon som behövde en tur i vagnen. Och om det var något bråk på gatan så dök hon alltid upp och återställde lugn och ordning. Den stackarn som hade kastat första stenen fick vara så god att bekänna. Så fick han sin förlåtelse och allt var fröjd och gamman. Hon var duktig på att medla. Hon hade auktoritet, och alla gjorde som hon sa. Pojkarna också.

– En diplomatisk natur med andra ord?

– Precis. Hon tyckte om att ordna upp saker och ting. Hon kunde inte fördra olösta konflikter. Om det var något med Sølvi, till exempel, så hittade hon alltid en lösning åt oss. Hon gick liksom emellan. Men på något sätt, sa han långsamt, tappade hon intresset för det också. Hon la sig inte i på samma sätt som förut.

– När? sa Sejer snabbt.

– I höstas någon gång.

134

– Vad hände i höstas?

– Det har jag redan sagt. Hon ville inte vara med i klubben längre, ville inte vara tillsammans med människor som förut.

– Men varför!

– Jag vet inte, sa han förtvivlat. Jag säger ju att jag inte förstår det.

– Försök att se lite bortom dig själv och din familj. Förbi Halvor och klubben och problemen med Axel Bjørk. Hände det något annat i trakten samtidigt, som inte nödvändigtvis hade med er att göra?

Holland slog ut med händerna.

– Ja, visserligen. Men det hade inget med det här att göra. En av ungarna hon brukade passa dog i en tragisk olycka. Det gjorde inte saken bättre precis. Annie var liksom inte med på någonting längre. Det enda hon tänkte på var att få på sig joggingskorna och löpa iväg från huset och gatan.

Sejer kände att hjärtat slog ett extraslag.

– Vad var det du sa?

Han stödde armbågarna på bordet.

– Ett av barnen hon brukade passa dog i en olycka. Han hette Eskil.

– Hände det medan Annie passade honom?

– Nej, nej! Holland såg förskräckt på honom. Nej, är du inte klok! Annie var mycket försiktig när hon hade hand om andras ungar. Släppte dem inte ur synhåll ett ögonblick.

– Hur hände det?

– Hemma hos dem. Han var bara lite över två när det hände. Annie tog det väldigt hårt. Ja, det gjorde vi alla, vi kände dem ju.

– Och när hände det?

– I höstas, säger jag ju. Då hon drog sig undan allting. Det hände egentligen mycket då, det var ingen bra tid för någon av oss. Halvor ringde och Jensvoll ringde. Bjørk höll på och tjatade om att få träffa Sølvi hela tiden, och Ada var nästan inte till att stå ut med.

Han tystnade och såg plötsligt ut som om han skämdes.

– Precis när skedde det här dödsfallet, Eddie?

– Jag tror det var i november någon gång. Jag minns inte datumet.

– Men hände det före eller hände det efter att hon slutade i klubben?

– Det minns jag inte.

– Då håller vi på tills du kommer på det. Vad var det för sorts olycka?

– Han satte något i halsen, och de fick aldrig upp det. Han satt visst och åt, ensam i köket.

– Varför har du inte berättat det här för mig?

Holland såg olyckligt på honom. – Det är ju Annies död du ska utreda, viskade han.

– Det är det jag håller på med. Att utesluta saker och ting är lika viktigt. Det blev en lång paus. Holland svettades på den höga pannan och gnuggade fingrarna oupphörligt som om han hade förlorat känseln i dem. Idiotiska bilder dök hela tiden upp i hans tankar, bilder av Annie som student i röd overall och mössa, och Annie i brudklänning. Annie med ett spädbarn i famnen. Bilder han aldrig skulle få ta.

– Berätta om Annie, om hur hon reagerade.

Holland satte sig upp i stolen och tänkte. – Jag minns inte datumet, men jag minns dagen för vi försov oss. Själv var jag ledig från jobbet. Annie höll på att missa bussen på morgonen och kom dessutom tidigt hem från skolan för att hon inte kände sig riktigt bra. Jag orkade inte berätta det med en gång. Hon gick och la sig, sa att hon ville sova lite.

– Hon var sjuk?

– Ja, nej, hon var aldrig sjuk. Det var väl något som snabbt gick över. Hon vaknade fram på dagen och jag satt i vardagsrummet och gruvade mig. Till sist gick jag in till henne och satte mig på sängkanten.

– Fortsätt.

– Hon blev lamslagen, sa han tankfullt. Lamslagen och rädd. Vände sig bara om och drog täcket över huvudet. Jag menar, vad kan man säga? Dagarna efteråt visade hon inte så mycket av sina känslor, hon liksom sörjde i stillhet. Ada ville att hon skulle gå dit med blommor, men det ville hon inte. Hon ville inte gå på begravningen heller.

– Var du och din fru där?

– Jadå, det var vi. Ada tyckte det var underligt att Annie inte ville, men jag försökte förklara att det är svårt för ett barn att gå på begravning. Annie var bara fjorton då. De vet inte vad de ska säga, eller hur?

– Mm, mumlade Sejer. Men hon gick kanske till graven senare?

– Jadå, det gjorde hon. Flera gånger. Men hon gick aldrig mer till deras hus.

– Men hon måste väl ha talat med dem? Om det var en pojke hon ofta passade?

– Det gjorde hon nog. Hon hade ju mycket med dem att göra. Särskilt med modern. Hon har förresten flyttat nu, de skildes efter ett tag. Det är naturligtvis svårt att hitta tillbaka till varandra efter en sådan tragedi.

136

Man måste liksom börja om på nytt. Och ingen av oss blir någonsin som vi var.

Han tappade tråden i samtalet och satt och talade för sig själv, som om den andre inte var där. – Det är bara Sølvi som är sig lik. Det förundrar mig verkligen att hon kan vara densamma efter allt som har hänt. Men så är hon ju lite egen också. Men vi får ta de barn vi får, inte sant?

– Och… Annie? sa Sejer försiktigt.

– Ja, Annie, mumlade han. Annie blev sig aldrig riktigt lik. Jag tror det gick upp för henne att vi alla ska dö. Jag kan minnas det från när jag själv var liten, då min mor dog, att det var det värsta. Inte det att hon var död och borta. Men att jag också skulle dö. Och min far, och alla jag kände.

Hans blick var långt borta, och Sejer lyssnade med båda händerna vilande på skrivbordet.

– Vi har mer att tala om, Eddie, sa han till slut. Men det är något du måste få veta först.

– Jag vet inte om jag orkar få veta något mer.

– Jag kan inte tiga om det här för dig. Det har jag inte samvete till.

– Vad är det då?

– Kan du minnas om Annie klagade över smärtor någon gång?

– Nej, det kan jag inte. Bortsett från tiden innan hon fick stötdämpande löparskor. Då hade hon ont i fötterna.

– Jag undrar närmare bestämt om hon någon gång nämnde smärtor i underlivet.

Holland såg osäkert på honom. – Det har jag aldrig hört. Det får du i så fall fråga Ada om.

– Jag frågar dig, för jag har uppfattat det som att det var du som stod henne närmast.

– Ja, men sådana kvinnosaker – det har jag aldrig hört något om.

– Hon hade en tumör i underlivet, sa han lågt.

– Tumör? Menar du en svulst?

– En svulst ungefär stor som ett ägg. Elakartad. Den hade spritt sig också till levern.

Nu blev Holland alldeles stel. – Nu misstar ni er nog, sa han bestämt. Ingen var så frisk som Annie.

– Hon hade en elakartad svulst i underlivet, upprepade Sejer, och hon skulle inom kort ha blivit mycket sjuk. Risken att sjukdomen skulle ha fört till döden var ganska stor.

137

– Säger du att hon skulle ha dött i vilket fall som helst?

Hollands röst fick en aggressiv klang.

– Det säger de på Rättsmedicin.

– Ska jag liksom vara glad då, för att hon slapp lida?

Han skrek ut det i vilt raseri, och en droppe spott träffade Sejer i pannan. Holland gömde ansiktet i händerna.

– Nej, nej, jag menade inte så, sa han halvkvävt, men jag förstår inte allt det här som händer. Att det är så mycket jag inte har begripit.

– Antingen har hon helt enkelt inte upptäckt det själv eller så har hon bitit ihop och medvetet låtit bli att uppsöka läkare. Det finns inte registrerat i hennes journal.

– Där står det väl ingenting, sa Holland stilla. Det var aldrig något fel på henne. Hon vaccinerades ett par gånger genom åren, det var allt.

– Det är en sak till jag vill att du ska göra, fortsatte Sejer. Jag vill att du ska be Ada komma hit till stationen. Vi behöver ta hennes fingeravtryck.

Holland log trött och lutade sig tillbaka i stolen. Han hade inte sovit på länge, och ingenting stod helt stilla längre. Kommissariens ansikte flimrade svagt, detsamma gjorde gardinen i fönstret, eller kanske var det draget, han visste inte så noga.

– På Annies bältesspänne fann vi två fingeravtryck. Ett av dem var Annies eget. Ett av dem kan vara din frus. Hon berättade att hon ofta la fram kläder åt Annie på morgonen, och då kan hon ha satt ett avtryck på spännet. Om det inte är hennes kan det tillhöra mördaren. Han klädde av henne. Han måste ha tagit i spännet.

Äntligen begrep Holland.

– Be din fru komma så fort som möjligt. Hon kan fråga efter Skarre.

– Ditt eksem, sa Holland plötsligt och nickade mot hans hand. Jag har hört att aska ska vara bra.

– Aska?

– Du stryker aska över utslaget. Aska är det renaste som finns. Det innehåller salter och mineraler.

Sejer svarade inte på det. Hollands tankar gjorde liksom en sväng och försvann inåt. Sejer lät honom tänka i fred. Det var så tyst i rummet att de kunde höra Annie.

Halvor åt medisterkorv och kokt kål vid skärbrädan i köket. Efteråt städade han undan efter sig och la en filt över farmodern som dåsade i soffan. Han gick till sitt rum, drog för gardinerna och satte sig framför skärmen. Så tillbringade han numera det mesta av fritiden. Han hade försökt sig på en del av den musik han visste att Annie gillade och knappat in titlar och artister hon hade i skivhögen. Därefter prövade han filmtitlar, lite halvhjärtat, för det var inte Annies stil att välja något sådant. Uppgiften verkade tämligen olöslig. För att inte tala om att hon kunde ha bytt kod efterhand, som de gjorde inom försvaret när det rörde sig om militära hemligheter. Där använde de koder som ändrades automatiskt flera gånger i sekunden. Han hade läst om det i en tidskrift från Ra Data. En kod som förändrades hela tiden blev nästan omöjlig att knäcka. Han försökte minnas när ungefär de hade öppnat var sin mapp och stängt den för varandra. Det var flera månader sedan, en bit in på hösten. Det smög sig in en känsla av hopplöshet när han tänkte på alla de kombinationer som var möjliga när man beaktade tangentbordets alla siffror och tecken och bokstäver. Men hon hade säkert inte lagt in något meningslöst. Hon hade använt något som hade gjort intryck på henne, eller något välbekant som hon tyckte om. Han visste en del om vad Annie tyckte om, och därför fortsatte han. Ända tills han hörde farmodern ropa inifrån vardagsrummet att hon var färdig med middagsvilan. Då tog han en paus för att koka kaffe åt henne och bre ett par smörgåsar, eller våfflor om de hade några. För skams skull tittade han på TV en stund för att hålla henne sällskap. Men så fort han kunde smet han in på rummet igen. Hon sa ingenting. Han satt till midnatt, då kröp han i säng och släckte lampan. Han låg alltid och lyssnade lite innan sömnen kom. Ofta kom den inte alls, och då smög han in på farmoderns rum och knyckte en Stesolid ur hennes burk. Han hörde inte steg utanför fler gånger. Medan han väntade på att få sova, tänkte han på Annie. Blå var hennes älsklingsfärg. Chokladen hon tyckte bäst om var Dove med russin. Han noterade några ord bak i medvetandet och lagrade dem där för senare bruk. Det gällde att inte ge sig. När han äntligen fann koden skulle det slå honom hur självklar den var, och han skulle säga till sig själv: det borde jag ha tänkt på!

Utanför låg gårdsplanen svart och tyst. Den tomma hundkojan gapade med ingången som en öppen tandlös käft, men den syntes inte från vägen, och en tjuv kunde kanske förledas till att tro att det låg en hund där. Bakom hundkojan låg skjulet med ett blygsamt vedlager, hans trampcykel, en gammal svartvit TV och en massa gamla tidningar. Han kom aldrig ihåg när det var pappersinsamling och inte läste han lokaltidningen heller. Längst in, bakom en skumgummimadrass, stod Annies skolryggsäck.

Han hade sprungit till Bruvann och tillbaka. En runda på tretton kilometer. Försökte hålla sig nära smärtgränsen, åtminstone på hemvägen. Elise brukade ta fram en iskall Farris och stå beredd med den när han kom ut ur duschen. Ofta hade han bara en handduk om livet. Nu var det ingen som väntade. Utom hunden, som förväntansfullt lyfte på huvudet då han öppnade dörren och släppte ut ångan. Han klädde sig inne i badrummet och tog själv fram en flaska, slog av kapsylen mot kanten på diskbänken och satte den till munnen. Dörrklockan ringde när han hade kommit halvvägs i flaskan. Det ringde inte ofta på Sejers dörr, därför undrade han lite. Han lyfte ett varnande finger mot hunden och gick för att öppna. Utanför stod Skarre borta vid ledstången med ena foten i trappan, som om han ville antyda en rask reträtt om det inte passade.

– Jag hade vägarna förbi, sa han upplysningsvis.

Han såg annorlunda ut. Lockarna var borta, snaggade tätt intill huvudet. Håret hade fått en mörkare glans, det fick honom att se äldre ut. Och faktiskt hade han lite utstående öron.

– Snitsigt, sa Sejer och nickade. Stig på.

Kollberg kom skuttande och bar sig åt som vanligt.

– Han gör lite för mycket väsen av sig, sa han uppgivet. Men han är väldigt snäll.

– Det får man hoppas, med den storleken. Han är ju stor som en varg.

– Det är meningen att han ska likna ett lejon. Det var vad han ville, han som blandade raserna och gjorde den första leonbergern.

Sejer gick mot vardagsrummet. – Han var från staden Leonberg i Tyskland och skulle liksom göra en stadsmaskot.

– Lejon? Skarre studerade det stora djuret och drog på smilbandet. Nej, så mycket fantasi har jag inte.

Han krängde av sig jackan och la den på telefonbänken. – Fick du tala i enrum med Holland idag?

– Det fick jag. Vad har du gjort?

– Jag hälsade på Halvors farmor.

140

– Jaså, du.

– Hon bjöd på kaffe och smörgås, och hela ålderdomens elände. Du, sa han lågt, nu vet jag hur det är att bli gammal.

– Och hur är det?

– Ett gradvis förfall. En smygande, nästan omärklig process som du bara upptäcker i plötsliga förfärande ögonblick.

Skarre suckade som en gamling och skakade bekymrat på huvudet.

– Celldelningsprocessen avtar, det är det det handlar om. Den går trögare och trögare, ända tills de nästan inte förnyar sig alls och allt börjar skrumpna. Det är faktiskt det första stadiet i förruttnelseprocessen, och det startar när man är i tjugofemårsåldern.

– Det var värst. Då har det ju redan satt igång hos dig. Du ser lite vissen ut, tycker jag.

Sejer gick före in i vardagsrummet.

– Blodet står och stampar i ådrorna. Ingenting smakar och luktar som det ska. Undernäring är också vanligt. Inte konstigt att vi dör när vi blir gamla.

– Hur gammal är hon?

– Åttiotre. Och hon är nog inte helt som hon ska i knoppen heller. Han pekade på sitt snaggade huvud. Det hade varit bättre om vi hade dött lite tidigare, tycker jag. Lite före sjuttio kanske.

– Jag tror inte sjuttioåringarna håller med dig, sa Sejer kort. Vill du ha en Farris?

– Ja tack.

Skarre strök med ena handen över huvudet, som om han ville kolla om den nya frisyren kanske bara var något han hade drömt.

– Du har väldigt mycket musik, Konrad. Han tittade bort mot hyllan vid stereoanläggningen. Har du räknat dem?

– Cirka femhundra, ropade han från köket.

Skarre hoppade upp ur stolen för att kolla titlarna. Som folk i allmänhet föreställde han sig att valet av musik sa en mängd viktiga saker om vilka alla var, innerst inne.

– Laila Dalseth. Etta James. Billy Holiday. Edith Piaf. Vad i allsin dar, han stirrade förbluffat och log överraskat. Det är ju bara kvinnor! utropade han.

– Jaså, är det det?

Sejer hällde upp Farris.

– Bara kvinnor, Konrad! Eartha Kitt. Lill Lindfors. Monica Zetterlund, vem är det?

– En av de bästa. Men det är du för ung för att veta.

Skarre satte sig igen, drack Farris och torkade av glasets undersida på byxlåret. – Vad sa Holland?

Sejer tog fram tobaken under tidningen och öppnade paketet. Han nappade åt sig ett papper och började rulla.

– Annie visste att Jensvoll har suttit inne. Kanske visste hon också varför.

– Fortsätt!

– Och ett av de barn hon ofta passade dog i en olycka.

Skarre fumlade efter sina cigarretter.

– Det hände i november, ungefär vid den tid då allt blev svårt. Annie ville inte gå dit mer. Hon ville inte gå bort med blommor, hon ville inte gå på begravningen och hon passade inte barn efter det. Det är ju inte så konstigt, menade Holland, hon var ju bara fjorton år och då är man inte gammal nog att tackla döden.

Han betraktade Skarre medan han talade och såg hur hans ansikte fick ett uppmärksamt uttryck.

– Efter det slutade hon med handbollen, gjorde tillfälligt slut med Halvor och slöt sig inom sig själv. Det skedde alltså i den ordningen: Barnet dog. Annie drog sig undan omvärlden.

Skarre tände en cigarrett och iakttog Sejer som slickade på cigarrettpapperet.

– Dödsfallet var uppenbarligen en tragisk olyckshändelse, barnet var bara två år, och jag förstår så väl att en tonåring blir skakad av en sådan upplevelse. Hon kände ungen väl. Och hon kände hans föräldrar. Men…

Han gjorde ett uppehåll för att tända cigarretten.

– Så där har vi förklaringen på hennes förändring?

– Möjligen. Dessutom hade hon cancer. Även om hon kanske inte visste det själv, kan det ha förändrat henne. Men jag hade egentligen hoppats finna något annat. Något vi har användning för.

– Jensvoll då?

– Jag har lite svårt att tro att någon begår mord för att försäkra sig om tystnad kring en våldtäkt som skedde för elva år sedan. Och som han dessutom har straffats för. Om det inte helt enkelt är så att han ville försöka igen. Och att det gick på tok.

– Jösses! utropade Skarre häpet. Du röker ju.

– Bara den här enda, på kvällen. Har du tid med en åktur efteråt?

– Absolut. Vart ska vi?

– Till Lundeby kyrka.

Han drog ett djupt och häftigt bloss på cigarretten och höll inne röken länge.

– Varför det?

– Tja, jag vet inte. Jag tycker om att snoka runt, det är bara därför.

– Du tänker bättre i friska luften, kanske?

Han skrapade bort en stearinfläck på det sandblästrade bordet.

– Jag har alltid ansett att omgivningarna påverkar tankarna. Att man förnimmer mer när man är på plats. Om man har en sorts känslighet inom sig, en känslighet för saker och ting. För "tingens språk".

– Mycket fascinerande, sa Skarre. Törs du tala högt om det på stationen?

– Det är en sorts tyst överenskommelse att vi inte gör det. Åklagaren är inte intresserad av mina känslor. Men han vet förstås att de finns där. Han tar hänsyn till dem, men det erkänner han aldrig. Också det en tyst överenskommelse.

Han blåste ut röken med andakt och tittade upp.

– Vad hade Halvors farmor mer att ge dig? Förutom smörgås och föredraget om förfallet?

– Hon berättade mycket om Halvors far. Om hur förskräckligt snäll han hade varit som liten. Och att han egentligen bara var olycklig.

– Det tror jag säkert. Eftersom han var i stånd att slå sina egna barn.

– Och hon säger att Halvor har stängt in sig på sitt rum. Sitter visst framför sin PC hela kvällarna, och då och då in på nätterna.

– Vad gör han med den, tror du?

– Ingen aning. Han skriver kanske dagbok.

– Den skulle jag i så fall gärna vilja läsa.

– Hämtar du in honom i morgon igen?

– Naturligtvis.

De tömde glasen och reste sig. På vägen ut fick Skarre syn på fotografiet av Elise, det med det strålande leendet.

– Din fru? frågade han försiktigt.

– Det sista som togs.

– Hon är ju lik Grace Kelly, sa han begeistrat. Hur kunde en surkart som du kapa åt dig en sådan skönhet?

143

Sejer blev så paff över den gränslösa fräckheten att han började stamma.

– Jag var inte en surkart då, sa han tamt.

Bilen gled sakta framåt på grusvägen mot Lundeby kyrka. Den var helt upplyst och låg alldeles tyst i det rosafärgade skenet, med en självklarhet som om den alltid hade legat där. I själva verket var den bara hundrafemtio år gammal, en svag susning i evighetens trädkrona. De slog försiktigt igen dörrarna, stod kvar vid bilen och lyssnade lite. Skarre såg sig omkring, gick några steg mot kapellet och fick syn på raden av gravar. Tio vita stenar uppställda i ett perfekt led.

– Vad är det här?

De stannade och läste.

– Krigsgravar, sa Sejer lågt. Engelska och kanadensiska soldater. Tyskarna sköt dem uppe i skogen här, den nionde april. Ungarna lägger vitsippor här den sjuttonde maj. Ingrid, min dotter, har berättat det för mig.

– "Pilot Officer, Royal Air Force, A. F. Le Maistre of Canada. Age 26. God gave and God has taken." Lång väg att resa för ett så kort hjältedåd.

– Mm. Skarre såg bort. Här kommer jag, ända från Kanada, i min nya uniform, för att kämpa för er på den rätta sidan. Och så är det inte mer. Bara eld och död.

Sejer såg lite förvånat på honom och började strosa ner mot kyrkan. De hade lagt Annie i utkanten av kyrkogården, nära en stor kornåker. Blommorna hade mist sin fräschör och började likna avfall. De såg på graven och försjönk i tankar. Sedan började de ströva omkring medan de läste på de andra stenarna. Två rader ovanför Annie fann Sejer det han letade efter. En liten sten, välvd upptill och med vacker snirklad skrift. Skarre böjde sig fram och läste.

– Vår älskade Eskil?

Sejer nickade och såg på honom. – Eskil Johnas. Född fjärde augusti nittiotvå, död sjunde november nittiofyra.

– Johnas? Matthandlaren?

– Matthandlarens son. Han satte frukosten i halsen och kvävdes. Efter dödsfallet sprack äktenskapet. Inte så konstigt kanske, det är visst inte så ovanligt. Men han har en äldre son som bor hos mamman.

– Han hade bilder av pojkarna på väggen, sa Skarre och stack händerna i byxfickorna. Vad är det lilla hålet ovanpå till?

– Det är väl någon som har snott något därifrån. Det har väl suttit en fågel eller ängel där, som det ofta gör på småbarnsgravar.

– Konstigt att de inte har ersatt den. Lite oansenlig grav, tycker jag. Ser nästan lite vanvårdad ut. Jag trodde bara det var gamla människor som blev bortglömda på det sättet.

De vände sig om och såg på åkrarna som omgav kyrkogården på alla sidor. Ljusen från prästgården alldeles intill glimmade fromt i den blå skymningen.

– Det är väl inte så lätt att komma hit kanske. Mamman har flyttat in till Oslo och har lång väg.

– Johnas har bara två minuter.

Skarre såg åt andra hållet, mot Fagerlundsåsen, där husen glittrade vid Kollens fot.

– Han kan se kyrkan från vardagsrumsfönstret, sa Sejer. Jag minns det från när vi stod där. Kanske tycker han att det räcker.

– Nu har han fått sina valpar.

Sejer svarade inte.

– Så vart går vi nu?

– Jag vet inte riktigt. Men den här lilla pojken dog. Han såg ner på graven igen och rynkade pannan. Och Annie blev som en annan människa efter det. Varför tog hon det så hårt? Hon var en robust flicka med stor motståndskraft. Är det inte så att alla normalt friska människor kommer över saker och ting. Är vi inte skapade sådana att vi accepterar döden och lever vidare, åtminstone efter ett tag?

Han hejdade sig plötsligt och stängde igen munnen. Lite förvirrad la han sig på knä och studerade ännu en gång den nästan nakna graven, medan han fingrade lite villrådigt på de vissna blommorna.

– Och det att hon ändå reagerade, trots sin robusthet, vad skulle det kunna betyda?

– Jag vet inte. Jag vet inte riktigt vad jag är ute efter.

– Hur kan folk förmå sig till att stjäla från en grav? sa Skarre.

– Det är väl ett gott tecken, sa Sejer och reste sig, att du inte kan fatta det. De gick tillbaka till bilen.

– Tror du på Gud? frågade Skarre plötsligt.

Sejer snörpte på munnen.

– Nja, nej, jag gör väl inte det. Jag tror väl mer… på en sorts kraft, sa han besvärat.

Skarre log. – Den har jag hört förut. Den där *kraften* är liksom mer accepterad. Lite lustigt hur svårt vi har att sätta namn på den. Men det är klart, ordet Gud är ju väldigt belastat. Och vart tror du kraften leder oss?

– Jag sa kraft, kommenterade Sejer. Inte vilja.

– Så du tror på en viljelös kraft?

– Det sa jag inte heller. Jag kallar det bara en kraft, och huruvida den är viljestyrd eller ej är en öppen fråga.

– Men en viljelös kraft, är inte det ganska deprimerande?

– Du ger dig då inte! Försöker du bekänna din tro för mig på något slags klumpigt sätt?

– Ja, sa Skarre enkelt.

– Jösses. Allt man inte vet.

Han begrundade denna oväntade upplysning och mumlade efter ett tag: – Det där med tro har jag aldrig förstått.

– Hur då?

– Jag förstår inte riktigt vad det innebär.

– Det handlar bara om att inta ett förhållningssätt. Man väljer ett förhållningssätt till livet, som så småningom blir till gagn och glädje. Det ger dig ett ursprung och en mening med livet och döden som är alldeles otroligt tillfredsställande.

– Inta ett förhållningssätt? Är du inte frälst?

Skarre öppnade munnen och släppte ut ett kluckande skratt som påminde om Sørlandet och skärgård och hav.

– Folk gör alltid allting så svårt. Egentligen är det så busenkelt. Du ska inte förstå allting. Du ska först och främst känna. Förståelsen kommer med tiden.

– Då får det vara för min del, sa Sejer.

– Jag vet nog vad du satsar på, flinade Skarre. Du tror inte på Gud, men pärleporten ser du ändå tydligt för dig. Och som de flesta hoppas du att Sankte Per sitter och sover över den stora boken, så att du kan smita in i ett obevakat ögonblick.

Sejer småskrattade hjärtligt från djupet av sin själ och gjorde något han aldrig hade trott var möjligt. Han la armen om Skarres axlar och gav honom en klapp.

De var framme vid bilen. Sejer plockade bort ett litet lönnlöv som hade klistrat sig fast på vindrutan.

– Jag skulle ha köpt en ny fågel, sa Skarre, och gjutit fast den ordentligt i stenen. Om det hade varit mitt barn.

Sejer startade den gamla Peugeoten och lät den brumma en stund i stillheten.

– Det skulle jag också.

Halvor fortsatte framför skärmen. Han hade aldrig trott att det skulle bli lätt, för hans liv hade aldrig varit lätt. Det kunde ta månader och det avskräckte honom inte. I tankarna gick han igenom allt han kunde minnas om vad hon hade läst eller lyssnat till och valde ut en titel här och där, eller ett namn från en bok, eller stående uttryck som hade varit en del av hennes vokabulär. Ofta satt han bara och stirrade på skärmen. Han brydde sig inte om något annat längre, inte TV:n, inte CD-spelaren. Han satt ensam i tystnaden och levde huvudparten av sitt liv i förfluten tid. Att finna det hemliga ordet hade blivit en ursäkt för honom att stanna i det förflutna och slippa se framåt. Det fanns dessutom ingenting att se längre fram. Bara ensamhet.

Det han hade haft ihop med Annie var självklart för bra för att få fortsätta, det borde han ha begripit. Ofta hade han grubblat över vart det egentligen bar hän, och var det skulle sluta.

Farmodern sa ingenting men hade ändå sina bestämda uppfattningar, som till exempel att han borde göra något nyttigare, som att klippa den lilla gräsplätten på baksidan av huset, kratta gårdsplanen och kanske städa lite i skjulet. Det var nu en gång sådant man brukade göra på våren. Kasta skräpet efter vintern. Blomrabatten framför huset borde dessutom ha rensats, hon hade själv varit ute och sett hur tulpanerna slokade, fullständigt invaderade av maskrosor och nässlor. Han nickade frånvarande var gång hon nämnde det och fortsatte sedan med sitt. Till slut gav hon upp och tänkte att det måtte vara väldigt viktigt, det han höll på med. Hon lyckades efter mycken möda snöra på sig ett par joggingskor och haltade ut med en krycka under armen. Det var inte ofta hon var ute på gården. Bara enstaka gyllene dagar orkade hon gå så långt som till butiken. Hon stödde sig tungt på kryckan och hängde lite med huvudet över förfallet. Det skedde uppenbarligen inte bara inom henne själv. Allt var liksom så grått och urblekt, husen, gårdsplanen, eller kanske var det bara synen som sviktade. Eller en blandning av allt det. Hon stapplade över gården och öppnade dörren till skjulet. Fick plötsligt för sig att hon skulle titta in.

147

Kanske gick det fortfarande att använda de gamla trädgårdsmöblerna, i varje fall kunde de stå som prydnad framför huset. Det såg trevligt ut. Andra hade ställt ut trädgårdsmöblerna för länge sedan. Hon fumlade efter strömbrytaren på väggen och tände ljuset.

Astrid Johnas hade en sybehörsaffär i västra Oslo.

Hon satt vid en stickmaskin och arbetade med något mjukt och angoraaktigt, något till ett spädbarn kanske. Han gick över golvet och harklade sig försiktigt, stannade bakom ryggen på henne och beundrade arbetet med en tafatt min.

– Jag gör ett vagntäcke, log hon. Att lägga i en barnvagn. Jag gör sådant på beställning.

Han stirrade på henne, lite förvånad först. Hon var en hel del äldre än mannen hon hade varit gift med. Men först och främst var hon sällsynt vacker, och hennes skönhet tog ett ögonblick andan ur honom. Inte den milda, behärskade skönheten Elise hade haft, utan en dramatisk, mörk skönhet. Mot hans vilja dröjde sig hans blick kvar vid hennes läppar. Först då kände han hennes doft, kanske för att hon gjorde en rörelse mot honom. Hon luktade som inne i en gottaffär, en svag vaniljdoft.

– Konrad Sejer, sa han. Polisen.

– Jag tänkte väl det.

Hon log mot honom. – Och då och då har jag undrat över att det syns så väl utanpå, även om ni kommer civilklädda.

Han rodnade inte men började fundera över om han hade lagt sig till med ett speciellt sätt att gå eller klä sig efter alla år vid polisen, eller om hon helt enkelt var mer skarpsynt än de flesta.

Hon reste sig och släckte arbetslampan.

– Kom med in här bakom. Jag har ett litet kontor där jag äter och så.

Hon gick på ett mycket kvinnligt sätt över golvet.

– Det är så förfärligt det här med Annie, jag orkar nästan inte tänka på det. Och så har jag så dåligt samvete för att jag inte gick på begravningen, men jag orkade faktiskt inte. Jag skickade blommor.

Hon pekade på en ledig stol.

Han stirrade på henne och fylldes långsamt av en nästan glömd känsla. Han var alldeles ensam med en vacker kvinna, och det fanns ingen annan

148

i rummet som han kunde gömma sig bakom. Hon log mot honom som om samma tanke plötsligt hade slagit henne. Men hon tappade inte fattningen. Hon hade alltid varit vacker.

– Jag kände Annie väl, sa hon. Hon var ofta hos oss och passade Eskil. Vi hade en son, förklarade hon, som dog från oss i fjol höst. Han hette Eskil.

– Jag vet det.

– Du har förstås talat med Henning. Vi tappade tyvärr kontakten med henne efter det, hon kom inte längre och hälsade på. Stackars flicka, det gjorde mig så ont om henne. Hon var ju bara fjorton år, och då är det inte så lätt att veta vad man ska säga.

Sejer nickade och fingrade på knapparna i jackan. Det blev plötsligt väldigt varmt inne på det lilla kontoret.

– Har ni ingen som helst aning om vem som gjorde det? frågade hon så.

– Nej, sa han ärligt. Än så länge samlar vi bara information. Sedan får vi se om vi efterhand kan förflytta oss över i vad vi kallar den taktiska fasen.

– Jag är rädd att jag inte kan vara till någon större hjälp. Hon såg ner på sina händer. Jag kände henne väl, en bra flicka, duktigare och snällare än de flesta i hennes ålder. Det fanns inget tillgjort hos henne. Tränade hårt och höll sig i form och arbetade ordentligt i skolan. Söt var hon också. Hon hade en pojkvän som hette Halvor. Men det var väl slut nu kanske?

– Nej, sa han lågt.

Det uppstod en paus. Han väntade för att se om hon skulle fylla den.

– Vad är det du vill veta? sa hon till sist.

Han teg fortfarande och betraktade henne. Hon var liten och slank med mörka ögon. Allt hon hade på sig var stickat, en enda stor reklam för verksamheten. Vacker dräkt med smal kjol och insvängd jacka, djupröd med gröna och senapsfärgade bårder. Svarta låga skor. Enkel slät frisyr. Läppstift i samma färg som kläderna. Pilspetsar av brons i öronen, delvis gömda i det mörka håret. Lite yngre än han själv, med de första tecknen till fina linjer vid ögonen och munnen och helt klart en del äldre än mannen hon hade varit gift med. Sonen Eskil måtte ha kommit precis på sluttampen av hennes ungdom.

– Jag ville bara prata, sa han försiktigt. Jag är inte ute efter något särskilt. Hon kom alltså till er och passade Eskil?

– Flera gånger i veckan, sa hon stilla. Det var inga andra som ville passa

149

Eskil, han var inte lätt att ha att göra med. De andra föredrog andra ungar. Men det här har du väl hört redan.

– Nåja, det har nämnts, ljög han.

– Han var förfärligt aktiv, nästan på gränsen till det onormala. Hyperaktiv heter det visst. Du vet, upp och ner, aldrig stilla. Hon skrattade ett hjälplöst skratt. Det är inte lätt att erkänna det här, det hoppas jag du förstår. Men han var helt enkelt ett svårt barn. Annie klarade honom bättre än de flesta.

Hon gjorde ett uppehåll och tänkte efter. – Och hon kom ofta. Vi var ganska uttröttade, Henning och jag, och då var det en välsignelse när hon stod i dörren och ville passa honom. Han satt i sittvagn och vi brukade skicka med dem pengar så att de kunde gå fram och tillbaka till centrum och köpa sig något. Godis och glass och sådant. Det tog i regel en timme eller två. Jag tror hon sölade med flit. Då och då tog de bussen och var borta hela dagen. Åkte med det lilla tåget på torget. Jag jobbade natt på sjukhemmet då och måste ofta sova på dagen, så det var en välkommen avlösning. Visserligen har vi en son till, Magne. Men han var nästan för stor för att dra omkring med barnvagnen. I varje fall var han ovillig. Så då slapp han, som pojkar ofta gör.

Hon log igen och bytte ställning på stolen. Var gång hon rörde sig kände han det lilla draget av vanilj genom rummet. Hela tiden höll hon ögonen på dörren, men ingen kom. Att tala om sonen väckte liksom en oro inom henne. Hennes ögon var överallt utom på Sejers ansikte, de flög som en fågel instängd i ett alltför litet rum, över garnhyllorna, ner i bordet, ut mot butiken.

– Hur gammal var Eskil när han dog? frågade Sejer.

– Tjugosju månader, viskade hon.

Just då ryckte hennes huvud till.

– Hände det medan Annie passade honom?

Hon såg upp. – Nej, för Guds skull. Jag höll på att säga lyckligtvis, det hade varit förfärligt. Det var illa nog som det var för stackars Annie utan att hon skulle ha varit ansvarig för det också.

Ny paus. Han andades så försiktigt han kunde och tog sats igen.

– Men... vad för slags olycka var det egentligen?

– Jag trodde du hade talat med Henning, sa hon förvånat.

– Det har jag, ljög han, men inte så i detalj.

– Han satte maten i halsen, sa hon lågt. Jag låg uppe på andra våningen.

Henning stod i badrummet med rakapparaten och hörde ingenting. Förresten skrek han väl inte heller, eftersom han hade mat i halsen. Han var fastspänd i stolen med en sele, viskade hon. En sådan där som ungar har i den åldern och som egentligen ska vara en säkerhetsanordning. Han satt och åt frukost.

– Jag känner till sådana stolar, jag har barn och barnbarn, infogade han.

Hon svalde och fortsatte: – Henning fann honom hängande i selen, alldeles blå i ansiktet. Ambulansen tog över tjugo minuter på sig och allt hopp var ute när den äntligen kom.

– De kom från Centralsjukhuset?

– Ja.

Sejer såg ut i butiken och fick syn på en dam utanför fönstret. Hon beundrade en kofta som fru Johnas hade i skylten.

– Så det hände på morgonen?

– Tidigt på morgonen, viskade hon. Den sjunde november.

– Och du sov hela tiden, var det så?

Plötsligt stirrade hon på honom, såg honom rakt i ögonen. – Jag trodde du skulle tala om Annie.

– Det vore bra om du berättade lite om Annie, sa han snabbt för att blidka henne.

Men nu sa hon inte mer. Hon rätade på sig i stolen och la armarna i kors.

– Jag förmodar att du har talat med alla som bor i Kristallen?

– Det har vi.

– Då vet du väl redan allt det här?

– Jo, så är det nog. Men det jag funderar över är Annies reaktion på olyckan, sa han ärligt. Att den var så våldsam.

– Det är väl inte så konstigt, sa hon snabbt, rösten hade blivit en smula avmätt. När en tvååring dör på det viset. En som hon kände så väl. De var så innerligt fästa vid varandra, och Annie var stolt över just det att hon var den enda som klarade av honom.

– Det är kanske inte konstigt. Det är bara det att jag försöker få klarhet i vem hon var. *Hur* hon var.

– Och det har jag berättat för dig. Jag vill inte vara ohjälpsam, men det är inte lätt att tala om det här. Hon såg på honom igen med uppspärrade ögon. Men... det är väl en sexualförbrytare ni letar efter?

– Det vet jag inte.

151

– Inte? Ja, det var bara det första jag kom att tänka på. Eftersom det stod att hon hittades utan kläder. Du vet, man läser ju tidningar och sådant, och det handlar ju nästan bara om sex.

Nu rodnade hon och fingrade på sina ringar. – Men vad skulle det annars vara?

– Det är det som är frågan. Vi förstår det inte. Såvitt vi vet hade hon inga fiender. Men man kan ju fråga sig, om motivet inte var sex, vad var det då?

– Det finns väl inte så mycket logik i huvudet på sådana där. Jag menar galningar. De tänker ju inte som andra.

– Vi vet ingenting om hur galen han är. Vi kan bara inte se motivet just nu. Hur länge var du gift med Henning Johnas?

Hon ryckte till igen. – Femton år. Jag var gravid med Magne då vi gifte oss. Henning... han är en hel del yngre än jag, sa hon snabbt, för att liksom bekräfta det hon antog att han redan hade förvånat sig över. Eskil var egentligen resultatet av ganska långa diskussioner, men vi var absolut överens, det var vi verkligen.

– En sorts sladdbarn?

– Ja.

Hon stirrade i taket som om det hängde något intressant där.

– Så den äldste närmar sig sjutton nu?

Hon nickade.

– Har han kontakt med sin far?

Hon såg bestört på honom. – Det är klart att han har! Han åker ofta till Lundeby och hälsar på gamla kompisar. Men det är inte alltid så lätt för oss. Efter allt som har hänt.

Han förstod det och nickade.

– Besöker du ofta Eskils grav?

– Nej, erkände hon. Men Henning gör i ordning där och håller den fin. Det är lite för svårt för mig. Så länge jag vet att den hålls efter, går det att uthärda.

Han tänkte på den vanskötta graven och sa ingenting. Entrédörren öppnades och en ung man kom in i butiken. Fru Johnas kikade ut.

– Magne! Jag sitter här inne.

Sejer vände sig om och såg på hennes son. Han var väldigt lik sin far men hade håret kvar och mycket mer muskler. Han nickade avvaktande och stannade i dörren, ville uppenbarligen inte prata. Hans ansikte var bryskt avvisande och gick i stil med det svarta håret och de svällande överarmsmusklerna.

– Jag måste gå nu, sa Sejer och reste sig. Men du får ursäkta om jag kommer tillbaka, det händer att vi måste det.

Han nickade mot dem båda och passerade sonen i den öppna dörren. Fru Johnas såg långt efter honom och tittade sedan på sonen med plågad min.

– Han undersöker mordet på Annie, viskade hon. Men han ville bara tala om Eskil.

Utanför butiken blev Sejer stående ett ögonblick. En motorcykel stod parkerad intill entrén, kanske tillhörde den Magne Johnas. En stor Kawasaki. Lutad mot cykeln, med ändan på sätet, stod en ung kvinna. Hon såg honom inte, hon var upptagen med sina naglar. Kanske hade hon fått ett hack i en av dem, och nu försökte hon rädda den genom att skrapa på hacket med en annan nagel. Hon hade kort röd skinnjacka med en massa nitar och en sky av ljust hår, som påminde honom om den sorts änglahår de hade i julgranen när han var liten. Plötsligt såg hon upp. Han log och drog ihop jackan.

– God dag, Sølvi, sa han och sneddade över gatan.

Han körde långsamt på motorvägen och samlade tankarna i ordnade led. Eskil Johnas. Ett besvärligt barn som bara Annie ville passa. Och som plötsligt dog, alldeles ensam, fastspänd i en stol, utan att någon kunde hjälpa honom. Han tänkte på sitt eget barnbarn och ryste till samtidigt som han satte kurs mot Lundebysvingen och Halvors hus.

Halvor Muntz stod i köket och sköljde spaghetti under kallt vatten. Han glömde jämt att äta. Nu var han svimfärdig och yr, och Stesoliden han hade tagit natten innan gjorde honom tung och seg. Det var bra tryck i kranarna, därför hörde han inte bilen som svängde upp framför huset. Men kort därefter hörde han farmodern smälla i dörren. Hon mumlade för sig själv och hasade sig över golvet i Nikedojor med svarta ränder. Det såg dråpligt ut. På bänken stod en skål med riven ost och en flaska ketchup. Han mindes med ens att han hade glömt salta spaghettin. Farmodern stånkade i farstun.

– Titta vad jag hittade i skjulet, Halvor!

Det hördes en duns när något föll i golvet. Han kikade ut.

– En gammal ryggsäck, sa hon. Med böcker i. Det är roligt att titta i gamla skolböcker, jag visste inte att du hade sparat dem.

Halvor tog två steg och tvärstannade sedan. I spännet på säcken hängde en flasköppnare med Coca-Cola-reklam.

– Det är Annies, viskade han.

En reservoarpenna hade läckt bläck genom skinnet och gjort små blå fläckar längst ner vid blixtlåset.

– Har hon glömt den här?

– Ja, sa han snabbt. Jag lägger den på rummet så länge och tar med den till Eddie senare.

Farmodern såg på honom och ett ängsligt uttryck spred sig i det rynkiga ansiktet. Plötsligt dök en välkänd gestalt upp från den halvmörka farstun. Halvor kände hur hjärtat sjönk, han stelnade, stod som fastfrusen i golvet med säcken dinglande i ena remmen.

– Halvor, sa Sejer, vill du komma med mig.

Halvor vinglade till och var tvungen att ta ett steg åt sidan för att inte falla.

Taket sjönk liksom, och strax skulle han krossas mot golvet.

– Då kan ni lämna Annies ryggsäck på vägen, sa farmodern nervöst och vred och vred på vigselringen som var för stor. Han svarade inte. Rummet började gå i vågor runt honom och svetten bröt ut när han stod där och darrade med ryggsäcken i handen. Den var inte alls tung för Annie hade tömt den. Inuti låg Undsetbiografin Menneskenes hjerter, Kransen och en arbetsbok. Och hennes plånbok, med bilden av honom själv från i somras, då han faktiskt var ganska brun och fin och nästan solblekt i luggen. Inte som nu. Svettig i pannan och kritvit av skräck.

Stämningen var tryckt. Vanligtvis hade han inga problem med att köra sitt lopp och improvisera. Nu kände han sig överrumplad.

– Du förstår att det här var nödvändigt?

– Ja.

Halvor lyfte ena benet och studerade gympaskon, de fransiga snörena och sulan som höll på att lossna.

– Annies ryggsäck fanns i skjulet hemma hos dig och knyter dig därmed direkt till mordet. Förstår du vad jag säger?

– Ja. Men du har fel.

– Som Annies pojkvän hade vi dig självklart under uppsikt. Problemet var att vi inte kunde anhålla dig. Men nu har farmor gjort jobbet åt oss.

Det hade du säkert inte räknat med, Halvor, hon har ju så dåliga ben. Plötsligt ville hon städa i skjulet. Vem hade trott det?

– Jag har ingen aning om var den kommer ifrån. Hon hittade den i skjulet, det är allt jag vet.

– Gömd bakom en skumgummimadrass?

Halvor var strimmig i ansiktet och blekare än någonsin. Då och då ryckte det i den strama mungipan som om den äntligen, långt om länge, ville slita sig lös.

– Det är någon som försöker skjuta skulden på mig.

– Vad menar du?

– Att det är någon som har ställt den där. Jag hörde att det var någon som smög utanför fönstret en kväll.

Sejer log överseende.

– Flina du, fortsatte Halvor, men det är så det är. Någon har placerat den där, någon som vill att jag ska få skulden. Som vet att vi var ihop. Och då måste det vara någon som hon känner, eller hur?

Han såg trotsigt på kommissarien.

– Jag har alltid trott att han kände henne, sa Sejer. Jag tror han kände henne väl. Kanske lika väl som du, ungefär?

– Det var inte jag, hör du det! Det var inte jag!

Han torkade sig i pannan och försökte lugna sig.

– Finns det någon vi borde tala med som vi har glömt, tror du?

– Det har jag ingen aning om.

– En ny pojkvän till exempel?

– Det var inte något sådant.

– Hur kan du vara så säker på det?

– Då skulle hon ha sagt det.

– Tror du flickor kommer rusande för att bekänna så snart känslorna söker sig nya vägar? Hur många flickor har du haft, Halvor?

– Hon skulle ha sagt det. Du kände inte Annie.

– Det gjorde jag inte. Och jag inser att hon var annorlunda. Men något hade hon väl gemensamt med andra flickor? Något, Halvor?

– Jag känner inga andra flickor.

Han kröp ihop i stolen. Stack ett finger mellan gummit och tyget i skon och började bända.

– Sök efter fingeravtryck på ryggsäcken, sa han.

– Naturligtvis ska vi göra det. Men det är inte svårt att få bort sådant.

155

Jag misstänker starkt att vi inte kommer att hitta ett endaste ett, utom dina och din farmors.

– Jag har inte rört den. Inte förrän nu.

– Vi får se. Fyndet av ryggsäcken ger oss också anledning att närmare undersöka både din motorcykel och overallen och hjälmen. Och huset du bor i. Är det något du vill ha innan vi fortsätter?

– Nej.

Glipan i skon hade blivit ganska stor. Han drog åt sig handen.

– Måste jag stanna här i natt?

– Jag är rädd för det. Om du kan se på det här objektivt, så förstår du säkert att jag måste hålla kvar dig.

– Hur länge?

– Vet inte ännu.

Han såg på pojkansiktet på andra sidan bordet och bytte spår.

– Vad är det du skriver på din dator, Halvor? Du sitter i timtal framför skärmen, från det du kommer från jobbet och till närmare midnatt varenda dag. Kan du säga mig det?

Han såg upp. – Spionerar ni på mig?

– På sätt och vis. Vi spionerar på en massa människor nuförtiden. Skriver du dagbok?

– Jag gör det som avkoppling. Spelar schack, till exempel.

– Mot dig själv?

– Mot jungfru Maria, sa han torrt.

Sejer blinkade. – Jag råder dig att säga vad du vet. Du sitter på något, Halvor, det är jag säker på. Var ni två? Skyddar du någon annan?

– Jag sitter på en pinnstol och jag svettas om baken, sa han surt.

– Om det blir fråga om ett anhållande måste vi kanske ta din PC i beslag.

– Var så god, log han plötsligt. Men ni kommer inte in i den.

– Kommer inte in i den? Varför inte?

Halvor slöt munnen och jobbade vidare med skon.

– För att du har stängt den?

Halvor var torr i munnen, men han ville inte be om en Cola. Hemma i kylskåpet hade han en lättöl, nu satt han och tänkte på den.

– Då antar jag att den innehåller något viktigt, eftersom du har sett till att ingen ska komma åt det?

– Det är bara på kul.

156

– Kan du tala i lite längre meningar?

– Det är inget viktigt. Bara sådant som jag kastar ner när jag har långtråkigt.

Sejer reste sig och stolen gled bakåt, fullständigt ljudlöst på linoleummattan.

– Du ser törstig ut. Jag hämtar var sin Cola åt oss.

Sejer försvann ut och rummet slöt sig omkring Halvor. Det var nu ett ordentligt hål i gympaskon och han såg in på den smutsiga tennissockan. Långt borta hörde han en siren men han kunde inte avgöra vad för slags utryckning det var. Annars hördes det ett jämnt susande i det stora huset, ungefär som på bio innan filmen börjar. Sejer dök upp med två flaskor och en öppnare.

– Jag öppnar fönstret lite, okej?

Halvor nickade. – Det var inte jag.

Sejer tog fram plastmuggar och slog i. Det skummade över.

– Jag hade ingen orsak.

– Spontant kan jag inte se någon, jag heller.

Han suckade och drack. – Men det behöver inte betyda att du inte hade någon. Då och då rusar känslorna iväg med oss, i regel är svaret så enkelt. Har det hänt dig någon gång?

Halvor teg.

– Känner du Raymond på Kolleveien?

– Han som är mongoloid? Jag ser honom på gatan då och då.

– Har du varit vid hans hus någon gång?

– Jag har kört förbi. Han har kaniner.

– Och talat med honom?

– Aldrig.

– Visste du att Knut Jensvoll, Annies tränare, har suttit inne för våldtäkt?

– Annie sa det.

– Visste andra det också?

– Ingen aning.

– Kände du pojken hon brukade passa, Eskil Johnas?

Nu tittade han upp, förvånat. – Ja. Han är död.

– Berätta för mig om honom.

– Varför det? sa han överraskat.

– Gör bara som jag ber dig.

157

– Tja, han var väl snäll och trevlig.

– Snäll och trevlig?

– Full av energi.

– Svår?

– Lite tröttsam, kanske. Kunde inte sitta still. Han fick visst medicin också. Måste jämt spännas fast, i stolen, i vagnen. Jag var med några gånger och passade honom. Ingen utom Annie ville passa honom. Men du vet, Annie...

Han tömde muggen och torkade sig om munnen.

– Kände du hans föräldrar?

– Jag vet vilka de är.

– Äldste sonen?

– Magne. Bara till utseendet.

– Visade han någon gång intresse för Annie?

– Bara det vanliga. Långa blickar när hon gick förbi.

– Vad tyckte du om det, Halvor? Att andra kastade långa blickar efter din flicka?

– För det första var jag van vid det. För det andra var Annie ganska avvisande.

– Ändå har hon följt med någon. Det finns ett undantag här, Halvor.

– Jag förstår det.

Halvor var trött. Han slöt ögonen. Ärret i mungipan lyste blankt i lampskenet som en tråd av silver. – Det var mycket med Annie som jag aldrig förstod. Ibland var hon arg utan orsak, eller väldigt irriterad, och om jag frågade vad det var, blev hon etter värre och snäste att det inte är allt här i världen man kan berätta så där utan vidare.

Han hämtade andan.

– Så du hade en känsla av att hon visste något? Som plågade henne?

– Jag vet inte. Jo. Jag berättade mycket om mig själv för Annie. Det mesta. Så att hon skulle förstå att det inte var farligt att anförtro sig åt någon.

– Men dina bekännelser var tydligen inte i den storleksordningen? Hennes var värre?

Det kunde inte ha varit värre. Aldrig i livet.

– Halvor?

– Någonting, sa han lågt och öppnade ögonen, låg över Annie som ett lock.

158

Någonting låg över Annie som ett lock.

Meningen var så finurligt formulerad att han kände att han trodde på den. Eller var det kanske så att han *ville* tro? Hur som helst. Ryggsäcken i skjulet. Den starka känslan att Halvor dolde något. Sejer såg på vägen framför sig och formulerade några teser i tankarna. Hon tyckte om att passa andras barn. Den hon helst ville passa var särdeles svårhanterlig och dessutom död. Hon kunde inte få egna barn och hade inte långt kvar att leva. Ville inte tävla med andra längre, bara löpa ensam längs vägarna. Hon hade en pojkvän som hon tidvis skällde på, hon gjorde slut med honom och tog honom tillbaka igen. Som om hon inte visste vad hon ville. Han blev inte klok på vad dessa faktiska förhållanden betydde.

Han stack händerna i fickorna och sneddade över parkeringsplatsen. Fann bilen och manövrerade försiktigt ut på vägen. Så körde han till grannkommunen, den kommun där Halvor hade trampat ut barnskorna, eller snarare bristen på dem. På den tiden hade länsman kontor i en gammal villa, nu fann han den lilla polisstationen i ett nytt köpcenter, inklämd mellan Rimibutiken och skattekontoret. Han väntade en stund i förrummet och satt försjunken i djupa tankar när länsmannen kom in i rummet. En blek näve med fräknar på handryggen tryckte hans egen. Mannen var drygt fyrtio, smal och med dålig pigmentering i hud och hår och illa dold nyfikenhet i de blågröna ögonen. Men absolut tillmötesgående. En kommissarie från huvudkommunen var inte vardagsmat. Större delen av tiden kändes det som om resten av världen hade glömt bort dem.

– Snällt att du tog dig tid, sa Sejer och följde efter honom genom korridoren.

– Du nämnde ett mordfall, Annie Holland?

Sejer nickade.

– Jag har följt med i tidningarna. Och eftersom du är här, har ni kanske någon i kikaren som du tror att jag känner. Har jag förstått saken rätt?

Han pekade på en ledig stol.

– Nåja, på sätt och vis. Vi har honom faktiskt anhållen. Han är bara en pojke men fynd hemma hos honom lämnade oss inget val.

– Och det skulle ni gärna ha haft?

– Jag tror inte han har gjort det.

Han log lite åt sina egna ord.

– Nej, just det. Sådant händer.

Länsmannens röst var utan ironi, han knäppte de skära händerna och väntade.

– I december nittio hade du ett självmord här i ditt distrikt. Två bröder skickades till Bjerkeli barnhem som en följd av det, och modern hamnade på Centralsjukhusets psykiatriska avdelning. Jag är ute efter information om Halvor Muntz, född 1976, son till Torkel och Lilly Muntz.

Länsmannen kände igen namnen direkt. Plötsligt såg han bekymrad ut.

– Du hade hand om det fallet, inte sant?

– Ja, tyvärr, det hade jag. Jag och en yngre konstapel. Halvor, den äldste, ringde hem till mig, på mitt privata nummer. Det hände på natten. Jag minns datumet, den trettonde december, för min dotter var Lucia på skolan. Jag ville inte åka dit ensam, så jag tog med mig en nyanställd konstapel, när det gällde den familjen kunde man aldrig vara säker på vad som var att vänta. Så vi åkte ut till huset och fann modern på soffan i vardagsrummet, gömd under täcket, och de båda barnen uppe på andra våningen. Halvor sa inte ett ord. Han hade sin lillebror bredvid sig i sängen och han såg förfärlig ut. Blod överallt. Vi undersökte dem, såg att de levde och kunde andas ut. Så började vi leta. Fadern låg i vedskjulet i en gammal möglig sovsäck. Halva huvudet var bortblåst.

Han tystnade och Sejer kunde nästan se bilderna som skuggor i hans iris, allt eftersom de rullades fram.

– Det var inte lätt att få ur dem någonting. De klamrade sig fast vid varandra och sa inte ett ord. Men efter en massa lirkande och list berättade Halvor att fadern hade druckit hårt sedan morgonen och upparbetat ett rent vanvettigt raseri. Han talade osammanhängande och förstörde delar av bottenvåningen. Pojkarna hade varit ute större delen av dagen, men då det närmade sig natt var de tvungna att gå in för det blev kallt. Halvor vaknade av att fadern stod böjd över sängen med en brödkniv i handen. Han stack Halvor en gång, sedan var det som om han besinnade sig. Han störtade ut och Halvor hörde dörren slå igen. Efteråt hörde de hur han bökade och slamrade med dörren till skjulet. De hade ett sådant där gammaldags vedskjul på tomten. Det gick en stund, sedan hördes ett skott. Halvor vågade inte gå och titta efter, han smög ner i vardagsrummet och ringde till mig. Men han anade nog vad det handlade om. Sa att han var rädd för att det hade hänt fadern något. Barnavårdsnämnden hade varit ute efter de ungarna i åratal, men Halvor satte sig

160

hela tiden till motvärn. Den här natten protesterade han däremot inte.

– Hur tog han det?

Länsmannen reste sig och gick en lov över golvet. Han suckade och verkade orolig. Sejer avhöll sig från att fylla ut pausen.

– Det var inte gott att veta vad han kände. Halvor var sluten. Men uppriktigt sagt var det knappast förtvivlan. Mer en sorts målmedvetenhet, kanske för att det nya livet äntligen kunde börja. Faderns död var en vändpunkt. Det måste ju ha varit en lättnad. De där barnen var rädda för jämnan, och de fick aldrig vad de behövde.

Han teg igen. Stod hela tiden med ryggen till och väntade på en kommentar. Det var trots allt kommissarien som hade kommit för att få hjälp. Men det hände ingenting. Han stod fortfarande och liksom ruvade på något, så vände han sig äntligen om.

– Det var först efteråt vi började tänka. Han gick tillbaka till sin plats.

– Fadern låg i en sovsäck. Hade tagit av sig jackan och stövlarna, till och med rullat ihop tröjan och lagt den under huvudet. Jag menar, han hade verkligen lagt sig till ro för natten. Inte, sa han och drog efter andan, inte för att dö. Så det slog oss efteråt att det naturligtvis kunde vara så att någon faktiskt hade hjälpt honom över i evigheten.

Sejer slöt ögonen. Han gnuggade hårt på en punkt i ena ögonbrynet och kände hur lite avskrapad hud föll ner framför ögat.

– Du menar Halvor?

– Ja, sa han tungt. Jag menar Halvor. Halvor kan ha följt efter honom ut, sett att han sov, stuckit hagelbössan ner i sovsäcken och in i händerna på honom och bränt av.

Upplysningen fick Sejer att huttra till.

– Vad gjorde ni?

– Ingenting.

Länsmannen slog ut med händerna i en hjälplös gest. – Vi gjorde inte ett dugg. Dessutom hittade vi ingenting som kunde binda honom vid det, rent konkret. Frånsett alltså att fadern var så full att han närmast var medvetslös och hade gjort det bekvämt för sig genom att ta av sig stövlarna och göra en kudde av tröjan. Såret var typiskt för en självmördare. Kontaktskott med ingångshål under hakan och utgång uppe på skallen. Kaliber sexton. Inga andra fingeravtryck på haglen. Inga fotavtryck utanför skjulet som verkade misstänkta. Vi hade, i motsats till er, ett val. Men du vill kanske kalla det något annat. Tjänstefel, eller grov försummelse?

– Jag skulle nog kunna hitta på något värre än det. Sejer log plötsligt. Om jag ville. Men ni talade med honom?

– Vi tog in honom för rutinmässigt förhör. Det handlade ju om ett skottdrama. Men vi kom ingen vart. Brodern var inte mer än sex, han kunde inte klockan och kunde varken bekräfta eller dementera klockslaget. Modern var full av valium, och ingen av grannarna hade hört skottet. De bodde ganska avsides, i ett rysligt hus som ursprungligen hade varit lanthandel. Ett grått tegelhus med hög stentrappa och ett enda stort fönster vid sidan av dörren.

Han torkade sig under näsan fastän det inte hängde något där.

– Men en del talar lyckligtvis emot.

– Vad tänker du på?

– Om det verkligen var Halvor som sköt, så måste han faktiskt ha legat på magen intill fadern med bössan längs bröstet på honom och mynningen tätt mot hans haka. Enligt skottvinkeln. Skulle en femtonåring som just blivit knivskuren i kinden tänka så klart?

– Inte otänkbart. Den som bor med en psykopat år efter år lär sig säkert en del. Halvor är skärpt.

– Var de ihop eller något? Han och flickan Holland?

– Något ditåt, sa Sejer. Jag gläder mig inte åt din misstanke, men jag måste nog ta den i beaktande.

– Så du måste gå vidare med det?

– Om du kunde ge mig kopior på handlingarna i fallet vore det fint. Men hur som helst är det väl omöjligt att bevisa något efter så lång tid. Jag skulle tro att du kan känna dig trygg. Jag har tjänstgjort på landet själv, så jag vet hur det är. Man blir för bekant med folk.

Länsmannen stirrade sorgset ut genom fönstret.

– Nu har jag väl skadat Halvors sak genom att berätta det här för dig. Han förtjänar bättre. Han är den mest omtänksamma pojke jag någonsin har träffat. Han skötte om sin mor och sin bror i alla år, och jag har hört att han bor hos gamla fru Muntz nu och sköter om henne.

– Det stämmer.

– Sedan får han äntligen en flickvän. Och så slutar det så här? Hur är det med honom, har han huvudet ovanför vattnet?

– Jadå, det har han. Kanske har han aldrig väntat sig något annat av livet än upprepade katastrofer.

– Om han mördade sin far, sa länsmannen och såg Sejer rätt i ögonen,

162

så var det nödvärn. Han räddade resten av familjen. Det var fadern eller de. Jag har svårt för att tro att han kunde döda av andra skäl. Därför är det inte rättvist att använda det här emot honom. Den här enstaka händelsen som vi dessutom aldrig har fått klarhet i. Efteråt har jag löst problemet för mig själv genom att frikänna honom. Låta tvivlet komma honom till godo.

Han drog med handen över munnen. – Stackars Lilly visste nog inte vad hon gjorde när hon gav Torkel Muntz sitt ja. Min far var länsman här före mig, och det var alltid problem med Torkel. Han var en bråkstake, men det var en stilig karl. Och Lilly var söt. Var för sig kunde de kanske ha klarat sig här i världen. Men det är liksom vissa kombinationer som inte fungerar, inte sant?

Sejer nickade. – Vi har avdelningsmöte senare idag och då får vi överväga en häktning. Jag är rädd...

– Ja?

– Jag är rädd att jag inte får teamet att gå med på att släppa honom. Inte efter detta.

Holthemann bläddrade igenom rapporten och tittade strängt på dem, som om han ville tvinga fram resultat genom ögats kraft. Avdelningschefen var en man som man inte skulle tilltro vare sig skarpsinne eller ställning om man till exempel hamnade bakom honom i kön framför kassan i Rimibutiken. Han var torr och grå som visset gräs, med en blanksvettig flint och dimmig blick som såg ut som om den var kluven mitt itu bakom de bifokala glasögonen.

– Hur är det med den där kufen uppe på Kolleveien? började han. Hur grundligt har ni egentligen kollat upp honom?

– Raymond Låke?

– Det var hans jacka som låg över liket. Och Karlsen säger att det går rykten.

– Sådana är det gott om, sa Sejer kort. Vilka tänker du på?

– Som till exempel att han far omkring och glor på flickor. Det går också rykten om hans far. Att det inte alls är något fel på honom, men att han ligger till sängs och läser porrtidningar och låter stackarn springa omkring och göra allt arbete. Kanske Raymond har tjuvläst lite och fått inspiration.

– Jag är övertygad om att vi söker en man i grannskapet, svarade Sejer. Och jag tror han försöker lura oss.

163

– Tror du på Halvor?

Sejer nickade. – Dessutom har vi en mystisk person som dök upp på gårdsplanen hos Raymond, som sedan plötsligt svär på att bilen var röd.

– Också en historia. Kanske var det en oskyldig vandrare. Raymond... han är ju en knäppis. Tror du på honom?

Sejer bet sig i läppen. – Just därför. Jag tror inte han är smart nog för att hitta på något sådant. Jag tror att det faktiskt har varit någon där och talat med honom.

– Alltså samme man som ska ha smugit omkring utanför Halvors fönster? Och placerat ryggsäcken i skjulet?

– Till exempel, ja.

– Det är inte likt dig att vara så godtrogen, Konrad. Har du låtit dig charmas totalt av en knäppis och en tonåring?

Sejer kände ett våldsamt obehag. Han tyckte inte om tillrättavisningen, och kanske höll han verkligen på att låta intuition och antaganden överskugga vad som var fakta. Halvor låg närmast till. Han var pojkvännen.

– Hade Halvor några detaljer att komma med? fortsatte Holthemann. Han reste sig från stolen och lutade sig mot skrivbordet, vilket gjorde att han faktiskt kunde se *ner* på Sejer.

– Han hörde en bil som startade. Möjligen en gammal bil, kanske en med en cylinder ur funktion. Ljudet kom nerifrån huvudvägen.

– Det finns en vändplats där. Många som stannar.

– Jag är medveten om det. Låt oss släppa honom. Han sticker ingenstans.

– Enligt vad du har berättat är det möjligt att han är en mördare i vilket fall som helst. En som med kallt blod har mördat sin egen far. Jag tycker det är lite väl mycket, Konrad.

– Men han älskade Annie, det gjorde han verkligen, på sitt eget besynnerliga sätt. Fastän hon nästan inte tillät honom att göra det.

– Han blev väl otålig och tappade fattningen. Och om han blåste skallen av fadern så visar det ju att det finns mycket sprängstoff i den unge mannen.

– Om han verkligen mördade fadern, och det vet vi inte ett dugg om, så måste det ha varit för att han inte hade något annat val. Hela familjen höll på att gå under efter många års misshandel och vanvård. Dessutom blev han knivskuren. Jag tror faktiskt att han hade blivit frikänd.

– Mycket möjligt. Men faktum är att han kanske är i stånd att mörda.

Det är det inte alla som är. Vad tror du, Skarre?

Skarre tuggade på en penna och skakade på huvudet.

– Jag föreställer mig en äldre gärningsman, sa han.

– Varför det?

– Hon var i väldigt god form. Annie vägde sextiofem kilo, det mesta av vikten var muskler. Halvor väger bara sextiotre, alltså var de ungefär jämbördiga. Om det verkligen är Halvor som har knuffat henne i vattnet, så skulle han ha mött så pass mycket motstånd att skadorna skulle ha synts på Annie i form av rispor och klösmärken. Men allt tyder på att gärningsmannen har varit klart överlägsen, sannolikt mycket tyngre än hon. Jag skulle faktiskt tro att Annie, efter vad jag har sett, var fysiskt överlägsen Halvor. Jag menar inte att han inte skulle ha klarat det, men jag tror det skulle ha kostat på.

Sejer nickade tyst.

– Okej, det låter ju rimligt. Men då står vi i praktiken på noll. Vi har inte funnit andra personer i Annies omgivning med något möjligt motiv?

– Halvor har heller inget synligt motiv.

– Han hade ryggsäcken och dessutom ett stort känslomässigt engagemang. Det är jag som har ansvaret här, och det här känns inte bra, Konrad. Hur är det med Axel Bjørk? Bitter och försupen och med ett farligt temperament. Hittar ni ingenting där?

– Vi har inga belägg för att Bjørk har varit i Lundeby den aktuella dagen.

– Nänä. Jag ser ju i rapporten att ni är mer intresserade av en tvåårig pojke.

Nu log han, men inte direkt överlägset.

– Inte av pojken. Mer av Annies reaktion på dödsfallet. Vi har försökt finna orsaken till hennes personlighetsförändring, och den kanske har med pojken att göra – eller, naturligtvis, med att hon faktiskt var sjuk. Jag hade egentligen hoppats på att finna något annat.

– Som till exempel vad då?

– Vet inte riktigt. Det är ju det som är så svårt här, vi har ingen aning om vilken sorts man vi letar efter.

– En bödel, kanske. Han har pressat ner hennes huvud i vattnet tills hon dog, sa Holthemann brutalt. I övrigt inte så mycket som en rispa.

– Därför tror jag att de har suttit bredvid varandra vid vattenbrynet och samtalat. I all förtrolighet. Kanske höll han i henne på något sätt. Plötsligt la han en hand över nacken på henne och knuffade henne framstupa ut i vattnet. Från den ena sekunden till den andra. Men impulsen kan ha kommit tidigare, kanske medan de ännu satt i bilen, eller på motorcykeln.

– Han måste ha varit både blöt och lerig, mumlade Skarre.

– Men ingen motorcykel har observerats på Kolleveien?

– Bara en bil i hög fart. Men innehavaren av Horgen Handel minns motorcykeln. Han minns däremot inte Annie. Johnas har heller inte sett att hon satte sig på motorcykeln. Han satte av henne, fick syn på motorcykeln och såg att hon gick ditåt.

– Har du något mer nytt?

– Magne Johnas.

– Vad är det med honom?

– Inte mycket egentligen. Han ser ut att vara full av anabola steroider och kastade ögon efter Annie då och då. Hon avvisade honom. Kanske är han en typ som inte klarar sådant. Dessutom var han emellanåt i Lundeby och hälsade på gamla kompisar, och han kör motorcykel. Nu har han kastat sig över Sølvi i stället. Vi kan i varje fall inte ignorera honom.

Holthemann nickade. – Men Raymond och fadern, hur är det med dem? Är det inte klarlagt att Raymond var borta från huset en längre tid?

– Han åkte till butiken, och när han kom tillbaka satt han en stund och såg på Ragnhild medan hon sov.

– Stenhårt alibi, Konrad, log Holthemann. Man har låtit mig förstå att han är ett impulsivt och omoget muskelknippe med en hjärnkapacitet som en femåring?

– Precis. Och femåriga mördare överflödar det inte av.

Holthemann skakade på huvudet. – Men flickor tycker han om?

– Ja. Men jag tror inte han vet vad han ska göra med dem.

– Du ger dig banne mig inte. Å andra sidan vet jag att du har näsa för sådana här saker. Men en sak måste du ha helt klart för dig.

Han lyfte plötsligt ett förmanande finger och pekade på honom. – Du är *inte* hjälte i någon kriminalroman. Försök hålla huvudet kallt.

Sejer la huvudet bakåt och skrattade så hjärtligt att Holthemann spratt till.

– Är det något jag har missat?

Han stack fingret under glasögonen och gnuggade ögongloben fram och tillbaka. Så blinkade han upprepade gånger och fortsatte.

166

– Hur som helst, om det inte händer något ganska snart, vill jag ha Halvor åtalad. Varför skulle till exempel mördaren släpa med sig ryggsäcken hem?

– Om de kom dit i bil lämnade de den på vändplatsen, och så har säcken blivit kvar i bilen, menade Sejer. Efteråt blev det kanske för jobbigt att gå tillbaka igen och kasta den i vattnet.

– Låter troligt.

– En fråga, fortsatte Sejer och fångade hans blick. Om fingeravtrycket på Annies bälte utesluter Halvor, släpper du honom då?

– Låt mig tänka på saken.

Sejer reste sig och gick fram till kartan på väggen där vägen från Kristallen, via rondellen, ner till Horgen Handel och Kolleveien upp till tjärnen var utmärkt med rött. Annie hade markerats med små gröna magnetfigurer på de ställen efter vägen där hon hade blivit sedd. Hon såg ut som den gröna gubben vid övergångsställena. En var placerad utanför huset i Kristallen, en i korsningen vid Gneisveien där hon sneddade och tog genvägen, en stod i rondellen där hon sågs av en kvinna när hon steg in i Johnas bil. En utanför Horgen Handel. Johnas bil och en motorcykel vid butiken var också på plats. Han lyfte en av Anniefigurerna, den vid butiken, mellan två fingrar och stoppade den i fickan.

– Vem ligger egentligen närmast till hands? mumlade han. Är det Halvor? Hur stor är chansen för att någon skulle hinna plocka upp henne på den korta tiden från det att hon gick mot butiken och tills hon hittades? Motorcyklisten har inte anmält sig. Ingen såg henne sätta sig på cykeln.

– Men hon skulle ju möta någon?

– Hon skulle till Anette.

– Det var vad hon sa till Ada Holland. Kanske hade hon stämt träff med någon? sa Holthemann.

– Då måste hon i så fall ta risken att Anette kunde ringa och efterlysa henne.

– De kände varandra. Hon skulle inte ha ringt.

– Det stämmer, det vet jag. Men anta att hon aldrig gick ur Johnas bil. Anta att det är så enkelt.

Han reste sig och tog några steg medan tankarna for genom huvudet. – Vi har bara Johnas ord på det.

– Såvitt jag vet är han en respektabel affärsman med egen butik och fläckfritt register? Dessutom stod han väl i tacksamhetsskuld till Annie för

167

att hon med jämna mellanrum befriade honom från ansvaret för en besvärlig unge.

– Precis. Hon kände honom. Och han hade varma känslor för henne. Han slöt ögonen. – Hon har kanske gjort ett misstag.

– Vad sa du? Holthemann spetsade öronen.

– Jag undrar om hon har gjort ett misstag, upprepade han.

– Det är klart att hon har gjort det. Hon har följt med en mördare till en öde plats, alldeles ensam.

– Det också. Men förutom det. Hon har undervärderat honom. Trott att hon var säker.

– Han hade knappast en skylt på magen, sa Holthemann torrt.

– Och om hon dessutom kände honom? Om hon var så försiktig som du säger, så måste de ha varit mycket förtrogna.

– Kanske hade de en hemlighet ihop.

– En säng, till exempel? sa Holthemann flinande.

Sejer satte Annie på plats vid butiken och vände sig tvivlande om.

– Det skulle inte ha varit första gången, log avdelningschefen menande. Det finns unga flickor som tänder på äldre män. Hur är det, Konrad, har du någon erfarenhet av det? Han flinade lystet.

– Halvor förnekar det, sa Sejer avmätt.

– Visst. Han står inte ut med tanken.

– Ett förhållande hon tänkte avslöja, är det det du menar? Någon med fru och barn och hög lön?

– Jag bara tänker högt. Snorrason säger att hon inte var oskuld.

Sejer nickade. – Halvor har trots allt fått komma till. Enligt min mening borde alla karlar i Kristallen vara tänkbara kandidater. De såg henne varje dag, sommar som vinter, när hon gick längs gatan. Hur hon växte till sig och blev allt snyggare. De plockade upp henne när hon behövde skjuts, hon passade deras barn och gick ut och in i deras hus, hon litade på dem. Det är vuxna män som hon kände väl, som hon säkert inte skulle ha undvikit om de dök upp i hennes väg. Tjugoen hus minus hennes eget, det gör tjugo män. Fritzner, Irmak, Solberg, Johnas, det är ett helt gäng. Kanske en av dem var tänd på henne i all hemlighet.

– Tänd på henne? Han gjorde ju ingenting med henne?

– Kanske var det något som störde honom?

Sejer såg på kartan på väggen. Alternativen tornade upp sig. Han begrep inte att någon kunde mörda en människa och sedan inte röra henne.

Inte utnyttja den döda kroppen, inte leta efter smycken eller pengar eller lämna efter sig synliga tecken på förtvivlan, raseri eller någon pervers böjelse. Bara lägga henne på plats, snyggt och prydligt, hjälpsamt, hänsynsfullt, med kläderna intill. Han tog upp den sista Anniefiguren. Klämde den ett ögonblick hårt mellan fingrarna och satte nästan motvilligt tillbaka den på sin plats.

Efteråt gick han sakta upp mot tjärnen.

Han lyssnade, försökte se dem framför sig, hur de långsamt gick stigen fram. Annie i jeans och blå tröja och en man vid hennes sida. I hans tankar var han en otydlig kontur, en mörk skugga, ganska säkert äldre och större än hon. Kanske förde de ett dämpat samtal medan de gick genom skogen, kanske om något viktigt. Han hade en föreställning om hur det hade varit. Mannen gestikulerade och förklarade, Annie skakade på huvudet, han fortsatte, övertalande, temperaturen steg. De närmade sig vattnet som blänkte mellan träden. Han satte sig på en sten, hade inte rört henne ännu, och hon satte sig tvekande bredvid honom. Mannen var duktig på att uttrycka sig, myndig, vänlig eller kanske bedjande, Sejer visste inte riktigt. Så reste han sig plötsligt och kastade sig över henne, det hördes ett kraftigt plaskande när hon slog i vattnet med mannen över sig. Nu använde han båda händerna och hela sin tyngd, några fåglar flög upp i förskräckelse och skrek, och Annie pressade ihop munnen för att inte dra ner vatten i lungorna. Hon stretade emot, klöste sig med händerna ner i slammet medan röda svindlande sekunder gick och livet långsamt ebbade ut i det glittrande vattnet.

Sejer stirrade ner på den lilla sandplätten.

Det gick en evighet. Annie hade slutat sparka och vrida sig. Mannen reste sig, vände sig om och såg upp mot stigen. Ingen hade sett dem. Annie låg på magen ute i det grumliga vattnet. Kanske tyckte han att det var illa att hon låg på det viset, så han drog upp henne igen. Tankarna kom långsamt igång i hans huvud. Polisen skulle hitta henne, betrakta scenen och dra en rad slutsatser. En ung flicka, död i skogen. En våldtäktsman som hade gått för långt, förstås. Han klädde av henne, men ganska försiktigt, kämpade med knappar och blixtlås och bälte och la kläderna prydligt bredvid. Tyckte inte om den oanständiga ställningen hon låg i, på rygg med skrevande ben, men annars hade han inte fått av henne byxorna. Så han vände henne på sidan, drog upp knäna på henne, ordnade med hennes armar. För den bilden, den allra sista, skulle följa honom resten av livet, och om han skulle uthärda det måste den vara så fridfull som möjligt.

Hur vågade han ta sig så god tid?

Sejer gick ända ner till tjärnen och blev stående med skospetsarna några centimeter från vattnet. Länge stod han så. Tanken på hur de fann henne död dök upp för hans inre öga och hade inte först och främst med ondska att göra. Mer en förtvivlad, hjärtskärande handling. Plötsligt såg han framför sig en förvirrad stackare som trampade runt i ett stort mörker. Det var kallt där inne och lite luft, han stångade ideligen huvudet mot väggen, kunde nästan inte andas och kunde inte komma ut. Till slut bröt han igenom en vägg. Väggen var Annie.

Sejer vände och gick långsamt tillbaka. Mördarens bil, eller kanske motorcykel, var sannolikt parkerad där han hade ställt sin egen Peugeot. Efteråt öppnade mördaren dörren och fick syn på ryggsäcken. Tvekade lite men lät den stå och körde iväg med den avslöjande lasten. Fort förbi Raymonds hus, såg dem komma gående, stollen och en liten flicka med dockvagn. De såg bilen. Vissa barn är duktiga på detaljer. Det första hugget av skräck kändes i bröstet. Han fortsatte köra, passerade tre gårdar, kom äntligen ut på riksvägen. Sejer kunde inte se honom längre.

Han klev in och körde neråt. I spegeln såg han dammet efter bilen. Raymonds hus var tyst nu, såg nästan övergivet ut. Vita och bruna kaniner hoppade fram och tillbaka i burarna när han passerade. Skåpbilen med det urladdade batteriet stod parkerad på gårdsplanen. En gammal bil, kanske med en dålig cylinder? Hönsnätet och rörelsen bakom det påminde honom plötsligt om hans egen barndom, åren innan de flyttade från Danmark. De hade bruna dvärghöns i en bur längst bort i köksträdgården. Han plockade äggen varje morgon, pyttesmå ägg, förunderligt runda, inte större än de största spelkulorna, de som de kallade tolvor. I backspegeln tyckte han sig se att gardinen i fönstret rörde sig lite. Fönstret i sovrummet där Raymonds far låg. Men han var inte säker. Han svängde till höger och passerade Horgen Handel, där motorcykeln hade stått. Nu stod det en blå Blazer framför butiken och dessutom den gula glassreklameskimån som var ett säkert vårtecken. Han vevade ner fönstret och kände den milda brisen i ansiktet. Motivet kunde naturligtvis ha varit sexuellt även om det inte syntes på kroppen. Kanske hade det varit nog att klä av henne, att se henne ligga så, försvarslöst naken och alldeles orörlig, medan han hjälpte sig själv att få en efterlängtad utlösning och tänkte på

170

vad han skulle ha kunnat göra med henne om han hade velat. I gärnings-
mannens fantasi kunde hon ha utsatts för lite av varje. Naturligtvis kunde
det ha varit så. Återigen kände han obehag inför alla alternativ. Han fort-
satte sakta längs riksvägen och stannade framför infarten till kyrkan.
Släppte förbi en traktor med kållådor och svängde in. De vissna blom-
morna på Annies grav var borta nu och träkorset hade avlägsnats. En sten
hade satts upp, en vanlig gråsten, rund och slät, som tvättad och polerad
av havet. Kanske härstammade den från stränderna där hon brukade sur-
fa på somrarna. Han läste påskriften.

Annie Sofie Holland. Gud vare dig nådig.

Han hajade till, försökte bestämma sig för om han gillade texten. Han
trodde inte det. Det lät som om hon hade gjort något galet, något som
hon behövde få förlåtelse för. På vägen ut passerade han Eskil Johnas grav.
Någon, kanske barn, hade lagt dit en bukett maskrosor.

Kollberg måste kissa. Han ledde hunden till en plats bakom hyreshuset,
fick det undangjort i berberisbuskarna och tog hissen upp igen. Släntrade
därefter ut i köket för att se vad frysen kunde innehålla. Ett paket grillkor-
var, hårda som betong, en fryst pizza och ett litet paket märkt "bacon".
Han klämde på det och log lite eftersom det påminde honom om något.
Det blev ägg i stället, fyra vändstekta ägg med salt och peppar, och en
uppskuren korv till hunden. Kollberg slafsade i sig maten och sjönk ihop
under bordet. Själv åt han äggen och drack mjölken med fötterna instuck-
na under bröstet på hunden. Det hela tog honom tio minuter. Tidningen
låg uppslagen bredvid. "Pojkvännen häktad." Han suckade lite, kände sig
illa till mods. Han hade inget till övers för pressen och dess sätt att rap-
portera om livets elände. Till sist dukade han av bordet och satte i kontak-
ten till kaffebryggaren. Kanske hade Halvor verkligen skjutit fadern med
hagelbössan. Dragit på sig handskar, stuckit ner vapnet i sovsäcken, in i
faderns nävar, tryckt av, sopat marken framför dörren till skjulet och
sprungit upp till brodern på rummet igen. Som måste ha känt en obrotts-
lig lojalitet och som aldrig skulle ha avslöjat om Halvor verkligen hade
varit uppe ur sängen då skottet small.

Han drack kaffet i vardagsrummet. Efteråt skulle han ta en dusch och
bläddra i katalogen från Bad och Sanitet, som hade legat i brevlådan.
Det var rea på badrumskakel. Bland annat enkla vita med blå delfiner.
Efter duschen la han sig på soffan. Den var lite för kort, han fick lägga

upp fötterna på armstödet och det var ganska obehagligt, men det hindrade honom från att somna. Han ville inte förstöra nattsömnen, den var dålig nog som den var på grund av eksemet. Han såg mot fönstret och insåg att det behövde putsas. Eftersom han bodde på trettonde våningen såg han ingenting genom rutan utom den blå himlen, som började mörkna i kvällningen. Plötsligt såg han en fluga kravla över glaset. En spyfluga, svart och fet. Ett slags vårtecken, det också, tänkte han, då ännu en kom krypande och började surra runt i närheten av den första. Han hade inget särskilt emot flugor, men det var något med deras sätt att gnugga benen mot varandra. Han uppfattade det som något mycket privat, något han likställde med att klia sig nertill i andras närvaro. Det såg ut som om de sökte efter något. Det kom ännu en. Nu tittade han på allvar, och en obehaglig känsla började sprida sig i hans inre. Tre flugor på fönstret samtidigt. Konstigt att de inte lättade och flög. Det kom ännu en och ännu en, snart kryllade det av stora svarta flugor på rutan. Efter en stund lättade de i alla fall och försvann ner bakom stolen vid fönstret. De var så många nu att han kunde höra deras surr. Han reste sig tvekande från soffan med en olustig, krypande känsla. Det måste finnas något bakom stolen som de frossade på. Till sist reste han sig upp, gick över golvet och närmade sig försiktigt. Med hjärtat i halsgropen tog han tag i stolen och ryckte undan den. Flugorna yrde åt alla håll, en hel svärm. Resten satt i en klunga på golvet och åt av något. Han petade försiktigt på det med tårna, och äntligen försvann de. En äppelskrott. Rutten och mjuk.

Han satte sig upp och vaggade fram och tillbaka i soffan. Skjortan var blöt av svett. Förvirrad gned han sig i ögonen och stirrade på rutan. Ingenting. Han hade drömt. Hans huvud var tungt och tjockt, och han var styv i nacken och benen av att sova på den korta soffan. Han reste sig, lyckades inte motstå lusten att dra undan stolen och titta efter. Ingenting. Han gick till köket, där han hade en flaska whisky och ett paket rulltobak. Suckade lite, inte helt nöjd med sig själv, och bar in det i vardagsrummet. Kollberg iakttog honom avvaktande. Han såg på hunden och ångrade sig.

– Promenad, sa han lågt.

Det tog dem ungefär en timme att gå hemifrån in till kyrkan i centrum och tillbaka igen. Han tänkte på sin mor som han borde ha varit och hälsat på, nu var det alldeles för länge sedan sist. En vacker dag, tänkte han missmodigt, skulle dottern Ingrid titta i sin kalender och tänka likadant:

Jag får väl ta mig en tur dit. Det är länge sedan nu. Utan glädje, bara en sorts plikt. Kanske Skarre hade rätt ändå, kanske var det orimligt att bli så erbarmligt gammal att man bara låg där och var till besvär. Han blev lite överrumplad av sina egna tankar och ökade takten. Kollberg hoppade och skuttade bredvid. Man kunde ju inte lägga av heller. Han skulle snygga till i badrummet. Elise skulle ha tyckt om det där kaklet, det var han säker på. Och om hon hade vetat att det inte var gjort ännu, nej, det vågade han inte tänka på. Åtta år med imiterad marmor, det var skamligt.

Äntligen kunde han ta sig en välförtjänt whisky, och klockan hade hunnit bli så mycket att han kanske kunde somna ändå. Dörrklockan ringde just som han skruvade på kapsylen. Skarre hälsade, inte fullt så försynt som sist. Han kom till fots men rynkade på näsan då Sejer erbjöd honom en whisky.

– Du har inte en öl?

– Nej, inte jag. Men jag kan fråga Kollberg. Han brukar ha ett litet lager nederst i kylskåpet, sa han gravallvarligt. Han försvann ut i köket och kom tillbaka med en fatöl.

– Är du bra på att sätta upp badrumskakel?

– Absolut. Jag gick en kurs en gång. Grejen är att inte slarva med förarbetet. Behöver du hjälp?

Sejer nickade. – Vad tror du om de här? Han pekade på broschyren och de blå delfinerna.

– Väldigt snygga. Vad har du nu?

– Imiterad marmor.

Skarre nickade förstående och drack av ölet. – Halvors fingeravtryck stämmer inte med dem på Annies bältesspänne, sa han plötsligt. Holthemann gick med på att släppa honom tills vidare.

Sejer svarade inte. Han kände en sorts lättnad blandad med irritation. Glad för att det inte var Halvor, frustrerad för att han inte hade någon annan.

– Jag hade en otäck dröm, sa han plötsligt, lite förvånad över sin öppenhet. Jag drömde att det låg ett ruttet äpple bakom stolen där borta. Helt invaderat av stora svarta flugor.

– Har du kollat? flinade Skarre.

Sejer drack av whiskyn och nickade. Bara några dammtussar. Tror du det betyder något?

– Det är väl någon möbel vi har glömt att titta bakom. Någon som har stått där hela tiden, som vi inte har tänkt på. En sådan dröm är definitivt ett varsel. Nu gäller det bara att hitta den stolen.

– Så du anser att vi ska gå över till möbelbranschen?

Han skrockade hjärtligt åt sitt eget skämt, det gjorde han sällan.

– Jag hade hoppats att du satt med någon trumf på hand, sa Skarre. Jag kan inte försona mig med tanken att vi inte kommer någon vart. Veckorna går. Annies mapp sväller. Och du är ju den som kommer med råd.

– Vad menar du med det?

– Ditt namn, log Skarre. Konrad betyder "den som kommer med råd".

Sejer höjde på ena ögonbrynet och lyckades på ett imponerande sätt hålla det andra helt stilla. – Hur vet du det?

– Jag har en bok hemma. Brukar slå upp vad namnen betyder när människor korsar min väg. Det är ett roligt tidsfördriv.

– Vad betyder Annie? frågade han snabbt.

– Vacker.

– Minsann. Tja, just nu lever jag inte upp till mitt namn. Du får inte tappa modet för det, Jacob. Vad betyder Halvor förresten? frågade han nyfiket.

– Halvor betyder väktaren.

Han sa Jacob, tänkte Skarre förvånat. För första gången sa han Jacob.

Solen stod lågt, föll snett in på den ombonade verandan och skapade en skyddad vrå där de kunde ta av sig jackorna. De väntade på att grillen skulle bli varm. Det luktade kol och tändvätska och hjärtansfröjd från Ingrids blomlåda, eftersom hon just hade duschat dem.

Sejer satt med dottersonen i knät och gungade honom upp och ner tills det värkte i lårmusklerna. Med det här barnet skulle något gå förlorat för honom. Om några få år skulle han växa upp och bli grövre i rösten. Därför kände Sejer alltid en sorts vemod när han satt så här med Matteus i knät, samtidigt ilade det nerför ryggen av välbehag.

Ingrid reste sig, lyfte träskorna från verandagolvet och slog dem tre gånger mot varandra. Sedan stack hon fötterna i dem.

– Varför gör du så? ville han veta.

– Bara en gammal vana, log hon. Från Somalia.

174

– Vi har ju inte ormar och skorpioner här.

– Det blir en sorts tvångstanke, skrattade hon. Jag kan inte låta bli. Dessutom har vi ju getingar och huggormar.

– Tror du att en huggorm skulle krypa in i en sko?

– Ingen aning.

Han tryckte barnbarnet intill sig och snusade ner i hans nackgrop.

– Gunga mera, bad Matteus.

– Jag är så trött i benen. Kan du inte hämta en bok, så läser vi i stället.

Pojken hoppade ner och sprang in i lägenheten.

– Hur har du det annars, pappa? sa dottern plötsligt, med en röst ljus som ett barns.

"Annars", tänkte han. Det betydde *egentligen*, hur har du det *egentligen*, innerst inne, i djupet av din själ. Eller så kunde det vara en kamouflerad fråga, om någonting hade hänt. Om han till exempel hade fått sig en väninna, eller kanske var förälskad i någon på avstånd, vilket han inte var. Det skulle ha sett ut, det.

– Jo tack? sa han frågande och lagom oskyldigt.

– Du kanske inte tycker att dagarna är så långa längre?

Värst vad försiktig hon var. Han fick för sig att hon var ute efter något.

– Jag har mycket att göra på jobbet, sa han. Och dessutom har jag er.

De sista orden fick henne att börja syssla med salladsbesticket. Hon snodde och vände på tomater och gurka med stor energi. – Ja, men du förstår, vi har funderat på att resa ner igen. En period till. Den allra sista, kom det snabbt. Hon såg upp på honom, mer och mer skuldmedveten.

– Ner? Han smakade på ordet. Till Somalia?

– Erik har fått en förfrågan. Vi har inte svarat än, sa hon snabbt, men vi överväger det allvarligt. Lite för Matteus skull också. Vi vill så gärna att han ska få se lite av landet och kanske lära sig språket. Om vi reser i augusti är vi hemma till dess han ska börja skolan.

Tre år, tänkte han. Tre år utan Ingrid och Matteus. Bara hemma till jul. Brev och vykort, och dottersonen varje gång ett snäpp längre, ett år äldre, i plötsliga ryck.

– Jag tvivlar inte på att ni behövs där nere, sa han och tog lite extra sats för att rösten skulle bära. Du menar väl inte att mitt väl och ve skulle hindra er? Jag är inte nittio, Ingrid.

Hon rodnade lite.

– Jag tänker ju lite på farmor också.

– Jag ska ta hand om farmor. Du har snart gjort mos av salladen, påpekade han.

– Jag tycker inte om att du är ensam, sa hon lågt.

– Jag har ju Kollberg.

– Men ärligt talat, det är bara en hund!

– Var glad att han inte förstår vad du säger. Sejer kastade en blick ner på hunden som intet ont anande sov under bordet.

– Vi klarar oss, sa han sedan. Jag vill att ni ska resa om ni verkligen vill det. Är Erik less på blindtarmar och svullna mandlar?

– Det är så annorlunda där nere, förklarade hon. Vi gör så mycket mer nytta.

– Och Matteus, vad gör ni med honom?

– Han får gå i amerikansk lekskola tillsammans med en skock andra barn. Och dessutom, sa hon tankfullt, är det ju så att han faktiskt har släktingar där nere som han aldrig har träffat. Jag tycker inte om det. Jag vill att han ska veta allt.

– Amerikansk? sa han skeptiskt. Vad menar du förresten med att veta allt?

Han tänkte på pojkens riktiga föräldrar och deras öde.

– Det med mamman väntar vi med tills han blir större.

– Res! sa han bestämt.

Hon såg på honom och log. – Vad tror du mamma skulle ha sagt?

– Detsamma som jag. Och så skulle hon ha snyftat lite när vi hade gått och lagt oss.

– Och det kommer inte du att göra?

Matteus kom springande med en bok i ena handen och ett äpple i den andra. – "Det var en mörk och stormig natt", läste Sejer högt, är inte den hemsk?

– Sss, fnös pojken och klättrade upp i knät.

– Kolen är vita, sa Ingrid och sparkade av sig träskorna. Jag slänger på biffarna.

– Släng på biffarna, sa han. Hon la köttet på gallret, allt som allt fyra bitar, och gick in för att hämta dricka.

– Jag har en grön pytonorm på rummet, viskade Matteus. Ska vi lägga den i hennes sko?

Sejer tvekade. – Är det så klokt, tror du?

– Tycker inte du det?

176

– Egentligen inte.

– Gamla människor är så rädda, sa han medlidsamt. Det blir ju jag som får skulden för det.

– Okej, sa Sejer lågt. Jag ser åt ett annat håll.

Matteus hoppade ner igen, sprang in efter gummiormen och tryckte omsorgsfullt in den i träskon.

– Nu kan du läsa.

Han tänkte med avsmak på den äckliga gummiormen och hur den skulle kännas mot den bara foten. Sedan satte han igång att läsa med djup, dramatisk röst: "Det var en mörk och stormig natt. Det var rövare i bergen, och vargar." Du är säker på att det inte är för hemskt?

– Mamma har läst den många gånger. Han satte tänderna i äpplet och tuggade belåtet.

– Ta inte så stora tuggor, sa han varnande. Du kan sätta i halsen.

– Läs då, morfar!

Jag börjar visst bli gammal, tänkte han sorgset, gammal och ängslig.

– "Det var en mörk och stormig natt", började han igen, och just då kom Ingrid tillbaka med tre flaskor öl och en Cola. Han slutade läsa och iakttog henne. Det gjorde Matteus också.

– Vad stirrar ni på? Vad är det med er?

– Ingenting, sa de i korus och böjde sig över boken igen. Hon ställde ifrån sig flaskorna på bordet, öppnade dem och såg efter träskorna. Lyfte dem, vände dem upp och ner och bankade dem tre gånger mot varandra. Ingenting hände. Den sitter fast framtill, tänkte de förtjust. Så hände det mycket på en gång. Svärsonen Erik dök plötsligt upp i dörren. Matteus hoppade ner ur knät och störtade över golvet. Kollberg spratt upp under bordet och viftade på svansen så att flaskorna välte, och Ingrid stack fötterna i träskorna.

Sølvi stod på sitt rum och plockade upp saker ur en låda. Ett ögonblick rätade hon på ryggen och tittade ut. Fritzner tvärs över gatan stod vid fönstret och tittade på henne. Han hade ett glas i handen. Nu lyfte han det och nickade, som om han ville utbringa en skål.

Sølvi vände honom omedelbart ryggen. Visserligen hade hon ingenting emot att bli betraktad av en man. Men Fritzner var flintis. Att tänka sig att leva med en flintskallig man var lika orimligt som att tänka sig leva med en tjock man. De ingick inte i hennes drömmar. Att Eddie var både skallig och rund tänkte hon inte på. Andra män kunde gott få vara skalliga, bara inte den hon skulle gå ut med. Hon fnös föraktfullt och tittade upp igen. Nu var han borta. Han hade väl satt sig i båten igen, token.

Hon hörde dörrklockan och trippade ut för att öppna, i ljusblå byxdress med silverbälte runt midjan och ballerinaskor på fötterna.

– Åh, sa hon vänligt, är det du! Jag håller på att städa Annies rum. Kom in bara, mamma och pappa kommer strax.

Sejer följde henne in genom vardagsrummet och vidare till hennes rum, som låg vid sidan av Annies. Det var åtskilligt större och grällt pastellfärgat. En bild av den döda systern stod på nattduksbordet.

– Jag har ju ärvt en del, log hon urskuldande. Lite småsaker och kläder och sådant. Och om jag kan övertala pappa får jag slå ut väggen in till Annie, och då får jag ett stort rum.

Han nickade.

– Det blir ju riktigt snyggt, mumlade han och skämdes genast över de nedlåtande känslor som kröp fram. Han hade ingen rätt att döma någon. De arbetade med att komma vidare med sina liv och hade rätt att göra det på sitt eget sätt. Ingen kunde säga åt andra hur de skulle sörja. Han gav sig själv den lilla reprimanden och såg sig omkring. Aldrig hade han sett ett rum med så mycket bjäfs och figurer och saker och ting.

– Och så får jag egen TV, log hon. Och med extraantenn får jag in TVNorge. Hon stod böjd över en papplåda på golvet och plockade oupphörligt upp nya saker.

– Det är mest böcker, sa hon. Annie hade inte smink och smycken och sådant. Och så en massa CD-plattor och kassetter.

– Tycker du om att läsa?

– Egentligen inte. Men det är fint när bokhyllorna blir alldeles fulla.

Han nickade förstående.

– Har det hänt något? frågade hon försiktigt.

– Ja, det kan man säga. Men fortfarande vet vi inte vad allt betyder.

Hon nickade och plockade upp ytterligare en sak ur lådan, något som var inslaget i tidningspapper.

– Så du känner Magne Johnas, Sølvi?

– Ja? sa hon snabbt. Han tyckte att hon rodnade, men hon vara ganska rödblommig ändå. Han bor i Oslo nu. Jobbar på Gym & Grejer.

178

– Vet du om Annie och han hade något ihop någon gång?

– Något ihop? Hon såg oförstående på honom.

– Om de till exempel hade ett kort förhållande, eller om Magne var förälskad i henne någon gång eller kanske har stött på henne? Före din tid, alltså?

– Annie bara skrattade åt honom, sa hon nästan beklagande. Som om Halvor skulle vara så mycket att hänga i julgran. Magne ser i alla fall ut som en kille. Jag menar, han har ju lite muskler och så.

Hon rev och slet i tidningspapperet och undvek hans blick.

– Kan hon ha förnärmat honom? frågade han försiktigt medan något blankt kom till synes i papperet.

– Det tror jag säkert. Det räckte inte för Annie att säga nej. Hon kunde vara ganska spydig, och hon hade ingenting till övers för muskler. Alla pratar så mycket om hur snäll och präktig hon var, och jag vill inte säga något elakt om min halvsyster. Men hon var ofta spydig, det är bara att ingen vågar säga det. För att hon är död. Jag fattar inte att Halvor stod ut. Det var alltid Annie som bestämde.

– Jaha?

– Men hon var snäll mot mig. Alltid snäll.

För ett ögonblick fick hon ett förskräckt uttryck i ansiktet vid minnet av systern och allt som hänt.

– Hur länge har du varit tillsammans med Magne? frågade han förbindligt.

– Bara några veckor. Vi går på bio och så.

Svaret kom mycket snabbt.

– Han är yngre än du?

– Fyra år, sa hon motvilligt. Men han är väldigt mogen för sin ålder.

– Visst.

Hon höll upp något mot ljuset och såg kisande på det. En bronsfågel på en pinne. En liten knubbig fjäderklädd tingest med huvudet på sned.

– Den är visst trasig, sa hon osäkert.

Han stirrade förbluffat på föremålet. Det var som ett slag i maggropen. Fågeln liknade en sådan som man brukade ha på små barns gravstenar.

– Jag kan knåda en fot av modellera, sa hon tankfullt. Eller så kan pappa hjälpa mig. Den är ju ganska fin.

Han kom sig inte för att svara. Bilden av en annan Annie, en mer nyanserad Annie än Halvors och föräldrarnas, tog långsamt form.

– Vad tror du det är för någonting? mumlade han.

Hon ryckte på axlarna. – Ingen aning. Bara en prydnadsfigur som har gått sönder, antar jag.

– Du har aldrig sett den förr?

– Nej. Jag fick inte gå in på Annies rum om hon inte var hemma.

Hon la ifrån sig fågeln på skrivbordet. Den låg och vickade fram och tillbaka. Så böjde hon sig över lådan igen.

– Är det länge sedan du träffade din far? sa han lätt medan han fortsatte att se på fågeln, som vickade långsammare och långsammare. Hans hjärna jobbade för högtryck.

– Min far? Hon rätade på sig och såg förvirrat på honom. Du menar min far i Adamstuen?

Han nickade.

– Han var på Annies begravning.

– Du saknar honom säkert?

Hon svarade inte på det. Det var som om han rörde vid något hon sällan tog fram och tittade ordentligt på. Något obehagligt som hon försökte glömma, en gnutta dåligt samvete kanske, något som andra var orsak till, oskrivna lagar som hon alltid hade följt och godtagit utan strid för att hon aldrig hade förstått vad som egentligen låg bakom. Han kände sig lite påträngande just då. Han fick inte glömma att ta hänsyn, måste komma ihåg att närma sig folk utifrån deras egna förutsättningar, inte klampa på.

– Vad kallar du Eddie? frågade han försiktigt.

– Jag kallar honom pappa, sa hon tyst.

– Och din riktiga far?

– Honom kallar jag far, sa hon enkelt. Det har jag alltid gjort. Det var han som ville ha det så, han var alltid så gammaldags.

Var. Som om han inte existerade längre.

– Nu hör jag bilen! sa hon lättat.

Hollands gröna Toyota gled in framför huset. Han såg Ada Holland sätta ut en fot på gruset och kasta en blick mot fönstret.

– Fågeln, Sølvi, sa han snabbt, kan jag få den?

Hon gapade. – Den trasiga fågeln? Visst kan du få den. Hon räckte honom den, frågande.

– Tack. Då ska jag inte störa dig längre, log han och gick ut igen. Han la fågeln i innerfickan och gick in i vardagsrummet. Stod kvar intill väggen och väntade.

180

Fågeln. Lössliten från Eskils grav. På Annies rum. Varför?

Holland kom först. Han nickade och räckte fram handen med ansiktet delvis bortvänt. Det fanns något avvisande hos honom som inte hade funnits där förut. Fru Holland gick för att koka kaffe.

– Sølvi får Annies rum, sa Holland. Så slipper vi ha det stående tomt. Och så har vi något att hålla på med. Vi ska riva väggen och tapetsera om. Det blir mycket arbete.

Sejer nickade.

– Jag måste få säga en sak, fortsatte han. Jag läser i tidningen att en artonårig pojke är häktad. Det kan väl inte vara Halvor som har gjort det här? Vi har ju känt honom i två år. Visserligen är han inte lätt att komma inpå livet, men man får ju en uppfattning om folk. Jag vill inte antyda att ni inte vet vad ni gör, men vi kan inte tänka oss Halvor som mördare, det kan vi inte, någon av oss.

Det kunde Sejer. De var som de flesta människor. Kanske hade han blåst huvudet av sin far, hade kallblodigt slaktat en sovande man.

– Är det Halvor som sitter häktad? fortsatte Holland.

– Vi har släppt honom, sa Sejer.

– Ja, men varför blev han häktad?

– Vi blev helt enkelt tvungna. Mer kan jag inte säga om det.

– Av "spaningstekniska skäl"?

– Just det.

Fru Holland kom in med fyra koppar och kex i en korg.

– Men händer det något mer?

– Det gör det.

Han såg ut genom fönstret, sökte efter något som kunde avleda dem.

– För tillfället kan jag inte säga så mycket.

Holland log ett bittert leende. – Naturligtvis inte. Vi blir väl de sista som får veta något, kan jag tänka mig. Tidningarna lär väl få veta det långt före oss, när ni äntligen tar honom.

– Absolut inte.

Sejer såg honom rätt i ögonen, som var stora och grå som Annies hade varit. Just nu var de bräddfyllda av smärta.

– Men pressen är överallt, och de har kontakter. Att du läser saker i tidningen betyder inte att vi har gett dem en massa upplysningar. När vi arresterar någon ska ni få besked, det lovar jag.

– Ingen berättade för oss om Halvor, sa han tyst.

181

– Det berodde helt enkelt på att vi inte trodde att det var rätt man.

– När jag tänker efter, mumlade Holland, så vet jag inte om jag vill veta det. Vem som gjorde det.

– Vad är det du säger?

Ada Holland kom in med kaffet och stirrade bestört på honom.

– Det spelar ingen roll längre. Det är som en olyckshändelse alltsammans. Oundviklig.

– Varför säger du så? frågade hon förtvivlat.

– Eftersom hon ändå skulle dö. Då spelar det ingen roll längre.

Han stirrade ner i den tomma koppen, lyfte den och höll i den som om han var rädd för att spilla brännhett kaffe som inte fanns där.

– Det spelar roll, sa Sejer sammanbitet. Ni har rätt att få veta varför. Det kan ta tid, men jag ska ta reda på det även om det kanske blir en mycket lång process.

– En mycket lång process? Holland log plötsligt, ännu ett bittert leende. Annie är stadd i långsam upplösning, viskade han.

– Men Eddie då! sa fru Holland plågat. Vi har ju Sølvi!

– *Du* har Sølvi.

Han reste sig och gick, försvann inåt huset och var borta. Ingen gick efter honom. Fru Holland ryckte förtvivlat på axlarna.

– Annie var pappas flicka, sa hon lågt.

– Jag vet det.

– Jag är rädd för att han aldrig blir sig själv igen.

– Det blir han inte. Just nu håller han på att försöka bli en annan Eddie. Han behöver tid. Kanske blir det lättare den dag vi vet vad som faktiskt hände.

– Jag vet inte om jag törs få veta det.

– Är det något du är rädd för?

– Jag är rädd för allting. Jag ser för mig allt möjligt där uppe vid tjärnen.

– Kan du berätta något om det?

Hon skakade på huvudet och grep efter koppen. – Nej, det kan jag inte. Det är bara fantasier. Om jag säger dem högt kanske de blir verkliga.

– Det ser ut som om Sølvi klarar sig bra, sa han avledande.

– Sølvi är stark, sa hon bestämt.

Stark, tänkte han. Ja, kanske var det en riktig beskrivning. Kanske hade Annie varit den svaga. Saker och ting började snurra runt i huvudet på honom på ett oroväckande sätt. Ada gick ut efter socker och grädde. Sølvi kom in.

– Var är pappa?

– Han kommer strax.

Fru Holland ropade högt från köket, med ett myndigt tonfall, kanske i hopp om att Eddie skulle höra det och komma in igen. Hon är inte bara död och borta, tänkte Sejer. Familjen faller sönder, lossnar i svetsfogarna, det är stora hål i skrovet och vattnet forsar in, och nu tätar hon sprickorna med gamla ord och fraser för att hålla skutan flytande.

Hon hällde i kaffe. Han fick inte plats med fingret i koppens öra och måste lyfta den med båda händerna.

– Du talar hela tiden om varför, sa hon trött. Som om han hade goda skäl.

– Inte goda. Men naturligtvis hade han skäl. Som just där och då har varit enda utvägen.

– Så du förstår dem tydligen? De här människorna du spärrar in för mord och annat elände?

– Annars skulle jag inte kunna ha det här jobbet.

Han drack av kaffet och tänkte på Halvor.

– Men det måste väl finnas undantag?

– De är sällsynta.

Hon suckade och såg bort mot dottern.

– Vad tror du, Sølvi? sa hon allvarligt. Tyst, med ett annat tonfall än han hade hört henne använda tidigare, som om hon för en gångs skull ville tränga in i hennes ljusa lättsinniga huvud och finna ett svar, kanske ett oväntat och klarläggande svar. Som om den enda dottern hon hade kvar kanske var en annan än den hon först hade trott och kanske mer lik Annie än hon hade anat.

– Jag?

Hon stirrade häpet på modern. – Jag för min del har aldrig tyckt om Fritzner tvärs över gatan. Jag har hört att han sitter i en segelbåt mitt på golvet och läser hela natten, med en öl i en flaskhållare.

Skarre hade släckt de flesta lamporna på kontoret. Bara läslampan var tänd, sextio watt i en vit cirkel över papperen. Printern surrade mjukt och entonigt medan den spottade ut sida efter sida med helt felfri skrift, den han tyckte bäst om, Palatino. I bakgrunden, liksom i fjärran, öppnades en dörr och någon kom in. Han tänkte titta upp och se efter vem det var, men just då föll arket ut ur printern. Han böjde sig ner och grep efter det, reste sig igen och upptäckte något som gled in i hans synfält över det vita papperet. En bronsfågel på en pinne.

– Var? sa han snabbt.

Sejer satte sig. – Hemma hos Annie. Sølvi håller på och ärver sin syster, och den här låg bland hennes saker, inpackad i tidningspapper. Jag var inom vid graven. Den passade som hand i handske.

Han såg på Skarre. – Men hon kan ju ha fått den av någon.

– Av vem, till exempel?

– Jag vet inte. Men om hon har varit där och hämtat den själv, verkligen gått dit i skydd av mörkret och brutit loss den från graven med hjälp av något verktyg, då är det en ganska hänsynslös handling, tycker du inte det?

– Annie var väl inte hänsynslös?

– Jag vet inte riktigt. Jag är inte säker på någonting längre.

Skarre vred bort lampan från bordet så att ljuset bildade en perfekt fullmåne på väggen. De blev sittande och stirrade på den. Skarre fick ett infall och lyfte fågeln, höll den i pinnen och förde den framför lampan i en vaggande rörelse. Skuggan den bildade i den vita månen liknade en full jätteanka på väg hem från en fest.

– Jensvoll har sagt upp sig som tränare för flicklaget, sa Skarre.

– Vadå?

– Det började gå rykten. Våldtäktsdomen har kommit ut. Flickorna uteblev.

– Jag tänkte nog det. Det ena drar med sig det andra.

– Och Fritzner fick rätt. Det blir tufft för många framöver. Ända tills den skyldige klappar ihop. Och det gör han ganska snart, för nu inser du sammanhanget, inte sant?

Sejer skakade på huvudet. – Det är något med Annie och Johnas. Någonting har hänt mellan dem.

– Kanske ville hon bara ha ett minne av Eskil?

– Då hade hon bara behövt gå hem till dem och fått en nalle eller något.

– Kan han ha gjort henne illa?

– Antingen henne eller någon annan som hon hade en relation till. Någon hon tyckte om.

– Nu förstår jag inte, menar du Halvor?

– Jag menar hans son, Eskil. Som dog medan Johnas stod i badrummet och rakade sig.

184

– Hon kunde väl inte lasta honom för det?

– Inte om det inte är något ouppklarat med sättet han dog på.

Skarre visslade till.

– Inga andra har sett någonting. Hela tiden har vi bara Johnas ord att gå efter. Sejer lyfte fågeln igen och pillade försiktigt på den skarpa näbben.

– Så vad tror du, Jacob? Vad var det egentligen som hände morgonen den sjunde november?

Minnena sköljde över honom som en störtflod när han öppnade de dubbla glasdörrarna och tog några steg över golvet. Sjukhuslukten, blandningen av formalin och såpa tillsammans med den söta lukten av choklad från kiosken och den kryddiga doften av nejlikor från blomsteraffären.

I stället för att tänka på hustruns död försökte han tänka på dottern Ingrid, på den dag då hon föddes. För det här väldiga huset rymde både hans största sorg och hans största glädje i livet. Då hade han gått in genom samma dörr och känt samma lukter. Oundvikligen jämförde han sin nyfödda dotter med de andra spädbarnen. Han tyckte de var rödare och fetare och mer rynkiga, och dessutom var de rufsigare i håret. Eller så var de för tidigt födda och gula som vax. Eller så hade de legat för länge och såg ut som undernärda åldringar i miniatyr. Bara Ingrid var helt perfekt. Minnena fick honom äntligen att slappna av.

Han kom ingalunda oanmäld. Det hade tagit honom ungefär åtta minuter i telefon att komma fram till den patolog som var ansvarig för obduktionen av Eskil Johnas. På förhand hade han gjort klart vad saken gällde, så att de skulle kunna leta fram mappar och journaler och lägga dem till rätta på bordet innan han kom. En av de saker som han faktiskt gillade med byråkratin, det tungrodda, sega, omständliga systemet som styrde alla förvaltningar, var regeln att allt skulle nedtecknas och arkiveras. Datum, klockslag, namn, diagnoser, rutiner, avvikelser, allt skulle med. Allt kunde plockas fram och granskas på nytt, av andra människor, med andra ärenden och med friska ögon.

Försjunken i dessa tankar gick han ut ur hissen. Kände sjukhuslukten tillta igen när han gick neråt korridoren på åttonde våningen. Patologen som hade låtit stel och medelålders i telefon visade sig vara en ung man.

En kraftig kille med tjocka glasögon och knubbiga mjuka händer. Han hade rollodex och telefon på skrivbordet, en korg med papper och en stor röd bok med kinesiska tecken.

– Jag måste erkänna att jag skummade igenom journalen i all hast, sa läkaren, vars glasögon gav honom ett uttryck av konstant förfäran. – Jag blev nyfiken. Du är ju kriminalkommissarie, var det inte så?

Sejer nickade.

– Och då utgår jag från att det kan vara något speciellt med det här dödsfallet?

– Det vill jag inte ha någon förutfattad mening om.

– Men det är därför du är här?

Sejer såg på honom och blinkade två gånger, och det var det enda svar han fick. Eftersom Sejer teg, fortsatte läkaren att prata, ett fenomen som aldrig hade upphört att förvåna Sejer och som i åratal hade gett honom förtroliga upplysningar.

– Tragisk historia, mumlade patologen och kikade ner i papperen. Tvååring. Olyckshändelse i hemmet. Utan tillsyn några få minuter. Död vid ankomsten. Vi öppnade honom och fann en total blockering av luftrören i form av mat.

– Vad för slags mat?

– Våfflor. Vi kunde faktiskt vika ut dem, de var nästan alldeles hela. Två hela våffelhjärtan ihoprullade till en klump. Det är ganska mycket mat i en så liten mun, även om han var en stadig krabat. Det visade sig efteråt att han var en ganska glupsk liten pys, och dessutom hyperaktiv.

Sejer försökte se för sig en våffellagg av den typ som Elise hade brukat steka i, med fem hjärtan. Ingrids järn var av en annan mer modern typ med bara fyra hjärtan, och dessutom var inte laggarna riktigt runda.

– Jag minns den här obduktionen mycket väl. Man minns alltid de tragiska fallen, de stannar kvar. De flesta vi får in på bänken är ju trots allt mellan åttio och nittio. Och jag minns de där våffelhjärtana där de låg i skålen. Barn och våfflor hör liksom ihop. Det var något extra tragiskt över att just de skulle ta livet av honom. Han hade ju satt sig för att njuta av godsakerna.

– Du säger vi. Var ni fler?

– Jag hade chefspatologen med mig, Arnesen. Jag var nämligen nyanställd då och han ville gärna följa med oss nya. Han har slutat nu. Nu har vi en kvinnlig chef.

Tanken på henne fick honom att snegla ner på sina händer.

– Två hela våffelhjärtan. Var de tuggade på?

– Inte så att det syntes. De var ganska hela.

– Har du barn? frågade Sejer nyfiket.

– Jag har fyra ungar, sa han belåtet.

– Tänkte du på dem när du gjorde den här obduktionen?

Han såg lite osäkert på Sejer, som om han inte riktigt förstod frågan.

– Nja, på sätt och vis. Eller… jag tänkte kanske mer generellt på barn och hur de beter sig.

– Jaså?

– Vid den här tiden hade jag själv en son som just hade fyllt tre, fortsatte han. Och han älskar våfflor. Jag tjatar ständigt på honom, som föräldrar gör, att han inte får stoppa så mycket mat i munnen på en gång.

– Men här fanns ingen till hands, sa Sejer, som kunde ge honom sådana förmaningar.

– Nej. Och i så fall hade det inte hänt.

Sejer svarade inte på det.

– Kan du tänka dig din egen son då han var ungefär i samma ålder med en tallrik våfflor framför sig. Skulle han kunna hitta på att plocka åt sig två stycken, vika ihop dem och stoppa dem i munnen?

Nu blev det en lång paus.

– Nja, det här var ju en ganska speciell pojke.

– Exakt varifrån fick ni de här upplysningarna? Jag menar, att han var så speciell?

– Från fadern. Han var här på sjukhuset hela dagen. Modern kom senare tillsammans med en halvvuxen bror. Allt det står förresten i papperen. Jag har gjort kopior åt dig som du bad mig om.

Han satte fingret på bunten framför sig och sköt undan den kinesiska boken. Sejer kände igen det första tecknet på omslaget, tecknet för "man".

– Efter vad jag har hört uppehöll sig fadern i badrummet då olyckan hände?

– Det stämmer. Han stod och rakade sig. Pojken var dessutom fastspänd i stolen, därför kunde han inte heller komma loss och kravla sig ut efter hjälp. Då fadern kom ut i köket igen, låg pojken över bordet. Han hade slagit till tallriken så att den föll i golvet och gick sönder. Det värsta var att just det hade fadern hört.

– Sprang han inte in?

187

– Pojken hade tydligen sönder något jämt och ständigt.

– Vilka andra uppehöll sig i huset då det hände?

– Bara modern såvitt jag förstår. Äldste sonen hade just gått, till en skolbuss eller något, och modern sov i övervåningen.

– Och hörde ingenting?

– Det fanns väl ingenting att höra. Han kunde ju inte skrika.

– Inte med två våffelhjärtan i halsen. Men så blev hon väckt till slut – av mannen förstås?

– Det kan ju vara så att han skrek eller ropade på henne. Människor reagerar väldigt olika i sådana situationer. En del bara skriker och skriker, andra blir fullständigt förlamade.

– Men hon följde inte med i ambulansen?

– Hon kom senare. Först hämtade hon den äldre brodern på skolan.

– Hur mycket senare kom de?

– Låt mig se, en halvtimme ungefär. Enligt vad det står här.

– Kan du säga något om hur han uppförde sig? Fadern?

Nu teg läkaren och slöt ögonen, som om han verkligen ville mana fram denna morgon, just som den hade varit.

– Han var chockad. Han sa inte mycket.

– Det är ju förståeligt. Men det lilla han måste ha sagt, kan du minnas det? Kan du minnas enstaka ord?

Läkaren såg frågande på honom och skakade på huvudet.

– Det är ganska länge sedan. Snart åtta månader.

– Försök ändå!

– Jag tror det var något i stil med: Å Gud, nej! Å Gud, nej!

– Det var fadern som ringde efter ambulansen?

– Så står det här, ja.

– Tar det verkligen tjugo minuter härifrån och till Lundeby?

– Ja, tyvärr. Och tjugo minuter tillbaka igen. De hade inte med sig personal som kunde utföra en trakeotomi. Hade de haft det hade han kanske kunnat räddas.

– Vad betyder det?

– Att gå in mellan två halskotor och öppna luftröret utifrån.

– Alltså skära upp själva halsen?

– Ja. Det är faktiskt ganska enkelt. Och kanske hade det kunnat rädda honom. Men sedan vet vi ju inte heller exakt hur länge han hade suttit i stolen innan fadern fann honom.

– Ungefär så länge som det tar att raka sig, antagligen.

– Ja, kanske det.

Läkaren bläddrade i sina papper och petade upp glasögonen.

– Finns det misstankar om något... kriminellt?

Han hade länge velat ställa frågan. Nu kände han en sorts rätt att äntligen få göra det.

– Det kan jag inte tänka mig. Vad menar du?

– Jag kan väl inte ha någon uppfattning om det?

– Men du öppnade pojken efteråt och undersökte honom. Fann du något onaturligt med dödsfallet?

– Onaturligt? Barn är sådana. De stoppar munnen full.

– Men om han hade en tallrik full med våfflor framför sig och satt alldeles ensam och inte behövde vara rädd för att någon skulle ta dem ifrån honom – varför skulle han stoppa in två på en gång?

– Hör nu, vart vill du egentligen komma?

– Ingen aning.

Läkaren försjönk i djupa tankar, nu tänkte han tillbaka igen. Till den morgon då lille Eskil låg naken på porslinsbänken, uppsprättad från halsgropen och neråt, till det ögonblick då han såg klumpen i luftstrupen och såg att det var våfflor. Två hela hjärtan. En enda stor klistrig klump av ägg och mjöl och smör och mjölk.

– Jag minns obduktionen, sa han lågt. Jag minns den mycket väl. Kanske betyder det att jag i grund och botten var fundersam... Nej, jag vet inte, jag kan ingenting säga. Inga sådana tankar föll mig in. Men, sa han plötsligt, hur har du överhuvudtaget kommit på idén? Att det skulle finnas något onormalt här?

Onormalt. Detta mångtydiga ord som rymde sådana möjligheter.

– Tja, sa Sejer och såg på honom. Han hade en barnvakt. Låt mig säga som så att en del signaler hon sände ut i samband med dödsfallet har fått mig att undra.

– Signaler? Det är väl bara att fråga henne?

– Det kan jag inte. Han skakade på huvudet. Det är för sent.

Våfflor till frukost, tänkte han. De måste ha varit från dagen innan. Johnas hade säkert inte gått upp och gjort smet så tidigt på morgonen. Våfflor från dagen innan. Sega och kalla. Han drog igen jackan och satte sig i bilen. Ingen tyckte det var märkvärdigt. Ungar satte i halsen jämt och

189

ständigt. Som patologen hade sagt: de stoppar munnen full. Han startade bilen, korsade Rosenkrantzgate och körde ner till älven, där tog han till vänster. Han var inte alls hungrig, men han körde till tingshuset, parkerade och tog hissen upp till personalmatsalen där de sålde våfflor. Han köpte en lagg, en skål sylt och kaffe och satte sig vid fönstret. Försiktigt rev han loss två hjärtan. De var nystekta och frasiga. Han vek dem på mitten, och så en gång till, och blev sittande och stirrade på dem. Själv kunde han, med lite ansträngning, få in dem i munnen och ändå få plats att tugga. Han gjorde det, kände hur de gled ner genom matstrupen utan minsta svårighet. Nystekta våfflor var glatta och feta. Han drack av kaffet och skakade på huvudet. Studerade motvilligt de flimrande bilderna som trängde sig på, av den lille pojken med halsen proppfull. Hur han hade fäktat och vevat med händerna, slagit sönder tallriken och kämpat för sitt liv utan att någon hörde honom. Bara fadern hade hört tallriken. Varför sprang han inte dit? För att han jämt slog sönder saker och ting, sa läkaren. Men ändå. En liten pojke och en sönderslagen tallrik. Själv skulle jag ha sprungit dit direkt, tänkte han. Jag skulle ha tänkt att stolen kunde ha vält och att han kanske hade gjort sig illa. Men fadern rakade sig färdigt. Tänk om modern ändå hade varit vaken? Kanske hörde hon tallriken som slogs sönder? Han drack lite till av kaffet och bredde sylt på resten av våfflorna. Därefter läste han noga igenom rapporten. Efter ett tag reste han sig och gick till bilen. Han tänkte på Astrid Johnas. Som hade legat ensam en trappa upp och inte fattat vad som försiggick.

Halvor tog en smörgås från fatet och startade datorn. Han tyckte om den lilla fanfaren och strömmen av blått ljus i rummet när maskinen var igång. Varje fanfar var en högtidsstund. Han tyckte att det var som om den hälsade honom välkommen som en viktig person, som om han var väntad. Idag hade han bestämt sig för ett nytt grepp. Han var fylld av djävlaranamma, liksom Annie ofta hade varit. Därför satte han med friskt mod igång med "Håll dig undan", "Tillträde förbjudet" och "Stick". Det var vad hon sa när han la armen om hennes axlar, ganska försiktigt och kamratligt. Men hon sa det alltid med vänlig röst. Och när han dristade sig att be om en kyss hotade hon att bita av honom hängläppen. Rösten sa något annat än orden. Visserligen kunde han inte trotsa dem för den skull, men de var lättare att bära. Han fick egentligen aldrig komma till ordentligt. Ändå ville hon ha honom där. De brukade ligga tätt ihop och låna värme av varandra. Det var inte illa bara det, att ligga så i mörkret under täcket tätt intill Annie och lyssna till tystnaden utanför, befriad från skräcken och mardrömmarna om fadern. Som inte längre kunde storma in och rycka av honom täcket, som inte längre kunde nå honom. Trygghet. Vanan att ha någon som låg intill, som brodern hade gjort i alla år. Höra den andras andning och känna värmen mot ansiktet.

Varför hade hon överhuvudtaget skrivit ner detta? Vad var det? Och skulle han kunna förstå det om han äntligen fann det? Han tuggade bröd och leverpastej och hörde TV:n inifrån vardagsrummet. Det stack till lite i honom, för att farmodern alltid fick sitta ensam om kvällarna och skulle fortsätta att göra så ända tills han lyckades knäcka koden och tränga in i hennes hemlighet. Det är något mörkt, tänkte han, eftersom det är så otillgängligt. Något mörkt och farligt, som inte kunde sägas högt, bara skrivas ner och låsas in. Som om det gällde liv och död. Han skrev det. Han skrev "Liv och död". Ingenting hände.

Fru Johnas hade lunchrast. Hon tittade ut på honom från det bakre rummet med en knäckebrödssmörgås i handen, klädd i samma röda dräkt som sist. Hon såg fundersam ut. Hon la ner maten på smörgåspapperet, som om det var opassande att sitta och tugga när de skulle prata om Annie. Hon koncentrerade sig på kaffet i stället.

– Har det hänt något? sa hon och drack ur termosmuggen.

– Idag vill jag inte tala om Annie.

Hon lyfte muggen och såg storögt på honom.

– Idag vill jag tala om Eskil.

– Förlåt?

Den fylliga munnen blev mindre och smalare.

– Jag är färdig med det, jag har lagt det bakom mig. Och om jag får lov att säga det så har det kostat på.

– Jag beklagar att jag inte är mer hänsynsfull. Men några detaljer kring pojkens död intresserar mig.

– Varför det?

– Det behöver jag inte svara på, sa han milt. Var bara snäll och svara på mina frågor.

– Och om jag vägrar? Om jag inte orkar gräva i det här igen?

191

– Då går jag min väg, sa han stilla. Och låter dig tänka efter. Sedan kommer jag tillbaka en annan dag med samma frågor.

Hon sköt undan muggen, la händerna i knät och rätade på ryggen. Som om hon hade väntat sig detta och ville stålsätta sig.

– Jag tycker inte om det här, sa hon stramt. Du kom förut och ville tala om Annie, och det föll mig aldrig in att inte samarbeta. Men när det gäller Eskil... Du får ställa dina frågor och sedan gå med en gång.

Hennes händer fann varandra och flätades samman. Som om det var något hon var rädd för.

– Alldeles innan han dog, sa Sejer och såg på henne, slog han till tallriken så att den föll i golvet och gick sönder. Hörde du det?

Frågan överraskade henne. Hon såg förvånat på honom, som om hon hade väntat sig något annat, kanske något värre.

– Ja, sa hon snabbt.

– Du hörde det? Så du var vaken då?

Han studerade hennes ansikte, noterade den lilla skuggan som flög över det och fortsatte: – Du sov alltså inte? Hörde du rakapparaten?

Hon böjde huvudet. – Jag hörde att han gick till badrummet och dörren som slog igen.

– Hur visste du att han gick till badrummet?

– Jag bara visste det. Vi hade bott länge i huset, dörrarna hade sina egna ljud.

– Och före det? Innan han gick?

Hon tvekade igen och letade i minnet.

– Deras röster i köket. De åt frukost.

– Eskil åt våfflor, sa han försiktigt. Var det vanligt hos er?

Våfflor till frukost? Han tillfogade ett milt leende till frågan.

– Han tjatade sig väl till det, sa hon trött. Och han fick alltid som han ville. Det var inte lätt att säga nej till Eskil, då exploderade han. Han tålde inte att möta motstånd. Det var som att blåsa på glöd. Och Henning var inte särskilt tålmodig, han orkade inte höra på hans skrik.

– Så du hörde att han skrek?

Hon slet isär händerna och grep efter muggen igen.

– Han hade alltid en massa ljud för sig, sa hon vänd mot ångan som steg ur kaffemuggen.

– Grälade de?

Hon log svagt. – Det gjorde de alltid. Han tjatade om våfflorna. Henning hade brett en smörgås åt honom som han inte ville ha. Och du vet hur det är, vi gör allt för att få våra barn att äta och så hade han väl letat fram de där våfflorna, eller så hade Eskil fått syn på dem. De stod på bänken med plast över, från kvällen före.

– Hörde du några ord? Som fälldes mellan dem?

– Vad är du egentligen ute efter? sa hon häftigt. Ögonen skiftade färg. Det får du tala med Henning om, jag var inte där. Jag var på andra våningen.

– Tror du att han har något att berätta för mig?

Tystnad. Hon la armarna i kors, som för att utestänga honom. Rädslan växte.

– Jag vill inte tala för Henning. Han är inte min man längre.

– Var det förlusten av barnet som förstörde äktenskapet?

– Egentligen inte. Det hade spruckit ändå. Vi jobbade för mycket.

– Var det du som ville bort?

– Vad har det med saken att göra? sa hon spetsigt.

– Förmodligen ingenting alls. Jag bara frågar.

Han la båda händerna på bordet, vände upp handflatorna.

– När Henning fann Eskil vid bordet, vad gjorde han då? Ropade han på dig?

– Han bara öppnade dörren till sovrummet och stod där och stirrade. Det slog mig plötsligt hur tyst det var, inte ett ljud hördes från köket. Jag satte mig upp i sängen och skrek.

– Är det något i samband med din sons olycka som är oklart för dig?

– Va?

– Har du och din man gått igenom det som hände? Frågade du honom? Återigen såg han en antydan till fruktan i hennes ögon.

– Han berättade allt för mig, sa hon avmätt. Han var gränslöst förtvivlad. Kände att det var hans fel, att han inte hade varit uppmärksam nog. Och det är nog inte så lätt att leva med. Han klarade det inte, jag klarade det inte. Vi blev tvungna att gå skilda vägar.

– Men det är ingenting angående dödsfallet som du inte har förstått eller fått uppklarat?

Sejer hade stora stålgrå ögon, som just nu var milda eftersom hon var mycket nära att bryta samman, och kanske, om han hade tur, skulle spärrarna släppa då.

Hennes axlar började skaka. Han satt en stund och väntade tålmodigt, tänkte att han inte fick röra sig, inte bryta stillheten eller få henne att spåra ur. Hon var på väg att öppna sig. Han kände igen det från andra samtal, det låg i luften. Något hade plågat henne, något hon inte vågade tänka på.

– Jag hörde hur de skrek åt varandra, viskade hon. Henning var rasande, han hade ett häftigt temperament. Jag låg med kudden över huvudet, jag orkade inte höra det.

– Fortsätt.

– Jag hörde hur Eskil förde oväsen, kanske med koppen som han satt och slog i bordet, och Henning som skällde och slamrade med lådor och skåp.

– Kunde du urskilja några ord?

Underläppen började skälva igen. – Bara en enda mening. Den allra sista innan han rusade in i badrummet. Han skrek så högt att jag var rädd att grannarna skulle höra honom. Rädd för vad de skulle tro om oss. Men vi hade det inte lätt. Vi fick ett barn som inte uppförde sig som vanliga ungar. Vi hade ju redan ett. Magne har alltid varit så lugn, det är han fortfarande. Det var aldrig något bråk, han gjorde som vi sa, han –

– Vad hörde du? Vad sa han?

Det pinglade plötsligt ute i butiken och dörren gick upp. Två damer svepte in och såg sig omkring på allt garnet med tindrande ögon. Fru Johnas spratt till och ville ut i butiken. Han stoppade henne genom att lägga en hand på hennes axel.

– Säg det!

Hon sänkte huvudet, som om hon skämdes.

– Henning gick nästan under. Han kunde aldrig förlåta sig själv. Och jag kunde inte leva med honom längre.

– Säg vad han sa!

– Jag vill inte att någon ska få veta det. Och det spelar ingen roll längre. Eskil är död.

– Men han är ju inte din man längre.

– Han är Magnes far. Han berättade för mig att han stod i badrummet och darrade av förtvivlan för att han inte orkade. Han stod där tills han hade lugnat sig, sedan skulle han gå in och be om förlåtelse för att han hade blivit arg. Han orkade inte gå till jobbet utan att ha ordnat upp det. Efter en stund gick han in igen. Resten vet du.

– Berätta vad han sa.

– Aldrig. Inte till en levande själ.

Den otäcka tanken som hade slagit rot i hans huvud fick spira och gro. Han hade sett så mycket, bara någon enstaka gång blev han överraskad. Kanske var Eskil Johnas ett barn som det hade varit lägligt att göra sig kvitt?

Han hämtade Skarre på stationen och drog iväg med honom neråt korridoren.

– Låt oss åka och titta på orientaliska mattor, sa han.

– Varför det?

– Jag kommer från Astrid Johnas. Jag tror hon plågas av en förfärlig misstanke. Samma som har dykt upp hos mig. Att Johnas delvis är skuld till pojkens död. Jag tror det var därför hon gick ifrån honom.

– Jaså minsann? Hurså?

– Jag vet inte. Men tanken gör henne vettskrämd. En annan sak har också slagit mig. Johnas nämnde inte dödsfallet med ett ord då vi talade med honom.

– Det är väl inte så konstigt. Vi kom ju för att tala om Annie.

– Jag tycker att det är konstigt att han inte nämnde det. Det fanns ju inte längre några barn att passa, sa han, för frun hade stuckit. Han nämnde inte att den som Annie faktiskt hade passat var död. Inte ens då du kommenterade bilden av honom, som hängde på väggen.

– Han orkade säkert inte tala om det. Du får förlåta att jag säger det, sa Skarre och sänkte rösten, men du har också upplevt hur det är att förlora någon som stod dig väldigt nära. Hur lätt är det att tala om det?

Sejer blev så överraskad att han tvärstannade. Han kände att huden bleknade, som om en tunn tråd drogs över hans ansikte.

– Naturligtvis kan jag tala om det, sa han, om jag hamnade i en situation där det verkligen skulle kunna vara till hjälp eller var alldeles nödvändigt. Om andra hänsyn vägde tyngre än mina egna känslor.

Lukten av henne, lukten av håret och huden, en blandning av kemikalier och svett, pannan hade en nästan metallisk glans. Tandemaljen var förstörd av alla piller, blåaktig, som skummjölk. Ögonvitorna gulnade långsamt

Framför honom stod Skarre med höjt huvud, inte det minsta förlägen. Sejer hade väntat sig det, hade han inte gjort en tabbe, överträtt en gräns? Skulle han inte be om ursäkt?

– Men du har alltså aldrig känt att det har varit nödvändigt?

Nu stirrade han förvånat på spolingen framför sig. Han framhärdade tydligen. Maken till fräckhet!

– Nej, sa han bestämt och skakade på huvudet, inte ännu.

Han började gå igen.

– Nå, sa Skarre oberört, vad sa fru Johnas?

– De grälade. Hon hörde att de skrek till varandra. Badrumsdörren som smällde igen, tallriken som slogs sönder. Johnas hade ett häftigt temperament. Hon säger att han klandrar sig själv.

– Det skulle jag också ha gjort, sa Skarre.

– Har du överhuvudtaget något uppmuntrande att komma med?

– På sätt och vis. Annies ryggsäck.

– Vad är det med den?

– Du minns att den var insmord med fett. Antagligen för att gnida bort fingeravtryck?

– Ja?

– Vi har fått det identifierat till slut. En sorts salva som bland annat innehåller tjära.

– Jag har en sådan, sa Sejer överraskat. Mot mitt eksem.

– Nej, det här var fett för såriga hundtassar.

Sejer nickade. – Johnas har hund.

– Och Axel Bjørk har en schäfer. Och du har ett lejon. Bara nämner det, sa han snabbt och höll upp dörren. Kommissarien gick före ut. Han kände sig en smula förvirrad.

Axel Bjørk kopplade hunden och släppte ut den ur bilen.

Han tittade snabbt åt båda håll, såg ingen, sneddade över parkeringen och tog fram en universalnyckel ur uniformen. Vände sig ännu en gång och såg mot bilen, som stod fullt synlig mitt framför huvudingången, en blygrå Peugeot med skidbox på taket och vaktbolagets logo på dörren och motorhuven. Hunden väntade medan han mixtrade med låsen. Än så länge vädrade den ingenting, det här hade de gjort så många gånger, ut och in i bilen, genom dörrar och ut och in i hissar, tusen olika lukter. Den följde troget med. Den levde ett gott hundliv med mycket motion, mängder av intryck och riktig kost.

Fabriksbyggnaden låg tyst och övergiven, den var inte längre i drift utan användes bara som lager. Lårar, lådor och säckar stod staplade från golv till tak, det luktade papp, damm och mögligt trä. Bjørk tände inte lyset. Han hade en ficklampa hängande i bältet, nu tände han den och gick längre in i den stora hallen. Kängorna slamrade ihåligt mot stengolvet. Varje steg ekade i huvudet på honom, som om det hade en alldeles egen innebörd. Hans egna steg, ett efter ett, ensamma i tystnaden. Han trodde inte på Gud, alltså var det bara hunden som hörde dem. Akilles följde i slakt koppel, avmätta steg, noga dresserad. Han anade fred och ingen fara och älskade sin herre.

De närmade sig maskinen, en stor vals. Bjørk pressade sig in bakom järn och metall, drog hunden efter sig, trädde kopplet över en stålspak, kommenderade sitt. Hunden satte sig men var på sin vakt. En lukt höll på att sprida sig i rummet. En lukt som inte var främmande längre, som på sista tiden hade blivit en allt större del av deras vardag. Men det var också något annat. Den fräna lukten av fruktan. Bjørk lät sig glida ner på golvet, ett glidljud från nylonoverallen och hundens andning var allt som hördes. Han tog upp en plunta ur lårfickan, skruvade av kapsylen och började dricka.

Hunden väntade med blanka ögon och spetsade öron. Han skulle inte få några kex just nu men satt där ändå, väntade och lyssnade. Bjørk såg in i hundögonen, inte ett ord kom över hans läppar. Spänningen i den mörka hallen steg. Han kände att hunden vaktade på honom och själv vaktade han på hunden. I fickan hade han revolvern.

Halvor grymtade besviket. Här kommer inte en käft in, tänkte han missmodigt. Surrandet från skärmen hade börjat irritera honom. Det var inte längre ett behagligt sus, mer som ett ändlöst oljud, som från ett stort maskineri långt borta. Det följde honom dag och natt, han kände sig nästan naken var gång han stängde av maskinen och tystnaden tog över några sekunder, innan ljudet uppstod igen inne i huvudet på honom. Kom igen nu, Annie, tänkte han. Tala till mig!

Bion anordnade en liten filmfestival. Hon köpte Smarties och Citron-Fox i kiosken medan han väntade i entrén med biljetterna i handen. Ska du inte ha något att dricka? frågade hon. Han skakade på huvudet, alltför upptagen av att se på henne, jämföra henne med alla andra som hade trängt ihop sig framför ingången till biografsalongen. Vakten dök upp i dörren i svart uniform och med klipptången i näven, och medan han klippte biljetterna studerade han ansiktena ett efter ett när de stod framför honom, och de flesta slog ner ögonen, för de flesta var under åldersgränsen för den här filmen. En Bondfilm. Den första de hade sett tillsammans, första gång-

en de hade varit ute, nästan som ett riktigt par. Han pöste av stolthet. Och
filmen var bra, åtminstone enligt Annie. Själv hade han inte fått ut så
mycket av den, han var alltför upptagen av att stirra på henne ur ögonvrån
och lyssna till hennes ljud i mörkret. Men han kom ihåg titeln: For your
eyes only.

Han skrev in det i det mörka fältet och väntade lite, men ingenting
hände. Han reste sig trotsigt och tog några steg, rev av locket från en burk
på fönsterkarmen där han hade en påse med Kungen av Danmark. Det
här tjänade ingenting till. Med ens sköt han undan det dåliga samvetet
långt bak i huvudet. Där hade han ett hemligt rum och det låg något där
sedan tidigare. Nu gick det inte längre att hejda Halvor, han gick genom
köket, ut i vardagsrummet och bort till bokhyllan där telefonen stod, slog
upp i katalogen under Datorer, fann numret och slog det.

– Ra Data, Solveig.

– Jo, det gäller en stängd mapp, stammade han. Modet svek honom,
han kände sig liten, som en tjuv och smygtittare. Men nu var det för sent
att ångra sig.

– Kommer du inte in i den?

– Hm, nej. Jag har slarvat bort koden.

– Jag är rädd att supportkillen har gått för dagen. Men vänta ska jag
höra.

Han tryckte luren så hårt mot kinden att han fick ont i örsnibben. I
bakgrunden hörde han surr av röster och telefoner, han tittade bort mot
farmodern som läste tidningen med förstoringsglas och tänkte att det här
skulle Annie ha vetat.

– Är du kvar?

– Ja.

– Bor du långt bort?

– I Lundebysvingen.

– Då har du tur. Han kan ta det på hemvägen. Vad är det för adress?

Efteråt satt han på rummet och väntade med hjärtat dunkande långt
uppe i halsen och gardinerna fråndragna så att han skulle se bilen när den
svängde upp på gårdsplanen. Det dröjde precis trettio minuter innan en
vit Kadett Combi med Ra Datas logo på dörren uppenbarade sig. En
överraskande ung kille steg ur bilen och tittade osäkert upp mot huset.

Halvor sprang för att öppna. Den unge systemspecialisten visade sig
vara en trevlig kille, tjock och rund som en vetebulle och med djupa

skrattgropar. Halvor tackade för att han hade gjort sig besvär. Tillsammans gick de in på rummet. Han öppnade attachéväskan och tog upp en bunt tabeller.

– Siffer- eller bokstavskod? frågade han.

Halvor blev illröd.

– Kommer du inte ens ihåg det? sa han förvånat.

– Jag har haft så många olika, mumlade Halvor. Jag har bytt allt eftersom.

– Vilken mapp är det?

– Den där.

– "Annie"?

Han ställde inga fler frågor. Lite diskretion hörde ju till jobbet, och han hade stora ambitioner. Halvor gick fram till fönstret och stod där medan kinderna brände, en blandning av skam och nervositet och det faktum att hjärtat bankade så hårt att det kändes som en trumvirvel. Bakom sig hörde han tangentbordet bearbetas lika snabbt som fjärran kastanjetter. Efter en stund som kändes som en evighet reste sig systemspecialisten från stolen.

– Det var det, det.

Halvor vände sig sakta om och stirrade på skärmen. Tog emot blocket för att skriva på fakturan.

– Sjuhundrafemtio kronor, flämtade han.

– Per påbörjad timme, log den andre.

Med skälvande händer skrev han sin namnteckning på den prickade linjen längst ner på sidan och bad att få betala räkningen via postgiro.

– Det var en sifferkod, log experten.

– Noll sju ett ett nio fyra. Datum och år, inte sant?

Skrattgroparna blev ännu djupare. – Men tydligen inte ditt födelsedatum. I så fall skulle du inte ha varit äldre än åtta månader.

Halvor följde honom ut och tackade, sprang in igen och satte sig framför skärmen. En ny text stod nu att läsa på den lysande skärmen:

"Please proceed."

Han dreglade nästan ner på tangentbordet och måste hålla sig för hjärtat för att det bankade så häftigt. Texten rullade fram framför honom och han började läsa. Måste stödja sig mot bordet och blinka flera gånger allt eftersom han bläddrade vidare i dokumentet. Något hade hänt, Annie hade skrivit ner det och äntligen hade han funnit det. Han läste med stora uppspärrade ögon, och en förfärlig misstanke växte långsamt fram.

Bjørk hade arbetat upp en avsevärd promille.

Hunden satt fortfarande med tungan hängande ut ur munnen, flämtande och otålig. Den irrade med blicken. Bjørk reste sig till sist med mycken möda, ställde flaskan på det iskalla golvet, hickade ett par gånger och tog sig upp i stående. Han föll ögonblickligen bakåt mot väggen med utspärrade ben. Hunden reste sig också och stirrade på honom med gula ögon. Svansen gjorde ett par tre prövande viftningar. Bjørk fumlade efter revolvern som satt fast ordentligt i den trånga fickan, han fick upp den och spände hanen. Hela tiden såg han på hunden medan han lyssnade till ljudet av sina kindtänder, som gneds mot varandra. Så svajade han plötsligt till, handen skakade men han kämpade emot, lyfte armen och tryckte av. Den våldsamma explosionen dånade mellan väggarna. Skallen sprack. Innehållet stänkte över väggen och träffade hunden över nosen. Skottet fortsatte att genljuda. Långsamt dog det bort till något som lät som ett fjärran åskväder. Hunden kastade sig fram för att komma loss, men kopplet höll. Efter upprepade försök blev den trött till sist. Den gav upp och stod kvar och gnydde i stället.

Mattaffären låg vid en tyst gata, inte långt från Katolska kyrkan. Utanför stod en Citroën av äldre modell, den med sneda lyktor. Ungefär som kinesiska ögon, tänkte Sejer. Bilen var täckt av damm. Skarre gick bort och tittade på den. Taket var renare än resten av bilen, som om något hade legat där och skyddat lacken. Bilen var grågrön.

– Ingen skidbox, kommenterade Sejer.

– Nej, den är borttagen. Det är märken efter fästena.

De öppnade och gick in. Det luktade ylle och appreturmedel, ungefär som i fru Johnas garnaffär, och en aning tjära från bjälkarna i taket. En kamera pekade på dem från ett hörn. Sejer stannade och såg in i linsen. Överallt låg mattorna i höga staplar och en bred stentrappa förde vidare upp till de andra våningarna. Några mattor låg utbredda på golven, andra hängde längs väggarna på runda stänger. Johnas kom gående nerför trappan, klädd i bomull och sammet, rött och grönt och rosa och svart. Med de svarta lockarna matchade han mattorna, hans livs stora passion. Det vilade något mjukt och vekt över honom. Det häftiga temperamentet, om det nu fanns där, var väl dolt. Men ögonen var mörka, nästan svarta, och hans väsen var omisskännligen säljarens. Vänligt, glatt och tillmötesgående.

– Se där, sa han leende. Stig på. Ni vill köpa en matta, inte sant?

Han sträckte ut en arm i luften som om de var nära vänner han inte hade sett på länge, eller kanske potentiellt penningstarka kunder med svaghet för just detta hantverk. Knutarna. Färgerna. Mönstren med religiösa tecken. Födelse och liv och död, smärta, seger och stolthet, att lägga under matbordet eller framför TV:n. Outslitligt, unikt.

– Du har gott om plats, kommenterade Sejer och såg sig omkring.

– Två hela våningar plus en vind. Tro mig, det här har varit en stor investering. Det här stället har nästan barskrapat mig, och som här såg ut när jag övertog det! Unket och grått. Men jag gjorde ordentligt rent och kalkade väggarna och mer behövdes faktiskt inte. Ursprungligen är det ett gammalt herrskapshus. Var så goda och följ mig. Han pekade uppåt trappan och ledde dem in på vad han kallade kontoret men som egentligen var ett rymligt kök med diskbänk och spis, kaffebryggare och ett litet kylskåp. Kakel ovanför diskbänken med nätta holländska flickor i hucklen, väderkvarnar och feta vaggande gäss. Gamla kopparkittlar med klädsamma bucklor hängde från en bjälke i taket. Köksbordet hade spillkant och mässingsbeslag i hörnen, som något från en gammal skuta.

De bänkade sig runt bordet, och Johnas gick utan att fråga till kylskåpet och serverade dem druvjos i glas på fot.

– Hur gick det med valparna? ville Skarre veta.

– Hera ska få behålla en och två är redan bortlovade. Så nu är det för sent. Vad kan jag stå till tjänst med? log han och smuttade på josen.

Sejer visste att hans vänlighet strax skulle lätta och flyga sin kos.

– Bara några frågor om Annie. Jag är rädd för att vi måste dra alltihop ett varv till. Han torkade sig diskret om munnen. Du plockade upp henne vid vändplatsen, var det så?

Ordalydelsen, tonfallet och den flyktiga antydan till tvivel på hans tidigare uttalande skärpte hans uppmärksamhet.

– Det var vad jag uppgav, och det gäller fortfarande.

– Men egentligen ville hon gå, inte sant?

– Vad ska det betyda?

– Det tog tid för dig att få in henne i bilen, har jag förstått?

Hans ögon smalnade, men han behöll sitt lugn.

– Hon ville egentligen gå, fortsatte Sejer. Hon avslog erbjudandet om skjuts. Har jag rätt?

Johnas nickade plötsligt och log. – Det gjorde hon alltid, hon var så blyg. Men jag tyckte det var dumt att gå ända till Horgen. Det är ganska långt.

– Så du övertalade henne?

– Nej, nej... Han skakade häftigt på huvudet och ändrade ställning i stolen. Jag trugade väl lite. En del människor ska alltid trugas.

– Så det var inte för att hon inte ville? Sätta sig i din bil?

Johnas hörde tydligt den extra betoningen på "din bil".

– Annie var sådan. Ville krusas, kanske. Vem är det du har talat med? frågade han plötsligt.

– Flera hundra personer, sa Sejer. Och en av dem såg henne stiga in i bilen. Efter en lång diskussion. Du är ju faktiskt den siste som såg henne i livet, och därför måste vi klamra oss fast vid dig, eller hur?

Johnas log tillbaka, ett sammansvuret leende, som om de lekte en lek som han mer än gärna deltog i.

– Jag var inte den siste, sa han snabbt. Mördaren var den siste.

– Det har varit lite svårt att få tag i honom, sa Sejer med spelad ironi. Och vi har inte några bevis för att mannen på motorcykeln verkligen väntade på henne. Vi har bara dig.

– Ursäkta, men vart vill du komma?

– Tja, sa han och slog ut med händerna, helst till botten av det hela. Å ämbetets vägnar är jag tvingad att dra folk i tvivelsmål.

– Påstår du att jag ljuger?

– Det är så jag måste tänka, sa han. Jag hoppas du ursäktar. Varför ville hon inte stiga in i bilen?

Johnas blev osäker. – Klart hon ville!

Han visade den första taggen och stramade upp sig. – Hon steg in och jag körde henne till Horgen.

– Inte längre?

– Nej, som jag sa, hon steg av vid affären. Jag tänkte att hon kanske skulle köpa något. Jag körde inte ens fram till dörren, jag stannade uppe på vägen och släppte av henne. Och efter det – han reste sig och hämtade ett paket cigarretter på köksbänken – såg jag henne aldrig mer.

Sejer växlade över lokomotivet på ett nytt spår.

– Du har förlorat ett barn, Johnas. Du vet hur det känns. Har du talat med Eddie Holland om det?

Ett ögonblick såg han överraskad ut. – Nej, nej, han är så sluten av sig, jag vill inte tränga mig på. Dessutom är det inte så lätt för mig att tala om det heller.

– Hur länge sedan är det?

– Du har talat med Astrid, inte sant? Snart åtta månader. Men det är ingenting man glömmer, eller kommer över.

Han plockade fram en cigarrett ur paketet. Tände och rökte med nästan feminina åtbörder, Merit med filter.

– Folk försöker ofta föreställa sig hur det är. Han såg på Sejer med trött blick. De gör det i all välmening. Ser för sig den tomma barnsängen och tror att man står där och glor. Och det gjorde jag ofta. Men den tomma sängen är bara en del av det. Jag steg upp på morgonen och gick ut i badrummet, och där stod hans tandborste under spegeln. En som skiftar färg när den blir varm. Plastankan på badkarskanten. Hans tofflor under sängen. Jag kom på mig med att duka åt en för mycket när vi skulle äta, jag gjorde det i dagar. I bilen låg gosedjur som han hade glömt där. Flera månader efteråt hittade jag en napp under soffan.

Johnas talade sammanbitet, som om han mycket motvilligt lämnade ifrån sig vad de inte hade rätt att få veta.

– Jag städade bort det, lite åt gången, och det kändes som ett brott. Det var en pina att se hans saker omkring sig dag efter dag, det var så förfärligt att packa ner dem. Det följde mig varenda sekund och det följer mig fortfarande. Vet du hur länge lukten av en människa sitter kvar i en bomullspyjamas?

Han teg och det bruna ansiktet hade blivit grått. Sejer sa ingenting. Han tänkte plötsligt på Elises träskor som alltid stod utanför dörren. Så att hon snabbt kunde sätta fötterna i dem om hon skulle ut med soporna eller ner i bottenvåningen för att hämta posten. Hur hon öppnade dörren, lyfte upp de vita träskorna och satte dem innanför var något han mindes med skarp smärta.

– För inte så länge sedan var vi förbi på kyrkogården, sa han lågt. Det är ett tag sedan du var där, eller hur?

– Vad är det för sorts fråga? sa Johnas skrovligt.

– Jag ville bara veta om du är medveten om att något är borttaget från graven.

– Du menar den lilla fågeln. Ja, den försvann direkt efter begravningen.

– Funderade du på att skaffa en ny?

– Du är banne mig inte blygsam i din vetgirighet. Ja, det funderade jag naturligtvis på. Men jag orkade inte med upplevelsen en gång till, därför valde jag att låta det vara som det var.

– Men du vet vem som tog den?

– Naturligtvis inte! sa han skarpt. Då skulle jag ha anmält det ögonblickligen, och om jag hade haft möjlighet skulle jag ha gett den skyldige en omgång som han sent skulle glömma.

– Menar du en utskällning?

Han log surt. – Nej, jag menar *inte* en utskällning.

– Annie tog den, sa Sejer lätt.

Johnas spärrade upp ögonen.

– Vi hittade den bland hennes saker. Är det den här?

Han stack ner handen i innerfickan och tog upp fågeln. Johnas darrade på handen när han tog den.

– Det ser så ut. Den är lik den jag köpte. Men varför –

– Det vet vi inte. Vi trodde att du kanske kunde hjälpa oss?

– Jag? Herre Gud, jag har ingen aning. Det här förstår jag inte. Varför i all världen skulle hon stjäla den? Hon var verkligen inte tjuvaktig. Inte den Annie jag kände.

– Just därför måste hon ha haft ett skäl. Som inte hade med tjuvaktighet att göra. Var hon arg på dig för något?

Johnas satt och stirrade på fågeln, stum av häpnad.

Det här visste han inte, tänkte Sejer och sneglade bort mot Skarre som satt bredvid och följde mannens minsta rörelse med isblå ögon.

– Vet hennes föräldrar att hon hade den? sa han till slut.

– Vi tror inte det.

– Så det var inte Sølvi då? Sølvi är ju lite egen. Precis som skatan, snappar efter allt som glittrar.

– Det var inte Sølvi.

Sejer lyfte glaset och drack druvsaft. Det smakade som svagt vin.

– Ja, hon hade väl sina hemligheter då, det har vi väl alla, sa Johnas med ett leende. Hon var ju lite hemlighetsfull, särskilt när hon blev äldre.

– Hon tog det hårt, det här med Eskil?

– Hon orkade inte komma mer. Jag kan förstå det, jag orkade inte heller umgås med folk länge efteråt. Och Astrid och Magne reste, och det

204

hände så mycket på en gång. Ett obeskrivligt kapitel, mumlade han och bleknade vid tanken.

– Men ni talade med varandra?

– Vi bara nickade åt varandra när vi träffades på gatan. Vi var ju nästan grannar.

– Var hon undvikande då?

– Hon var fundersam på något sätt. Det var svårt för oss alla.

– Och dessutom, sa Sejer som om han kom på det av en ren tillfällighet, så hade du ett gräl med Eskil alldeles innan han dog. Det måste ha gjort det extra tungt.

– Vill du vara vänlig och hålla Eskil utanför detta! fräste han bittert.

– Känner du Raymond Låke?

– Menar du stollen uppe vid Kollen?

– Jag frågade om du känner honom.

– Alla vet vem Raymond är.

– Det var en ja- eller nejfråga.

– Jag känner honom *inte.*

– Men du vet var han bor?

– Jadå, det vet jag. I det gamla stugrucklet. Det duger tydligen, han ser så idiotiskt lycklig ut.

– Idiotiskt lycklig?

Sejer reste sig och sköt undan glaset. – Jag tror idioter är lika beroende av folks välvilja som alla andra för att känna sig lyckliga. Dessutom får du aldrig glömma följande: även om han inte kan tolka omvärlden på samma sätt som du, så har han inget fel på synen.

Johnas ansikte stelnade en smula. Han följde dem inte ut. Då de gick nerför trappan till bottenvåningen, kände Sejer kameralinsen som en stråle i nacken.

Efteråt hämtade de Kollberg i lägenheten och lät honom ligga i baksätet. Hunden var ensam för mycket, det var förstås därför han var så omöjlig, tänkte Sejer och stack till honom ett stycke torkad fisk.

– Tycker du det luktar illa?

Skarre nickade. – Du får ge honom en Fisherman's Friend efteråt.

De satte kurs mot Lundeby, svängde av vid rondellen och parkerade vid brevlådorna. Sejer gick inåt gatan, väl medveten om att alla kunde se honom, alla de tjugoen husen. Alla skulle tro att han var på väg till familjen Holland. Men längst in stannade han och såg sig om, bort mot Johnas

205

hus. Det såg halvtomt ut och gardinerna var fördragna i flera av fönstren. Han gick långsamt tillbaka igen.

– Skolbussen går från vändplatsen tio minuter över sju, sa han till sist. Varje morgon. Alla ungarna i Kristallen som ska till högstadiet eller gymnasiet åker med den. Alltså går de hemifrån ungefär klockan sju för att hinna med bussen.

Det blåste lite, men inte ett hårstrå rörde sig på hans huvud.

– Magne Johnas hade just gått då Eskil satte maten i halsen.

Skarre väntade. Ett bibelord om tålamod for genom huvudet på honom.

– Och Annie hade gett sig iväg lite efter de andra. Holland kom ihåg att de hade försovit sig. Hon gick förbi hans hus, kanske just när Eskil satt och åt frukost.

– Ja, vad är det med det?

Skarre såg på Johnas hus. – Bara vardagsrumsfönstren och sovrumsfönstren vetter ut mot gatan. Och de var ju i köket.

– Jag vet, jag vet, sa Sejer irriterat. De gick vidare, närmade sig huset och försökte föreställa sig den dagen, den sjunde november klockan sju på morgonen. Det är mörkt i november, tänkte Sejer.

– Kan hon ha gått in?

– Vet inte.

De stannade. Betraktade huset en stund, nu på nära håll. Köksfönstret låg på gavelväggen som vette mot grannhuset.

– Vem bor i det röda huset? frågade Skarre.

– Irmak. Med fru och barn. Men går det inte en stig där? Mellan husen? Skarre såg ditåt. – Jo. Och där kommer det någon.

En pojke dök upp mellan de två husen. Han gick med böjt huvud och hade ännu inte sett de två männen på vägen.

– Thorbjørn Haugen. Han som var med och sökte efter Ragnhild.

Sejer stod och väntade på pojken som kom gående på stigen med snabba steg. Över axeln hade han en svart bag, runt pannan samma mönstrade snusnäsduk som sist. De såg noga på honom då han passerade Johnas hus. Thorbjørn var lång och han nådde till mitten av köksfönstret.

– Du tar en genväg? sa Sejer.

– Ja? Thorbjørn stannade. Den här stigen går rakt ner till Gneisveien.

– Tar de flesta den här vägen?

– Ja, vi spar nästan fem minuter på det.

Sejer tog några steg neråt stigen och stannade utanför fönstret. Han var längre än Thorbjørn och kunde utan svårighet titta in i köket. Det stod ingen barnstol där längre men två vanliga pinnstolar, och på bordet stod ett askfat och en kaffekopp. Annars verkade huset i det närmaste obebott. Sjunde november, tänkte han. Beckmörkt ute och ljust inne. De utanför kunde se in, men de innanför kunde inte se ut.

– Johnas är lite sur över att vi går här, sa Thorbjørn plötsligt. Less på allt rännande förbi huset, som han säger. Men nu håller han på att flytta.

– Så alla ungarna tar den här genvägen när de ska till bussen?

– Alla som går på högstadiet och gymnasiet.

Sejer nickade åt Thorbjørn att fortsätta och vände sig mot Skarre. – Jag kom att tänka på något Holland sa när vi talades vid på polisstationen. Den dagen Eskil dog hade Annie kommit hem tidigare från skolan för att hon var sjuk. Hon gick genast och la sig. Han fick gå in till henne och berätta om olyckan.

– Hur då sjuk? undrade Skarre. Hon var ju aldrig sjuk.

– "Opasslig."

– Du tror att hon har sett något, inte sant? Genom fönstret?

– Jag vet inte. Kanske.

– Men varför sa hon ingenting?

– Kanske tordes hon inte. Eller kanske förstod hon inte riktigt vad hon såg. Kanske anförtrodde hon sig åt Halvor. Jag har alltid en känsla av att han vet mer än han vill ut med.

– Konrad, sa Skarre tyst. Det skulle han väl ha sagt?

– Jag är inte så säker. Han är en konstig kropp. Vi åker och pratar med honom.

I samma ögonblick pep hans personsökare, och han gick till bilen och slog genast numret i rutan. Holthemann svarade.

– Axel Bjørk har skjutit sig i tinningen med en gammal Enfieldrevolver.

Sejer måste stödja sig mot bilen. Upplysningen smakade som besk medicin. Den efterlämnade en obehaglig torrhet i munnen.

– Hittade ni något brev?

– Inte på kroppen. De letar hemma hos honom. Men killen har tydligen haft dåligt samvete för något, eller vad tror du?

– Vet inte. Det kan ha varit mycket. Han hade det svårt.

– Han var otillräknelig och alkoholiserad. Och han hade ett horn i sidan till Ada Holland, vasst som en hajtand, sa Holthemann.

– Han var först och främst olycklig.

– Hat och förtvivlan kan vara lite lika. Folk visar fram vad som passar bäst.

– Jag tror du misstar dig. Han hade egentligen gett upp. Och då är det väl därför han har gjort slut på allt.

– Kanske ville han ta Ada med sig?

Sejer skakade på huvudet och tittade bortåt vägen, mot Hollands hus.

– Det skulle han inte göra mot Sølvi och Eddie.

– Vill du ha tag i en gärningsman eller inte?

– Jag vill bara ha den rätte.

Han avslutade samtalet och såg på Skarre. – Axel Bjørk är död. Jag undrar vad Ada Holland ska tänka nu. Kanske som Halvor när hans far dog. Att det var på tiden.

Halvor reste sig med ett plötsligt ryck. Stolen välte och han vände sig tvärt mot fönstret. Stirrade ut på den öde gårdsplanen. Länge stod han så. Ur ögonvrån såg han den välta stolen och Annies bild på nattduksbordet. Så stod det alltså till. Allt det här hade Annie sett. Han satte sig framför skärmen igen, läste från början till slut. Inne i Annies text fanns också hans egen historia, den han hade anförtrott henne i djupaste hemlighet. Den rasande fadern, skottet i skjulet, den trettonde december. Den hade ingenting med saken att göra, han drog djupt efter andan, markerade avsnittet och utplånade det för evigt ur dokumentet. Därefter sköt han in en diskett och kopierade över texten på den. Efteråt gick han tyst ut ur rummet och genom köket.

– Vad är det, Halvor? ropade farmodern när han kom in i vardagsrummet halvvägs inne i en jeansjacka. Ska du ut?

Han svarade inte. Han hörde hennes röst men betydelsen trängde inte igenom.

– Vart ska du? Ska du gå på bio?

Han började knäppa jackan medan han tänkte på motorcykeln, om den skulle starta. Om den inte startade måste han ta bussen, och det skulle ta honom en timme att komma dit han skulle. Han hade inte en timme på sig, han måste fort iväg.

– När kommer du hem igen? Kommer du till middagen?

Han stannade och såg på henne, som om han just hade upptäckt att hon stod där och tjatade alldeles framför honom.

– Middagen?

– Vart ska du, Halvor, det är ju snart kväll?

– Jag ska träffa en kille.

– Men vem är det då? Du ser så blek ut, jag undrar om du kanske har blodbrist. När var du egentligen hos doktorn senast, det minns du väl inte själv en gång. Vad hette han, sa du?

– Det sa jag inte. Han heter Johnas.

Hans röst var underligt målmedveten. Dörren slog igen, och när hon tittade ut genom fönstret såg hon honom stå böjd över motorcykeln och skruva med argsinta rörelser.

Kameran på bottenvåningen hade en lite ofördelaktig placering. Det slog honom när han såg på skärmen till vänster. Linsen fick för mycket motljus, vilket reducerade kunderna till otydliga skisser, nästan som spöken. Han tyckte om att se vilka kunderna var innan han gick ner för att möta dem. På andra våningen, där ljuset var bättre, kunde han urskilja ansikten och kläder och, om det var fasta kunder, förbereda sig innan han lämnade kontoret. Inta den hållning var och en hade rätt att förvänta sig. Han såg åter på skärmen som visade första våningen. En ensam varelse stod på golvet. Såvitt han kunde se var det en man, eller kanske en yngling, i kort jacka. Hur som helst var det säkert någon obetydlig, men han måste ta sig an honom, korrekt, serviceminded som alltid, för att upprätthålla affärens renommé som var på väg att bli oklanderligt. Dessutom kunde man inte se på folk om de hade pengar. Inte nu längre. För allt han visste kunde killen vara stenrik. Han gick sakta nerför trappan. Hans steg hördes nästan inte, han hade en lätt, smygande gång, och det låg inte för honom att ränna omkring som om han arbetade i en leksaksaffär. Detta var en elegant mattaffär, och här inne talade man med dämpad röst. Prislappar eller kassaapparater fanns inte. I regel skickade han en räkning, i sällsynta fall betalade folk med Visa eller andra kort. Han var nästan nere, han hade två steg kvar, när han plötsligt tvärstannade.

– God eftermiddag, mumlade han.

Ynglingen stod med ryggen till, men nu vände han sig om och såg nyfiket på honom. I blicken fanns misstänksamhet blandat med undran. Han sa ingenting, han bara stirrade, som om han ville utläsa en historia i den andres drag. Kanske en hemlighet, eller lösningen på en gåta. Johnas kände igen honom. En sekund eller två funderade han på att medge det.

– Kan jag hjälpa till?

Halvor svarade inte. Han stirrade fortfarande på Johnas ansikte med ett granskande uttryck. Han visste att han var igenkänd. Johnas hade sett honom många gånger, han hade stått utanför deras hus tillsammans med Annie, de hade mötts på vägen. Nu hade han tagit på sig en rustning. Allt det mjuka och mörka hos mannen, bomullen, sammeten och de bruna lockarna hade stelnat till ett hårt skal.

– Otvivelaktigt, svarade Halvor och tog några steg inåt rummet, närmare Johnas, som fortfarande stod nederst i trappan med en hand på räcket.

– Du säljer mattor.

Han såg sig omkring.

– Det stämmer, ja.

– Jag vill köpa en matta.

– Jaha, sa han leende, det tänkte jag nog. Vad är du ute efter? Något speciellt?

Han är inte ute efter mattor, tänkte Johnas. Han har dessutom inga pengar till det, han är ute efter något annat. Kanske kommer han av ren nyfikenhet, en pojkes tokiga påhitt. Vad mattorna kostade hade han säkert ingen aning om. Men det skulle han nog få reda på så småningom, det skulle han visst det.

– Stor eller liten? frågade han och tog det sista steget ner på golvet. Pojken var mer än ett huvud kortare och spinkig som en späntsticka.

– Jag vill ha en matta som täcker så mycket av golvet att inget av stolsbenen står utanför. Det är så besvärligt när man ska skura.

Johnas nickade. – Du får komma med upp. De största mattorna ligger överst.

Han började gå uppför trappan. Halvor följde efter. Det föll honom inte in att ifrågasätta situationen, det var som om han drevs framåt av en okänd kraft, som att glida på en skena in mot det svarta kalfjället.

Johnas tände de sex ljuskronorna, beställda från ett glasblåseri i Venedig. De hängde från de tjärade takbjälkarna och kastade ett varmt men starkt ljus över det stora rummet.

– Vilken färg hade du tänkt dig?

Halvor stannade överst i trappan och såg inåt rummet.

– De är ju röda allihopa, sa han tyst.

Johnas log överseende. – Jag vill inte låta snorkig, sa han vänligt, men är du medveten om vad de kostar?

Halvor såg på honom med smala ögon. Något förflutet dök upp i hans

210

tankar, något han inte hade känt på länge.

– Jag ser väl inte särskilt skräckinjagande rik ut, sa han tonlöst. Du kanske vill se ett kontoutdrag?

Johnas tvekade. – Du får förlåta mig. Men det är ganska många som ramlar in här och försätter sig själva i förlägenhet. Jag ville göra dig en tjänst så att du slipper det.

– Det var hänsynsfullt, sa Halvor tyst.

Han fortsatte inåt, strök förbi matthandlaren och satte kurs på en stor matta som var uppspänd på väggen. Sträckte ut en hand och lekte med fransarna. I figurerna kände han igen män och hästar och vapen.

– Två och en halv gånger tre meter, sa Johnas dämpat. I och för sig ett bra val. Mönstret föreställer ett krig mellan två nomadfolk. Men den är väldigt tung.

– Du hjälper väl till med frakten? sa Halvor.

– Naturligtvis. Jag har varubil. Jag tänkte nu mer på underhåll och sådant. Det krävs flera man bara för att skaka den.

– Jag tar den.

– Förlåt?

Johnas tog ännu några steg och såg osäkert på honom. Det var en märklig pojke.

– Det är nästan den dyraste jag har, sa han. Sjuttiotusen kronor.

Han genomborrade Halvor med blicken när han sa det. Halvor rörde inte en min.

– Det är den säkert värd.

Johnas kände sig obehaglig till mods. En smygande misstanke kröp uppför ryggen på honom som en kall orm. Han begrep inte vad pojken ville och varför han uppförde sig så här. Så mycket pengar hade han aldrig i livet, och om han hade det skulle han inte lägga dem på en matta.

– Var snäll och slå in den åt mig, sa Halvor och la armarna i kors. Han lutade sig mot ett klaffbord i mahogny som pep förskräckt under hans tyngd.

– Slå in?

Johnas krusade läpparna i ett leende. – Jag rullar ihop den och slår in den i plast och lindar tejp runtom.

– Jättebra.

Halvor väntade.

– Det är lite jobb med att häkta ner den. Jag föreslår att jag kommer ut

211

till dig med den i kväll. Då kan jag också hjälpa dig att få den på plats.

– Nej, nej, sa Halvor bestämt. Jag vill ha den nu.

Johnas tvekade. – Du vill ha den nu. Och, förlåt att jag frågar, hur har du tänkt dig betala?

– Kontant, om det går för sig.

Han klappade sig på bakfickan. Han hade urblekta fransiga jeans. Johnas stod kvar framför honom, full av tvivel.

– Är det något fel? sa Halvor frågande.

– Jag vet inte. Kanske.

– Och vad skulle det vara?

– Jag vet vem du är, sa Johnas plötsligt och ställde sig bredbent på golvet. Det var en lättnad att bryta isen.

– Känner vi varandra?

Johnas nickade, stod och gungade fram och tillbaka med armarna i sidorna.

– Ja, Halvor, visst känner vi varandra. Jag undrar om du inte borde gå.

– Varför det? Är det något som är fel?

– Nu lägger vi av med de här dumheterna! sa Johnas skarpt.

– Det är vi helt överens om! fräste Halvor. Se till att få ner mattan, och det fortare än kvickt!

– När jag tänker efter så vill jag egentligen inte sälja den. Jag flyttar nu, jag vill ha den själv. Dessutom är den för dyr för dig. Ärligt talat, vi vet ju båda två att du inte har råd med den.

– Så du vill ha den själv?

Halvor gjorde en helomvändning. – Ja, det kan jag förstå. Då får jag ta en annan.

Han såg på väggen igen och pekade omedelbart ut en annan matta i rosa och grönt.

– Då tar jag den i stället, sa han enkelt. Var snäll och ta ner den åt mig. Och skriv ett kvitto.

– Den kostar fyrtiofyratusen.

– Bra.

– Jaså, är det verkligen det?

Han väntade fortfarande med armarna i kors och pupiller hårda som bösshagel. – Är jag alltför oförskämd om jag ber att få se att du verkligen har pengar?

Halvor skakade på huvudet. – Naturligtvis inte. Du vet, man kan inte se

212

på folk om de har pengar eller inte, inte nuförtiden.

Han stack handen i bakfickan och drog fram en gammal plånbok. Av rutig nylon med kardborrlås och platt som ett tunnbröd. Stack ner fingrarna och skramlade lite med mynten. Plockade upp några och la dem på klaffbordet. Johnas såg misstroget på honom allt eftersom fem- och tiokronorsslantarna hopade sig till en liten hög.

– Nu får det vara nog, sa han bistert. Du har redan uppehållit mig länge nog. Ta och försvinn omedelbart!

Halvor slutade och tittade upp på honom, nästan sårat.

– Jag är inte klar. Jag har mer.

Han grävde vidare i plånboken.

– Det har du inte! Du bor med din farmor i ett gammalt ruckel och du kör ut glass! Fyrtiofyratusen, sa han skarpt. Du får se till att få upp dem fort som...

– Så du vet var jag bor?

Halvor såg på honom. Det började bli farligt, men han var inte rädd, av någon anledning var han inte alls rädd.

– Jag har ju den här, sa han plötsligt och drog upp något ur sedelfacket. Johnas såg misstänksamt på honom och på det han höll i handen, mellan två fingrar.

– Det är en diskett, förklarade Halvor.

– Jag vill inte ha någon diskett, jag vill ha fyrtiofyratusen, bet Johnas av medan han kände skräcken som ett tunnband över bröstet.

– Annies dagbok, sa Halvor tyst och viftade med disketten. Hon började föra dagbok för ett tag sedan. I november faktiskt. Vi har letat efter den, flera stycken. Du vet hur flickor är. Måste alltid anförtro sig.

Johnas andades tungt. Hans blick träffade Halvor som en bultpistol.

– Jag har läst den, fortsatte Halvor. Den handlar om dig.

– Ge mig den!

– *Inte förrän helvetet fryser!*

Johnas ryckte till. Halvors röst skiftade läge och blev plötsligt djupare. Det var som att höra en ond ande tala genom munnen på ett barn.

– Jag har tagit kopior också, fortsatte han. Alltså kan jag köpa så många mattor jag vill. Varje gång jag önskar mig en ny matta gör jag bara en ny kopia. Fattar du?

– Du är en hysterisk skitunge! Vad för slags anstalt har du egentligen rymt från?

213

Johnas tog sats och Halvor såg under bråkdelen av en sekund hur hans överkropp svällde och samlade sig till språng. Han vägde kanske tjugo kilo mer, och han var rasande. Halvor kastade sig åt sidan och såg hur mannen bommade och gled bort över stengolvet, där han körde huvudet i klaffbordet med en smäll. Mynten skramlade iväg åt alla håll och föll i golvet. Fallet fick honom att utslunga de grövsta eder Halvor någonsin hade hört, till och med när han räknade in faderns gränslösa vokabulär. På två sekunder var han uppe igen. En enda blick på det mörka ansiktet fick Halvor att inse att slaget var förlorat. Den andre var mycket större. Han störtade mot trappan, men Johnas tog ny fart, tog tre fyra långa kliv och kastade sig fram. Han träffade Halvor i axelpartiet. Instinktivt höll han upp huvudet, men kroppen slog i stengolvet med våldsam kraft.

– Du rör mig inte, din jävel!

Johnas vände honom på rygg. Halvor kände hans andhämtning mot ansiktet, och nävarna som klämde till runt halsen.

– Du är inte klok! rosslade han. Du är färdig! Jag ger fan i vad du gör med mig, men du är färdig!

Johnas var blind och döv. Han lyfte knytnäven och siktade på det smala ansiktet. Halvor hade fått stryk förut och visste vad han hade att vänta sig. Knogarna träffade honom under hakan och den magra käken knäcktes som en torr kvist. Tänderna i underkäken slog med våldsam kraft mot tänderna i överkäken, och små bitar av krossad emalj blandade sig med blodet som forsade ur munnen. Johnas fortsatte slå, han siktade inte längre men träffade slumpmässigt allt eftersom Halvor kastade sig hit och dit. Efter ett tag körde han knogarna i stengolvet och skrek till. Kravlade sig upp och stirrade på handen. Efteråt flämtade han lite av ansträngningen. Det var en hel del blod på golvet. Han såg på det och drog djupt efter andan. Efter ett par minuter var hjärtat nere i normal takt och tankarna klarnade.

– Han är inte här, sa farmodern förvirrat då Sejer och Skarre stod i hennes dörr och frågade efter Halvor. Han skulle visst hälsa på hos någon. Jag tror han hette Johnas. Upphetsad var han också, och inte har han ätit. Jag vet mig ingen levandes råd, och dessutom är jag för gammal för att hålla ordning på allting.

Upplysningen fick Sejer att slå knytnäven i dörrkarmen två gånger.

– Var det någon som ringde till honom eller något sådant?

214

– Det är ingen som ringer hit. Bara Annie ringde då och då. Han har suttit på sitt rum hela eftermiddagen och lekt med den där maskinen. Plötsligt stormade han ut och försvann.

– Vi hittar honom nog. Du får ursäkta, men nu har vi faktiskt ganska bråttom.

– Det här, sa han till Skarre och slog igen dörren, var det värsta han kunde hitta på.

– Vi får väl se, svarade han sammanbitet och svängde runt bilen på gårdsplanen.

– Jag ser inte till Halvors motorcykel.

Skarre hoppade ur. Sejer vände sig mot Kollberg, som fortfarande låg i baksätet, och tog upp ett hundkex ur fickan.

De öppnade dörren, som långsamt gled upp, och tittade utmanande in i kameran i taket. Johnas såg dem från köket. Han satt kvar en stund vid kajutabordet och andades lugnt medan han blåste på de såriga knogarna. Det var ingen brådska. En sak i taget. Visst hände det mycket i hans liv på en gång nu, men det brukade ordna sig ändå. Han var en praktisk karl. Tog sig an problemen ett och ett allt eftersom de dök upp. Han hade den förmågan. Helt lugnt reste han sig och gick nerför trappan.

– Det var värst vad ni flyger och far, sa han ironiskt. Det här börjar likna trakasserier.

– Tycker du det?

Sejer tornade upp sig framför honom. Allt såg lugnt ut, inga andra kunder i sikte.

– Vi letar efter en person. Vi tänkte att han kanske var här.

Johnas såg frågande på dem, gjorde en lov runt i rummet och slog ut med händerna.

– Det är ingen mer än jag här. Och jag skulle just stänga. Klockan är mycket.

– Vi skulle gärna vilja se oss omkring. Bara som hastigast.

– Uppriktigt sagt –

– Kanske smet han in i ett obevakat ögonblick och gömmer sig nu någonstans. Man vet aldrig.

Sejer darrade i hela kroppen, och Skarre tänkte att det såg ut som om han hade isbitar innanför skjortan.

– Jag ska stänga nu! sa Johnas bestämt.

De gick förbi honom och uppför trapporna. Såg sig omkring överallt. Steg in på kontoret, öppnade dörren till toaletten, fortsatte uppåt vinden. Ingenting.

– Vem var det du trodde att du skulle hitta här?

Johnas lutade sig mot trappräcket och stirrade på dem under höjda ögonbryn. Bröstkorgen höjdes och sänktes under skjortan.

– Halvor Muntz.

– Och vem är det?

– Annies pojkvän.

– Han har väl ingenting här att göra?

– Jag vet inte det, jag.

Sejer började gå runt utan att låta sig störas. – Han påstod att det var hit han skulle. Han leker detektiv på egen hand, och jag tycker vi ska sätta stopp för det.

– Det håller jag med om, helt och hållet, sa Johnas och log nedlåtande. Men jag har inte haft någon Kalle Blomkvistare här.

Sejer sparkade till en mattrulle med skospetsen. – Finns det källare i huset?

– Nej.

– Var gör du av mattorna på natten? Ligger de framme?

– De flesta, ja. Men de dyraste lägger jag i valvet.

– Jaså.

Han fick plötsligt syn på det lilla mahognybordet. På golvet intill låg en handfull mynt utströdda.

– Är du så släpphänt med växelpengar? sa han nyfiket.

Johnas ryckte på axlarna. Sejer tyckte inte om att det var så tyst. Han tyckte inte om matthandlarens ansiktsuttryck. I ett hörn av rummet upptäckte han en skär skurhink med en golvmopp bredvid. Golvet var fuktigt.

– Du håller på och städar? frågade han lätt.

– Det är det sista jag gör innan jag stänger. Jag sparar en del på att göra det själv. Som du ser, sa han avslutningsvis, är det ingen här.

Sejer såg på honom. – Visa oss valvet.

För ett ögonblick såg det ut som om Johnas skulle vägra, så ångrade han sig och började gå nerför trappan.

– Det ligger på bottenplanet. Det är klart du ska få se det. Det är förstås låst, så där inne kan han omöjligen ha gömt sig.

De följde efter honom ner till första våningen och in i en vrå under trappan, där de såg en ståldörr, ganska låg men mycket bredare än en vanlig dörr. Johnas gick fram till den och började sysselsätta sig med koden, vred ratten fram och tillbaka upprepade gånger. För var gång hördes ett litet klick. Han arbetade hela tiden med vänster hand, lite klumpigt eftersom han var högerhänt.

– Så han är så värdefull, den här pojken, att ni tycker att jag borde gömma honom här?

– Det är möjligt, sa Sejer kort och iakttog den fumliga vänsterhanden. Johnas tog tag i den tunga dörren och drog av alla krafter.

– Det går säkert lättare om du använder båda händerna, sa Sejer torrt.

Johnas höjde ett ögonbryn, som om han inte förstod. Sejer tittade in i det lilla rummet, som visade sig innehålla ett mindre kassaskåp, ett par tre målningar uppställda mot väggen och en del hoprullade mattor staplade på varandra ungefär som timmerstockar.

– Det här är allt.

Han stirrade stint på dem. Det fanns ingenting att se där inne, och ljuset var starkt från två lysrör i taket. Väggarna var nakna.

Sejer log. – Men han var här, inte sant? Vad ville han?

– Ingen har varit här, utom ni.

Sejer nickade och gick ut igen. Skarre såg lite osäkert på honom men följde efter.

– Om han skulle dyka upp, vill du då lova att kontakta oss? sa han till slut. Han har det lite besvärligt efter allt som har hänt. Han behöver lite hjälp.

– Naturligtvis.

Dörren till valvet brakade igen.

Ute på parkeringsplatsen gav Sejer tecken att Skarre skulle köra.

– Kör uppför backen och backa in på infarten där uppe. Ser du den?

Skarre nickade.

– Ställ dig där. Vi väntar tills han åker, sedan följer vi efter honom. Jag vill se vart han ska.

De behövde inte vänta länge. Det hade inte gått mer än fem minuter när Johnas visade sig i dörren. Han låste och aktiverade tjuvlarmet, passerade den grå Citroënen och försvann genom infarten till en bakgård. Han var utom synhåll ett par minuter, så dök han upp igen i en gammal Tran-

217

sit. Den stannade vid vägen och blinkade åt vänster. Sejer kunde tydligt höra motorns dunkande.

– Det är klart han har en varubil också, sa Skarre.

– Med en cylinder ur funktion. Den dunkar som en gammal skuta. Kör, men ta det försiktigt. Han ska ner till korsningen där, ligg inte för nära.

– Ser du om han tittar i backspegeln?

– Det gör han inte. Släpp förbi den där Volvon, Skarre, den gröna!

Volvon bromsade, eftersom den skulle lämna företräde, men Skarre bugade djupt och vinkade fram den. Chauffören tackade genom att vinka med en vit hand.

– Han blinkar åt höger, se till att komma i högerfil! Fan också, det är för lite trafik, han kommer att upptäcka oss!

– Han ser oss inte, han kör som på räls. Vart tror du han är på väg?

– Möjligen till Oscarsgate. Han håller ju på att flytta. Försiktigt nu, han bromsar in. Se upp för bryggeribilen där, om den kommer före kan vi tappa honom.

– Lätt sagt. När ska du skaffa en bättre bil?

– Nu bromsar han igen. Jag gissar att han ska neråt Børresens gate. Hoppas Volvon ska samma väg.

Johnas körde den stora bilen mjukt och smidigt genom staden, som om han inte ville väcka uppseende. Han blinkade och bytte fil, närmade sig Oscarsgate, och nu kunde de tydligt se att han flera gånger tittade i backspegeln.

– Han stannar vid det gula huset. Det är nummer femton. Stanna, Skarre!

– Här?

– Slå av motorn. Han kommer ut.

Johnas hoppade ut ur bilen, såg sig omkring och gick över gatan med långa steg. Sejer och Skarre stirrade på dörren, där han stod och fumlade med en nyckel. I handen hade han en verktygslåda.

– Han ska upp i lägenheten. Vi väntar här så länge. När han har gått in hoppar du ut och springer bort till hans bil. Jag vill att du tittar in genom bakrutan.

– Vad tror du han har där?

– Det vågar jag inte tänka på. Nu kan du sticka, kom igen nu, Skarre!

Skarre slank ut ur bilen och sprang dubbelvikt som en gammal man längs trottoaren, delvis dold bakom raden av parkerade bilar. Han dök ner vid sidan av bilen, smög runt den och kupade händerna framför ansiktet för att se bättre. Efter tre sekunder tvärvände han och kom sättande tillbaka. Han dunsade ner i sätet och slog igen dörren.

– En stapel mattor. Och Halvors Suzuki. Den ligger bak i bilen med hjälmen på styret. Ska vi springa upp?

– Absolut inte. Ta det bara lugnt. Om jag gissar rätt, dröjer han inte länge.

– Och då fortsätter vi att följa honom?

– Det beror på.

– Är det tänt någonstans?

– Inte som jag kan se. Där kommer han!

De dök ner och såg Johnas som hade stannat på trottoaren. Nu tittade han uppåt och neråt längs gatan och såg den långa raden av parkerade bilar på vänstra sidan. Han såg inga människor i någon av dem. Han gick till sin Transit, hoppade in, startade och började backa. Skarre stack upp huvudet så att han nätt och jämnt kunde se över instrumentbrädan.

– Vad håller han på med? frågade Sejer.

– Han backar. Nu kör han framåt igen. Han backar tvärs över gatan och parkerar framför entrén. Nu stiger han ut. Han skyndar till bakdörren. Nu öppnar han den. Tar ut en mattrulle. Sätter sig på huk. Får upp den över axeln. Han kroknar. Den ser jävligt tung ut!

– Herre Gud, han håller på att ramla!

Johnas vacklade under mattans tyngd. Knäna vek sig under honom. Sejer la handen på dörrhandtaget.

– Han går in igen. Nu försöker han säkert få in den i hissen. Han orkar aldrig bära den uppför trapporna! Kolla fasaden, Skarre, se efter om han tänder ljuset någonstans!

Kollberg började plötsligt gnälla.

– Tyst, pojken min! Sejer vände sig om och klappade hunden. De väntade och såg uppåt husväggen på de mörka fönstren.

– Nu lyser det på fjärde våningen. Han har sin lägenhet där, alldeles ovanför utsprånget, ser du det?

Sejer såg uppför väggen. Det upplysta fönstret saknade gardiner.

– Ska vi inte kila upp?

– Bli inte för ivrig nu. Johnas är smart. Vi måste vänta lite.

– Vänta på vad då?

– Nu släcker han igen. Kanske kommer han ut. Ducka igen, Skarre!

De dök ner. Kollberg fortsatte att gnälla.

– Om du börjar skälla, får du inte mat på en vecka! viskade Sejer sammanbitet.

Johnas kom ut igen. Han såg trött ut. Den här gången såg han varken åt höger eller vänster, han satte sig i bilen, smällde igen dörren och startade.

Sejer öppnade dörren på glänt.

– Du följer efter honom. Håll ordentligt avstånd. Jag sticker upp till lägenheten och kollar.

– Hur ska du komma in?

– Jag har gått på dyrkningskurs. Har inte du det?

– Visst, visst.

– Tappa inte bort honom! Stå kvar tills du ser att han försvinner i kurvan, sedan följer du efter honom. Sannolikt väntar han på att det ska bli mörkt. När du ser att han verkligen kör hemåt, åker du till stationen och samlar ihop lite folk. Ta honom hemma. Ge honom inte tillfälle att byta kläder eller lägga ifrån sig något, och säg inte ett ord om den här lägenheten! Om han stannar på vägen för att dumpa motorcykeln, får du inte ingripa, hör du det!

– Men varför inte? sa Skarre förvirrat.

– För att han är dubbelt så stor som du.

Sejer hoppade ur bilen, tog Kollbergs koppel och drog honom efter sig. Han dök ner bakom bilen i samma ögonblick som Johnas la in växeln och började köra neråt gatan. Skarre väntade några sekunder, sedan gled han efter. Just då var han inte så stark i tron.

Strax efteråt såg Sejer de båda bilarna försvinna i högerkurvan. Han gick över gatan, ringde på hos någon slumpvis utvald och brummade ”polisen” i mikrofonen. Dörren surrade till och han gick in, struntade i hissen och småsprang uppför trapporna till fjärde våningen. Det fanns två dörrar, men eftersom han hade sett ljuset som hade tänts och släckts, vände han sig automatiskt mot gatan. Dörren saknade namnskylt. Han tittade på låset, ett enkelt patentlås. Öppnade plånboken och letade efter ett plastkort. Bankomatkortet drog han sig för att använda, men bredvid låg ett lånekort med namn och nummer och texten ”Boken öppnar alla dörrar” på baksidan. Han stack in kortet i dörrspringan och dörren gick upp. Låset var värdelöst men skulle kanske bytas ut så småningom. Än så länge var lägenheten så gott som tom och innehöll ingenting nämnvärt av värde. Han tände ljuset. Fick syn på en verktygslåda mitt på golvet och två pallar borta vid fönstret. En liten pyramid av färgpytsar och en femliters White spirit under vasken i köket. Johnas höll på att renovera lägenheten. Sejer smög sig in och lyssnade. Det var en ljus och öppen lägenhet med stora välvda fönster med utsikt över gatan, lite bortom den värsta trafiken. Huset var från sekelskiftet med vacker fasad och gipsrosetter i taket. Han kunde skymta bryggeriet, som speglade sig i älven en bit bort. Sedan gick han sakta från rum till rum och såg sig omkring. Det fanns ingen telefon installerad ännu, och inga möbler, men några papplådor märkta med tusch stod längs väggarna. Sovrum. Kök. Vardagsrum. Hall. Ett par målningar. En halvfull flaska Cardinal på köksbänken. Flera hoprullade mattor låg under vardagsrumsfönstret. Kollberg sniffade lite i luften. Han kände lukten av målarfärg, tapetlim och White spirit. Sejer gick en runda till, stannade vid fönstret och tittade ut. Kollberg var orolig. Han tassade runt lite på egen hand, Sejer följde efter och öppnade ett skåp här och där. Den tunga mattan syntes inte till. Hunden började gny och försvann inåt lägenheten. Sejer följde efter.

Till sist stannade hunden framför en dörr. Pälshåren stod rätt upp.

– Vad är det för något?

Kollberg nosade ivrigt i dörrspringan och klöste med klorna på dörren. Sejer såg sig om, visste inte varför men greps plötsligt av en märklig känsla. Någon var i närheten. Han la handen på dörrhandtaget och tryckte ner det. Så öppnade han. Något svart träffade honom i bröstet med våldsam kraft. I nästa ögonblick var allt ett kaos av oljud och smärta, väsande, morrande och hysteriska hundskall, när det stora djuret satte klorna i bröstet på honom. Kollberg tog sats och gick till attack just när Sejer kände igen Johnas dobermann. Så föll han i golvet med båda hundarna över sig. Instinktivt rullade han över på mage med händerna som skydd för huvudet. Djuren tumlade runt på golvet, och han såg sig omkring efter något tillhygge men hittade ingenting. Han störtade in i badrummet, fick syn på en kvast och tog den med sig, störtade ut igen och fram till hundarna. De stod ett par meter från varandra, morrade lågt och visade tänderna.

– Kollberg! röt han. Det är ju en tik, för helvete!

Heras ögon lyste som gula lyktor i det svarta huvudet. Kollberg lade öronen bakåt, den andra stod som en svart panter beredd till attack. Han lyfte kvasten och tog några steg, medan han kände blod och svett rinna

221

under skjortan. Kollberg såg honom, hejdade sig och för en sekund glömde han att hålla ögonen på fienden, som sköt fram som en svart projektil med öppen käft. Sejer blundade och slog till. Han träffade över nacken och slöt ögonen i förtvivlan när hunden föll ihop. Den låg kvar och gnydde. I nästa ögonblick kastade han sig fram och grep tag i halsbandet, släpade den efter sig, öppnade in till sovrummet, gav den en våldsam knuff och smällde igen dörren. Så ramlade han mot väggen och gled ner på golvet. Såg på Kollberg som stod kvar i försvarsställning mitt på golvet.

– För fan, Kollberg, det är ju en tik! Han torkade sig i pannan. Kollberg kom fram och slickade honom i ansiktet. Innanför dörren hörde de hur Hera gnällde. Han satt en stund med huvudet i händerna och försökte hämta sig efter chocken. Såg på sina kläder som var fulla av hundhår och blod. Kollberg blödde från ena örat.

Så kom han på fötter igen. Gick in i badrummet. På en filt inne i duschen fick han se något svart och silkeslent som gnydde eländigt.

– Inte så konstigt att hon gick till angrepp, viskade han. Hon ville skydda sina valpar.

Mattrullen låg längs ena väggen. Han satte sig på huk och tittade på den. Den var hårt rullad, överdragen med plast och omsorgsfullt tejpad med sådan där mattejp som är nästan omöjlig att få av. Han började slita och riva medan han kände hur svetten lackade under skjortan. Kollberg krafsade och klöste och ville hjälpa till, men Sejer knuffade bort honom. Till sist hade han fått bort tejpen och började dra av plasten. Han reste sig och släpade ut rullen på golvet i vardagsrummet. De hörde hur Hera gnydde inne i sovrummet. Han böjde sig igen och gav rullen en kraftig knuff. Mattan rullade ut sig, långsamt och tungt. Inuti låg en hoppressad kropp. Ansiktet var förstört. Munnen var igentejpad, delvis också näsan, eller det som var kvar av den. Han svajade lite där han stod och såg ner på Halvor. Måste vända sig bort och ett ögonblick stödja sig mot väggen. Så lösgjorde han telefonen från bältet. Såg ut genom fönstret och knappade in ett nummer. Följde en lastbåt med ögonen, där den gled uppför älven. Hexagon. Brehmen. Så hörde han den tuta, en långdragen sorgmodig ton. Som om den talade om att här kommer jag. Här kommer jag, men det är inte bråttom.

– Konrad Sejer, Oscarsgate femton, sa han i luren. Jag behöver folk.

– Henning Johnas?

Sejer snurrade en penna mellan fingrarna och såg på honom.

– Vet du varför du är här?

– Vad är det för sorts fråga? sa han hest. Låt mig säga dig en sak: Det finns faktiskt gränser för hur mycket jag finner mig i. Men om det gäller Annie, så har jag inget mer att säga.

– Vi ska inte tala om Annie, sa Sejer.

– Då så.

Han vaggade lite fram och tillbaka i stolen och Sejer tyckte sig notera hur ett stråk av lättnad for över hans ansikte.

– Halvor Muntz är som uppslukad av jorden. Du är fortfarande säker på att du inte har sett honom?

Johnas pressade ihop läpparna. – Absolut säker. Jag känner honom inte.

– Och det är du säker på?

– Du kanske inte tror det, men jag är fortfarande ganska klar i skallen trots polisens upprepade trakasserier.

– Vi funderar bara på vad hans motorcykel gör i ditt garage. I din Transit.

Det hördes ett förskräckt snörvlande ljud.

– Förlåt, vad sa du?

– Halvors mc.

– Det är Magnes, mumlade han. Jag ska hjälpa honom att reparera den. Han talade fort, utan att se på Sejer.

– Magne kör Kawasaki. Dessutom kan du ingenting om motorcyklar, du är i en annan bransch, för att uttrycka det milt. Försök igen, Johnas.

– Okej då! Han brusade upp och förlorade behärskningen, höll sig fast i bordet med båda händerna.

– Han kom intravande i affären och satte igång att jävlas med mig. Herregud, vad han jävlades! Uppträdde som någon knarkande galning, påstod att han ville köpa en matta. Pengar hade han naturligtvis inte. Det ränner så mycket konstigt folk ut och in i affären, och jag tappade behärskningen. Jag gav honom en örfil. Och då stack han som en liten skitunge, från motorcykeln och allt. Jag lämpade in den i bilen och tog med den hem. Som straff ska han få hämta den själv. Böna om att få den tillbaka.

– Din hand har blivit ganska illa tilltygad av bara en örfil? Sejer såg på de flådda knogarna. Det är bara det att inte en käft vet var han är.

– Då har han väl rymt sin kos med svansen mellan benen. Antagligen har han dåligt samvete för någonting.

– Har du något förslag?

– Du undersöker ju mordet på hans flickvän. Du kunde kanske börja där?

– Nu ska du inte glömma att du bor på en liten plats, Johnas. Rykten sprids fort.

Johnas svettades så kraftigt att skjortan klibbade fast på bröstet.

– Jag ska ändå flytta, mumlade han.

– Du sa visst det, ja. In till centrum, eller hur? Alltså gav du Halvor en läxa. Kanske ska vi låta honom vara så länge.

Sejer trivdes inte. Det bara verkade så.

– Men det är kanske så att du har lätt för att tappa behärskningen, Johnas? Vi ska tala lite om det. Han snurrade på pennan igen. Vi börjar med Eskil.

Johnas hade tur. Han hade just dykt ner för att hämta upp cigarretterna ur jackfickan. Tillbakavägen tog tid.

– Nej, stönade han. Jag klarar inte att tala om Eskil.

– Vi tar oss den tid vi behöver, sa Sejer. Börja från början, den sjunde november, från det att ni steg upp, du och din son.

Johnas skakade svagt på huvudet och slickade sig nervöst om munnen. Det enda han kunde tänka på var disketten, som han aldrig hann läsa. Sejer hade tagit den och läst igenom allt vad Annie hade skrivit. Tanken höll på att knäcka honom.

– Det är svårt att tala om. Jag har försökt lägga det bakom mig. Varför i all världen ska du rota i den gamla tragedin? Har du inte saker av färskare datum att syssla med?

– Jag inser att det är svårt. Men försök ändå. Jag vet att ni hade det besvärligt och att ni egentligen skulle ha behövt hjälp av någon. Berätta om honom.

– Men varför vill du tala om Eskil!

– Pojken var en viktig del av Annies liv. Och allt som hade med Annie att göra måste fram i ljuset.

– Jag förstår det, jag förstår det. Jag är bara så förvirrad. Ett ögonblick trodde jag att du kanske misstänkte mig för att – ja, du vet. För att ha något med Annies död att göra.

Sejer log ett ovanligt brett leende. Sedan såg han förvånat på Johnas och skakade på huvudet.

– Skulle *du* ha motiv för mordet på Annie?

– Naturligtvis inte, sa han hetsigt. Men för att vara ärlig så kostade det på att ringa och berätta att jag hade haft henne i bilen. Jag insåg att det var att sticka ut hakan.

– Det skulle vi ha kommit på i alla fall. Det fanns ju de som såg er.

– Det var det jag tänkte på. Det var därför jag ringde.

– Berätta om Eskil, återtog Sejer orubbligt.

Johnas sjönk ihop och drog ett bloss på cigarretten. Han såg förvirrad ut. Läpparna rörde sig, men inte ett ljud hördes.

Inne i huvudet hade han allting klart, men nu krympte rummet omkring honom, och allt han hörde var andningen från mannen på andra sidan bordet. Han kastade en blick på väggklockan för att ordna tankarna. Det var tidigt på kvällen. Klockan var sex.

Klockan var sex. Eskil vaknade med entusiastiska skrik. Härjade omkring mellan oss i sängen och kastade sig ivrigt hit och dit. Ville upp med detsamma. Astrid behövde få ligga längre, hon hade sovit dåligt, därför måste jag upp. Han följde efter mig ut ur rummet och in i badrummet, hängde i mina byxor. Hans armar och ben var överallt och munnen gick i ett, en oavbruten ström av ljud och skrik. Sedan slingrade han sig som en ål medan jag förtvivlad försökte få på honom kläderna. Han ville inte ha blöja. Ville inte ha på sig kläderna jag hade tagit fram, hela tiden slet och drog han i allt som var löst och klättrade till slut upp på toalettlocket för att därifrån riva ner saker från spegelhyllan. Astrids burkar och flaskor for i golvet. Jag lyfte ner honom och fastnade ögonblickligen i samma mönster som alltid. Jag tillrättavisade honom, vänligt först, stoppade in Ritalintabletten i munnen på honom, men han spottade ut den igen, grep efter duschförhänget och lyckades riva ner det. Jag försökte klä mig, försökte vakta på honom så att han inte skulle göra sig illa och inte ha sönder något. Till sist var vi påklädda båda två. Jag lyfte upp honom och bar in honom i köket för att sätta honom i stolen. På vägen dit kastade han plötsligt huvudet bakåt och träffade mig på munnen. Läppen sprack. Det började blöda. Jag spände fast honom och bredde en smörgås, men han ville inte ha maten jag gjorde i ordning, han skakade på huvudet och svepte undan tallriken och skrek att han ville ha korv i stället.

– Johnas? sa Sejer. Berätta om Eskil.

Johnas vaknade upp och såg på honom. Äntligen bestämde han sig.

– Nåväl, som du vill. Sjunde november. En dag som alla andra dagar, det vill säga en obeskrivlig dag. Han var som en torped, han la familjen i spillror efter sig. Magne fick allt sämre betyg i skolan, orkade inte vara hemma längre utan försvann till kamrater på eftermiddagarna och kvällarna. Astrid fick inte tillräckligt med sömn, jag orkade inte hålla affärens öppettider. Varje måltid var en prövning. Annie, sa han plötsligt och log sorgset, Annie var den enda ljuspunkten. Hon kom och hämtade honom när hon hade tid. Då vilade lugnet över huset som efter en orkan. Vi föll ihop där vi satt eller låg och slocknade fullständigt. Vi var utmattade och förtvivlade och ingen hjälpte oss. Vi fick klara besked att han aldrig skulle växa ifrån det. Han skulle alltid komma att ha koncentrationssvårigheter och vara hyperaktiv resten av livet, och hela familjen skulle bli tvungen att inrätta sig efter honom i åratal framöver. Åratal. Kan du föreställa dig det?

– Och den här dagen hade ni ett gräl, du och han?

Johnas skrattade ett vansinnigt skratt. – Vi grälade jämt. Hela familjen fick en neuros. Vi höll säkert på att förstöra honom, vi hade ingen möjlighet att hantera honom. Vi skrek och grälade, och hela hans liv bestod av skäll och vantrivsel.

– Berätta vad som hände.

– Magne stack in huvudet i köket och ropade hej. Han försvann till bussen med ryggsäcken på ryggen. Det var mörkt ute. Jag bredde en smörgås och la på korv. Jag skar till och med upp den i tärningar, fast han mycket väl kunde äta kanter. Hela tiden slog han med muggen i vaxduken, han skrek och gormade, varken av skratt eller ursinne, bara en oändlig ström av ljud. Så fick han syn på våfflorna, de stod på bänken från dagen innan. Genast började han tjata för att få dem, och fastän jag visste att han skulle få sin vilja fram, sa jag nej. Just det ordet var som att vifta med ett rött skynke, så han gav sig inte, han slog med koppen och kastade sig framåt och bakåt i stolen så att den höll på att välta. Jag stod vid bänken med ryggen till och började darra. Efter en stund rörde jag mig i sidled och tog tallriken, drog av plasten och tog en våffellagg. Kastade korvbitarna i soppåsen och satte våfflorna framför honom. Rev av ett par hjärtan. Jag visste att han inte skulle nöja sig med att äta i lugn och ro, jag kände honom. Eskil ville ha sylt på. Jag bredde med darrande händer hallonsylt på två av hjärtana i rasande fart. Just då log han. Jag minns det så väl, det allra sista leendet. Han var så nöjd med sig själv. Jag minns det så väl. Jag stod inte ut med att han var så belåten när jag själv var på gränsen till sammanbrott. Han lyfte tallriken och började dunka den i bordet. Han ville inte ha dem trots allt, han brydde sig inte om våfflorna, det enda han ville var att få sin vilja fram. Våfflorna gled av tallriken och ner på golvet, alltså måste jag få tag i en trasa. Jag vände mig om men kunde inte se någon, i stället tog jag upp våfflorna och vek ihop dem. Han tittade intresserat på mig medan jag gjorde en stor klump. Det lilla ansiktet var helt utan rädsla för vad som skulle komma. Jag kokade inombords. Ångan måste ut, jag visste inte hur, men plötsligt böjde jag mig fram över bordet och stoppade in våfflorna i hans mun, körde in dem så långt det gick. Jag minns ännu det häpna uttrycket och tårarna som sprutade ut ur hans ögon.

Nu! skrek jag i raseri. Nu äter du dina jävla våfflor!

Johnas knäcktes, som en pinne.

– Det var inte meningen!

Cigarretten låg och glödde i askkoppen. Sejer svalde och lät ögonen glida iväg mot fönstret men hittade ingenting som kunde ta bort bilden på näthinnan av den lilla pojken med munnen full av våfflor och stora, skräckslagna ögon. Han såg på Johnas.

– Vi får ta de barn vi får, inte sant?

– Det var vad alla sa. De som inte visste bättre. Det var ingen som visste. Och nu blir jag åtalad för misshandel med dödlig utgång. I så fall är du för sent ute. Jag har anklagat och dömt mig själv för länge sedan, och du kan varken göra från eller till.

Sejer såg på honom. – Exakt hur lyder anklagelsen?

– Eskils död var helt och hållet min skuld. Jag hade ansvaret för honom. Ingenting kan bortförklaras eller ursäktas. Det är bara det att det inte var meningen. Det var en olyckshändelse.

– Du måste ha haft det svårt, sa Sejer stilla. Du hade ingen att gå till med din förtvivlan. Och samtidigt känner du nog att du redan har fått ditt straff för det som hände. Är det inte så?

Johnas teg. Blicken irrade.

– Först förlorade du din yngsta son, och sedan lämnade din fru dig och tog den äldre med sig. Du satt ensam kvar och hade ingen.

Nu började Johnas gråta. Han hulkade som om han försökte få upp gröt ur halsen.

227

– Och ändå har du kämpat på. Du har din hund som sällskap. Du utvidgade affären, som går bättre och bättre. Det ska mycken styrka till för att starta på nytt så som du har gjort.

Johnas nickade. Orden kändes som ljummet vatten.

Sejer hade riktat in siktet, nu sköt han ett nytt skott. – Och sedan, när du äntligen började få grepp om tillvaron igen, och livet gick vidare – så dök Annie upp?

Johnas ryckte till.

– Kanske stirrade hon anklagande på dig när ni möttes på gatan? Du måste ha undrat över det, varför hon var så ovänlig. Så när du fick syn på henne, när hon kom springande med ryggsäcken på ryggen, måste du ta reda på vad det rörde sig om en gång för alla?

En flicka kom springande nerför backen. Hon kände genast igen mig och tvärstannade. Hennes ansikte drog ihop sig och sände mig en misstrogen blick. Hela hennes varelse stötte bort mig, en avog, nästan aggressiv hållning som verkade oroande.

Hon började gå med raska steg igen utan att se sig om. Så jag ropade på henne. Jag ville inte ge mig, jag måste få reda på vad det var! Till slut gav hon upp och satte sig i bilen, satt och höll armarna hårt om ryggsäcken som hon hade i knät. Jag körde sakta, ville formulera en mening men visste inte hur jag skulle börja, om jag kanske höll på att göra något som kunde bli farligt för oss båda. Så jag fortsatte att köra, och i ögonvrån förnam jag den spända varelsen som en enda stor skälvande anklagelse

Jag behöver någon att tala med, började jag dröjande och kramade händerna hårt runt ratten. Jag har det inte lätt.

Jag vet det, svarade hon och stirrade ut genom fönstret, men plötsligt vände hon sig om och såg på mig en kort sekund. Jag kände det som en liten öppning och försökte slappna av. Ännu fanns det tid att dra sig ur och låta det vara, men nu satt hon där och lyssnade på mig. Kanske var hon tillräckligt vuxen för att förstå, och kanske ville hon bara ha en sorts bekännelse, en sorts bön om förlåtelse. Annie, och allt hennes tal om rättfärdighet.

Kan vi åka någonstans och prata lite, Annie, det är så svårt här inne i bilen. Om du har tid, bara några minuter, så skjutsar jag dig dit du ska efteråt.

Min röst var tunn och bönfallande, jag såg att det blidkade henne. Hon nickade långsamt och slappnade av lite, lutade sig mer tillbaka i sätet och såg ut genom fönstret igen. Efter en stund passerade vi Horgen Handel och jag såg en motorcykel stå parkerad bredvid. Föraren satt böjd över styret och stu-

derade någonting, kanske en karta. Jag körde sakta och försiktigt uppför den dåliga vägen till Kollen och parkerade på vändplatsen. Annie såg plötsligt bekymrad ut. Ryggsäcken blev kvar på golvet vid framsätet, jag försöker minnas vad jag tänkte då men jag kommer inte på det, jag minns bara att vi gick längs den mjuka stigen. Annie var lång och smärt intill mig, ung och envis, men inte obeveklig, hon följde efter mig ner till vattnet och satte sig tvekande på en sten. Plockade lite med fingrarna. Jag minns de korta naglarna och den lilla ringen på vänsterhanden.

Jag såg dig, sa hon tyst. Jag såg dig genom fönstret. Just då du böjde dig fram över bordet. Så sprang jag. Senare sa pappa att Eskil var död.

Jag förstod det på ditt sätt, svarade jag tungt, att du anklagade mig. Varenda dag när vi möttes på vägen eller vid brevlådan eller vid garaget. Du anklagade mig.

Jag började gråta. Böjde mig fram och snyftade ner i knät, medan Annie satt alldeles stilla bredvid. Hon sa ingenting, men när jag så småningom var färdig såg jag upp och märkte att hon också grät. Jag kände mig bättre än på länge, det gjorde jag verkligen. Vinden var mild och smekte mig över ryggen, det fanns ändå hopp.

Vad ska jag göra? viskade jag sedan. Vad ska jag göra för att komma över det här?

Hon såg på mig med sina grå ögon, nästan häpet. Berätta för polisen förstås. Och säga som det är. Annars får du ju aldrig frid!

Just då såg hon på mig. Mitt hjärta blev så tungt i bröstet. Jag stack händerna i fickorna, försökte av alla krafter hålla dem där. Har du sagt det till någon? frågade jag.

Nej, sa hon tyst. Inte ännu.

Akta dig du, Annie! skrek jag förtvivlat. Plötsligt var det som om jag steg upp från botten, ut ur mörkret och upp i ljuset. En enda förlamande tanke slog mig. Att det bara var Annie och ingen annan i hela världen som visste. Det var som om vinden vände, och det brusade så starkt i öronen. Allt var förlorat. Hennes ansikte hade samma häpna uttryck som Eskils hade haft. Efteråt gick jag snabbt genom skogen. Jag vände mig aldrig om och såg efter henne.

Johnas studerade gardinerna och lysröret i taket medan han hela tiden formade läpparna till ord som aldrig kom ut. Sejer såg på honom. – Vi har sökt igenom ditt hus och säkrat tekniska bevis. Du kommer att anhållas för dråp på din son, Eskil Johnas, och uppsåtligt mord på Annie Sofie Holland. Förstår du vad jag säger?

– Du misstar dig!

Rösten var ett ynkligt pip. Flera spruckna blodkärl hade gett hans ögon en röd nyans.

– Det är andra än jag som ska bedöma din skuld.

Johnas började leta efter något nere i skjortfickan. Han darrade så våldsamt att han såg ut som en åldring. Till slut dök handen upp igen med en platt liten ask av metall.

– Jag är så torr i munnen, mumlade han.

Sejer såg på asken. – Men du hade inte behövt döda henne.

– Vad pratar du om? sa han svagt.

Han vände asken upp och ner och knackade ut en liten vit halspastill i handen.

– Du hade inte behövt döda Annie. Hon skulle ha dött alldeles av sig själv om du bara hade väntat lite.

– Skämtar du?

– Nej, sa Sejer tungt. Levercancer skulle jag aldrig skämta om.

– Där misstar du dig nog. Ingen var så frisk som Annie. Hon stod vid vattnet då jag reste mig och gick, och det sista jag hörde var ljudet av en sten som hon kastade i vattnet. Jag vågade inte säga det först, att hon verkligen åkte med ända upp till tjärnen. Men så var det! Hon ville inte åka med ner igen, hon ville gå i stället. Fattar du inte att någon har dykt upp medan hon stod där vid tjärnen! En ung flicka, ensam i skogen. Det kryllar av turister uppe vid Kollen. Har det någonsin fallit dig in att du tar fel?

– Någon enstaka gång. Men du fattar väl att slaget är förlorat. Vi har hittat Halvor.

Johnas gjorde en plötslig grimas, som om någon stack honom med en nål genom örat.

– Det känns bittert, va?

Sejer satt alldeles stilla med händerna i knät. Han gned ett par gånger på vigselringen. Det fanns ingenting annat att göra. Dessutom var det tyst och nästan mörkt i det lilla rummet. Då och då tittade han upp och såg på Halvors förstörda ansikte, som var tvättat och omskött men likväl fullständigt oigenkännligt. Munnen var halvöppen. Flera av tänderna var utslagna, och det gamla ärret han hade i mungipan syntes inte längre. Ansiktet hade spruckit som en mogen frukt. Men pannan var hel och någon hade kammat tillbaka håret så att den släta huden syntes, en liten fingervisning om hur bra han hade sett ut. Sejer böjde på huvudet och la försiktigt händerna på lakanet, mitt i cirkeln av ljus från lampan som stod på bordet bredvid. Han hörde bara sin egen andhämtning och en hiss som lät svagt långt borta. En plötslig rörelse under hans händer fick honom att rycka till. Halvor öppnade ena ögat och såg på honom. Det andra var täckt av en klump flytande plåster, ungefär som en blåmanet. Han ville säga något. Sejer la ett finger på munnen och skakade på huvudet.

– Det är fint att se din snygga grimas, men du måste hålla mun. Stygnen kan gå upp.

– Kack, mumlade Halvor otydligt.

De såg på varandra en lång stund. Sejer nickade ett par gånger, Halvor blinkade och blinkade med sitt gröna öga.

– Disketten, sa Sejer, som vi fann hos Johnas. Är det en exakt kopia av Annies dagbok?

– Mm.

– Ingenting är utraderat?

Han skakade på huvudet.

– Ingenting förändrat eller tillrättalagt.

Ny skakning.

– Då säger vi så, sa Sejer långsamt.

– Kack.

Halvors öga fylldes med vatten. Han började snyfta.

– Gråt inte! sa Sejer snabbt. Stygnen går upp. Snorar gör du också, jag ska hämta papper.

Han reste sig och hämtade pappershanddukar vid tvättstället. Försökte torka bort snor och blod som rann ur hans näsa.

– Du tycker kanske att Annie var svår ibland. Men nu förstår du säkert att hon hade sina skäl. Det har vi som regel alla, tillfogade han. Och det här var tungt för stackars Annie att bära på ensam. Jag vet att det är dumt att säga det här, fortsatte han, kanske i ett försök att trösta, eftersom det gjorde honom så innerligt ont om pojken som låg där i sängen med ansiktet sönderslaget.

– Men du är ung ännu. Just nu har du mist så mycket. Just nu känns det som om det bara var Annie och ingen annan du ville vara med. Men tiden går och saker och ting förändras. En vacker dag tänker du annorlunda.

Jösses, vilket påstående, tänkte han plötsligt.

Halvor svarade inte. Han såg ner på Sejers händer på täcket, på den breda vigselringen av guld på högra handen. Blicken var anklagande.

– Jag vet vad du tänker, sa Sejer stilla. Att det går an för mig att snacka, som sitter här med en stor vigselring. En tiomillimeters som blänker så det förslår. Men du ska veta, sa han och log sorgset, att det egentligen är två femmillimeters som är sammansmälta.

Han snurrade på ringen igen.

– Hon är död, sa han lågt. Förstår du?

Halvor slog ner ögat, och lite mer blod och snor och tårar rann nerför ansiktet. Han öppnade munnen, och Sejer kunde se de förstörda tandstumparna.

– Schölåt, kom det grötigt.

Äntligen flödade solskenet, och Sejer och Skarre vandrade genom gatorna med hunden mellan sig. Kollberg lunkade i maklig takt med svansen i vädret som en fana.

Sejer hade blommor hängande i ett snöre runt handleden, röda och blå anemoner med silkespapper omkring. Kavajen hängde löst över hans axlar och eksemet var bättre än på länge. Han gick på sitt mjuka och smidiga sätt medan Skarre hoppade och skuttade bredvid. Hunden gick överraskande väluppfostrat i skritt. Inte för fort, de hade nystrukna skjortor och ville inte svettas för mycket innan de var framme.

Matteus vimsade förväntansfullt omkring med en späckhuggare i svart och vit plysch i armarna. Den hette Willy och var nästan lika stor som han själv. Sejers första impuls var att storma fram och lyfta upp honom och ropa ut sin förtjusning med jublande röst. Så borde man bemöta alla barn, med äkta, stormande glädje. Men han var inte lagd åt det hållet. Han tog helt försiktigt upp Matteus i knät och såg upp på Ingrid, som hade ny klänning, en smörgul sommarklänning med röda hallon på. Han gratulerade henne på födelsedagen och kramade hennes hand. Inom kort skulle de resa till andra sidan jordklotet, till hetta och krig, och bli borta en evighet. Därefter sträckte han handen mot svärsonen, medan han höll i Matteus med den andra. Sedan satt de i lugn och ro och väntade på maten.

Matteus tjatade aldrig. Han var ett väluppfostrat barn som nästan aldrig skrek och bar sig åt, välsignat fri från trots och oppositionslusta. Det enda Sejer inte kände igen från sin egen familj var en liten antydan till charmigt okynne. Pojkens vardag bestod enbart av leenden och kärlek, och hans ursprung, som de bara kände till en del om, hade knappast gett honom gener som skulle ge utslag i onormalt uppförande, reta dem från vettet eller få dem att överskrida katastrofala gränser. Hans tankar vandrade. Tillbaka till Gamle Möllevej utanför Roskilde, då han själv var barn. Länge satt han förlorad i minnen. Till sist hörde han.

– Vad sa du, Ingrid?

Han tittade förvånat upp på dottern och såg hur hon strök en blond hårlock från pannan när hon log på det speciella sätt som var förbehållet bara honom.

– Cola, pappa? log hon. Vill du ha Cola?

Samtidigt, någon annanstans, skumpade en ful skåpbil nerför vägen på lägsta växeln, och en kraftig mansperson med stripigt hår satt lutad över ratten. Nederst i backen stannade han för att släppa förbi en liten flicka som just hade tagit två steg ut på vägen. Hon tvärstannade.

– Hej, Ragnhild! ropade han förtjust.

Hon hade ett hopprep i ena handen, så hon vinkade med den andra.

– Är du ute och promenerar?

– Jag ska hem, sa hon bestämt.

– Nu ska du få höra! skrek Raymond högt och genomträngande för att överrösta motorbullret. Caesar är död. Men Påsan har fått ungar!

– Han är ju pojke, sa hon tvivlande.

– Det är inte alltid så lätt att se om det är en pojk- eller flickkanin. De har så mycket päls. Men han har hur som helst fått ungar. Fem stycken. Du kan få se dem om du vill.

– Jag får inte, sa hon besviket och såg neråt vägen, med ett svagt hopp om att något skulle dyka upp och rädda henne från den svindlande frestelsen. *Babykaniner.*

– Har de fått päls?

– De har päls och de har öppnat ögonen. Jag skjutsar hem dig efteråt, Ragnhild. Kom igen nu, de växer så fort!

Hon tittade ännu en gång neråt vägen, knep ihop ögonen hårt och öppnade dem igen. Så smet hon över på andra sidan och klättrade in. Ragnhild hade vit blus med spetskrage och ett par minimala shorts. Ingen såg att hon steg in. Folk var på baksidan av sina hus, sysselsatta med att plantera och rensa och binda upp rosor och clematis. Raymond kände sig väldigt fin i Sejers gamla vindjacka. Han satte igång bilen. Den lilla flickan väntade spänt i sätet bredvid. Han visslade belåtet och såg sig omkring. Ingen hade sett dem.

Douglas Adams	Liftarens guide till galaxen
JInger Alfvén	Berget dit fjärilarna flyger för att dö
Inger Alfvén	Judiths teater
Inger Alfvén	När jag tänker på pengar
Karin Alvtegen	Skuld
Gail Anderson-Dargatz	Hur man botar den som dödats av blixten
Lena Andersson	Var det bra så?
Bosse Angelöw	Träna mentalt och förbättra ditt liv
Kate Atkinson	Mänsklig krocket
Margaret Atwood	Alias Grace
Margaret Atwood	Kattöga
Jane Austen	Stolthet och fördom
Paul Auster	New York-trilogin
Paul Auster	Timbuktu
Majgull Axelsson	Aprilhäxan
Majgull Axelsson	Långt borta från Nifelheim
Majgull Axelsson	Rosario är död
Bengtsson/Willis	K-märkt på väg
Magnus Bergh, Red.	Staden mellan pärmarna
Ingmar Bergman	Enskilda samtal
Maeve Binchy	Eldflugornas sommar
Maeve Binchy	Glassjön
Maeve Binchy	Nora O'Donoghues dröm
Maeve Binchy	Silverbröllopet
Louise Boije af Gennäs	Ingen mänska en ö
Louise Boije af Gennäs	Ju mer jag ser dig
Louise Boije af Gennäs	Rent hus
Louise Boije af Gennäs	Stjärnor utan svindel
Louise Boije af Gennäs	Ta vad man vill ha
Joan Brady	Gud på en Harley-Davidson
Joan Brady	Himlen Express
Joseph Brodsky	Kommentarer från en ormbunke
Brundin/Heimerson	En god katt förlänger livet
Ernst Brunner	Stoft av ett stoftkorn
Suzanne Brøgger	Jadekatten
Deepak Chopra	Vägen till kärlek
Paulo Coelho	Vid floden Piedra satte jag mig ned och grät

John Grisham	Försvararen
John Grisham	Partners
Jan Guillou	Vägen till Jerusalem
David Guterson	Snö faller på cederträden
Arthur Hailey	Spanaren
D. W. Hamlyn	Filosofins historia
Erik Fosnes Hansen	Psalm vid resans slut
Alf Henrikson	Biblisk historia
Marie Hermanson	Musselstranden
Nick Hornby	Fever Pitch
Nick Hornby	High Fidelity
Nick Hornby	Om en pojke
Hanne Hostrup	Prinsessan och grodan
Göran Hägg	Författarskolan
Christian Jacq	Ljusets son, Ramses 1
Christian Jacq	Evighetens tempel, Ramses 2
Pamela Jaskoviak	Agadir, my love
Terry Jones	Douglas Adams Stjärnskeppet
	Titanic
James Joyce	Odysseus
C. G. Jung	Mitt liv
Mare Kandre	Bestiarium
Yoram Kaniuk	Adam
Ryszard Kapuściński	Imperiet
Stephen Karcher	I Ching
Marian Keyes	Vattenmelonen
Jon Krakauer	Tunn luft
Hanif Kureishi	The Black Album
Man-Ho Kwok &	
Joanne O'Brien	Feng Shui
Olof Lagercrantz	Dikten om livet på den andra sidan
Leena Lander	Den glada hemkomstens boplatser
Mats G. Larsson	Vikingar i österled
Donna Leon	Ond bråd död i Venedig
Ira Levin	Rosemarys son
Lennart Lidfors	Den flytande elden
Herman Lindqvist	Brödrafolkens fel
Herman Lindqvist	Hermans historia
Malin Lindroth	Vaka natt
Josie Lloyd & Emlyn Rees	Tillsammans

António Lobo Antunes	Fado Alexandrino
Erik Löfvendahl	Om jorden
Claudio Magris	Mikrokosmos
Bodil Malmsten	Samlade dikter
Henning Mankell	Leopardens öga
Harry Martinson	Vägen till Klockrike
Ed McBain	Aftonsång
Ed McBain	Nocturne
Ed McBain	Romans
John McCabe	Spigg
Frank McCourt	Ängeln på sjunde trappsteget
Nigel McCrery	Rop i natten
Nigel McCrery	Tyst vittne
Andy McNab	Fjärrkontroll
Brad Meltzer	Den tionde domaren
Ib Michael	Brev till månen
Jack Miles	Gud – En biografi
Alice Miller	Det självutplånande barnet
Magnus Mills	Stängslet
Jacquelyn Mitchard	Där havet slutar
Marlo Morgan	Budskap från andra sidan
Walter Mosley	En liten gul hund
Caroline Myss	Andens anatomi
Håkan Nesser	Kim Novak badade aldrig i Genesarets sjö
Peter Nilson	Stjärnvägar, Solvindar, Rymdljus
Johanna Nilsson	Flickan som uppfann livet
Arto Paasilinna	Den ylande mjölnaren
Arto Paasilinna	Harens år
Arto Paasilinna	Kollektivt självmord
Anna-Karin Palm	Målarens döttrar
Julie Parsons	Mary, Mary
Rosamunde Pilcher	Att åter mötas
Rosamunde Pilcher	I pinjeträdens skugga
Rosamunde Pilcher	I Tvillingarnas tecken
Rosamunde Pilcher	När ljungen blommar
Rosamunde Pilcher	September
Rosamunde Pilcher	Snäcksamlarna
Rosamunde Pilcher	Vägen hem
Fritiof Nilsson Piraten	Bock i örtagård

E. Annie Proulx	Dragspelsbrott
E. Annie Proulx	Sjöfartsnytt
Mario Puzo	Den siste Gudfadern
Anna Quindlen	Det som är sant
Anna Quindlen	Svart och blå
Björn Ranelid	Till alla människor på jorden och i himlen
Björn Ranelid	Tusen kvinnor och en sorg
Ian Rankin	Svarta sinnen
Kathy Reichs	Redan död
C.P. Rosenthal	I hästars ögon
Salman Rushdie	Morens sista suck
Carina Rydberg	Den högsta kasten
James Salter	Ljusår
Aksel Sandemose	Varulven
José Saramago	Historien om Lissabons belägring
Tom Sharpe	En enda röra
Daniel Silva	Livvakt av lögner
Daniel Silva	Mördarens märke
Simon Singh	Fermats gåta
LaVyrle Spencer	Bara en gång blommar hjärtat
LaVyrle Spencer	Sommaren vid havet
Mark Sullivan	Riten
Olov Svedelid	Domens dag
Olov Svedelid	Guds rötter
Susanna Tamaro	Eld, jord och vind
Susanna Tamaro	Ensamma röster
Susanna Tamaro	Gå dit hjärtat leder dig
Susanna Tamaro	Med huvudet bland molnen
Märta Tikkanen	Sofias egen bok/Sofia vuxen
Tomas Tranströmer	Dikter
Joanna Trollope	Andras barn
Joanna Trollope	Bästa vänner
Joanna Trollope	Nära och kära
Patricia Tudor-Sandahl	Ordet är ditt
Göran Tunström	Berömda män som varit i Sunne
Göran Tunström	De heliga geograferna/Guddöttrarna
Carl-Johan Vallgren	För herr Bachmanns broschyr
Penny Vincenzi	Bröllopsgästerna
Penny Vincenzi	Familjehemligheter